ブラックストーン・ウェイ

PEファンドの王者が語る投資のすべて

目次

Part 3　まがり角の先を見通す

Part 4 タッチダウンをねらって

本書内容に関するお問い合わせについて

このたびは翔泳社の書籍をお買い上げいただき、誠にありがとうございます。弊社では、読者の
皆様からのお問い合わせに適切に対応させていただくため、以下のガイドラインへのご協力を
お願い致しております。下記項目をお読みいただき、手順に従ってお問い合わせください。

●ご質問される前に

弊社Webサイトの「正誤表」をご参照ください。これまでに判明した正誤や追加情報を掲載しています。

正誤表　https://www.shoeisha.co.jp/book/errata/

●ご質問方法

弊社Webサイトの「刊行物Q&A」をご利用ください。

刊行物Q&A　https://www.shoeisha.co.jp/book/qa/

インターネットをご利用でない場合は、FAXまたは郵便にて、下記"翔泳社 愛読者サービスセンター"まで
お問い合わせください。電話でのご質問は、お受けしておりません。

●回答について

回答は、ご質問いただいた手段によってご返事申し上げます。ご質問の内容によっては、
回答に数日ないしはそれ以上の期間を要する場合があります。

●ご質問に際してのご注意

本書の対象を越えるもの、記述個所を特定されないもの、また読者固有の環境に起因するご質問等には
お答えできませんので、予めご了承ください。

●郵便物送付先およびFAX番号

送付先住所　〒160-0006　東京都新宿区舟町5

FAX番号　03-5362-3818

宛 先　(株)翔泳社 愛読者サービスセンター

プロローグ　生まれつくのではなくつくられる

一九八七年の春、わたしはボストンへ飛んだ。マサチューセッツ工科大学（ＭＩＴ）の大学基金チームに面会するためだ。ブラックストーン一号ファンドへの投資を募っているときだった。調達目標額は一〇億ドル。達成すれば新規に立ちあげるこの手のファンドとしては世界最大、既存ファンドをふくめても世界三番目の規模となる。大胆な目標だ。不可能だという者がほとんどだった。しかし、目標は大きかろうが小さかろうが達成するむずかしさに変わりはないというのがわたしの信条だ。唯一のちがいは大きい目標のほうがはるかに大きな結果をもたらすことだ。人は一度にひとつのことしか本気でとり組めないのだから、成功のために必死になる価値がほんとうにある目標を追求しなければならない。

とはいえ、数えきれないほど断られつづけると焦りも出てくる。

一九八五年にピーターー（ピート）・ピーターソンと共同でブラックストーンを創業したとき、わたしたちは周到に戦略を練り、大いなる期待をいだいていた。ところが事業の展開は当初の見こみに遠くおよばなかった。名だたる投資銀行リーマン・ブラザーズの最高経営責任者（ＣＥＯ）だったピートと、その世界一忙しい合併・買収（Ｍ＆Ａ）部門で責任者だったわたしは、ウォール街の頂点から一転してもの笑いの種になりかねない状況に陥っていた。このファンドの募集ができなければ、ビジネスモデルの妥当性そのものが問われることになる。以前のライバルたちはわたしたちの失敗を望んでいたし、わたし自身そうなるのではと危惧しはじめていた。

訪問の約束は前日のうちに先方に確認してあった。ピートとともにマサチューセッツ通りにやってきたわたしは、事業計画を説明し、なんとしても出資をとりつけようと意気ごんでいた。すりガラス窓のついたドアに「MIT大学基金」と書かれているのを見つけてノックした。返事がない。二度、三度、四度ノックした。わたしはスケジュール帳を見なおして場所がまちがっていないのを確認した。わたしより二一歳年上で六一歳のピートが背後でむっとしている。リーマンに入る前はニクソン大統領のもとで商務長官を務めたほどの人だ。

そのうち、通りがかりの守衛がこちらに気づいて足を止めた。わたしたちは基金の担当者と会うことになっていると説明した。

「ああ、金曜日ですからね。しばらく前にみなさん帰りましたよ」

「でも、三時に約束しているんですが」

「帰っていくのを見かけましたからねえ。もどるのは月曜日の朝でしょう」

がっくりとうなだれて帰りかけたとき雨が降りだした。不意のことでレインコートも傘もなく、ピートとふたりMITの管理棟の出口でやむのを待った。二〇分後、雨はますます激しくなった。なんとかしなければならない。ピートをその場に残し、タクシーを拾おうと小走りで通りに出た。すぐに上着はびしょぬれになりシャツが体に張りついた。服はだらりとたれさがり、雨が目に流れこんであごからしたたり落ちる。やっとタクシーを見つけたと思うたびに、だれかに先をこされてしまう。全身ぬれねずみで捨てばちになったわたしは、信号待ちのタクシーに駆け寄った。後部ウィンドーをバンバン叩いてしわくちゃの二〇ドル札を掲げながら、この心づけでどうかわたしたちを同乗させてくれと心のなかで祈った。乗客はガラス越しにこちらをしげしげと見た。さぞ異様な光景だったにちがいない。ずぶぬれの男が窓をガンガン叩いているのだから。断られた。ふたり目、三人目もだめで、心づけを三〇ドルに引きあげたところでようやく乗せてくれる人が現れた。

この数週間で成功したもっとも取引らしい取引だ。

わたしは手を振ってピートに合図した。ピートはひと足ごとにぬれそぼち不機嫌になりながら重い足どりでやってくる。髪がぺっとり頭に張りついて、まるでシャワーのなかにいるようだ。ピートは常に送迎車を待機させ、乗り降りのときには運転手に傘を差しかけられる生活をしてきた。それが一年半前、わたしと共同で事業をはじめることになったのだが、水たまりのなかをやってくる顔つきから後悔しているのが見てとれた。

ほんの少し前までは、わたしもピートも相手がアメリカの実業界だろうが世界各地の政府だろうが電話一本でだれとでも話せたし、熱心に話を聞いてくれる相手もすぐに見つけられたものだ。もちろん簡単に事業がはじめられると思っていたわけではない。それでも、まさか努力に見合う成果を一ドルもあげられず、金曜の晩にローガン空港の待合席で全身ずぶぬれのままうなだれることになろうとは想像していなかった。

身につまされない起業家はいないだろう。自分が実際におかれている状況と思い描く人生や事業とのあいだに横たわる、大きな溝をひしひしと感じるあの絶望の瞬間。成功すれば成功ばかりがとりざたされる。失敗すれば失敗ばかりが注目される。まったくべつの方向へ踏みだすきっかけになった転換点が注目されることはほとんどない。しかし、仕事や人生におけるもっとも重要な教訓が得られるのは、じつはこのような転機に立ったときだ。

＊＊＊＊

二〇一〇年、当時ハーバード大学の学長だったドリュー・ファウストがニューヨークへわたしをたずねてきた。さまざまなことを語りあったが、大半は大きな組織を運営することにまつわる話だった。ドリューは二〇一八年に学長職から退くにあたり、そのときにとった長いメモを見つけてわたしに送ってくれた。書きとめられたたくさんのことがらのなかにひときわ目を引くことばがあった。「一流の経営者はつくられるもので、生まれつくものではない。情報を吸収し、経験を分析し、おのれの失敗から学んで成長する」

まさしくそうだった。

ドリューとの対話からまもなく、元財務長官でゴールドマン・サックスのCEOも務めたヘンリー（ハンク）・ポールソンと話す機会があった。そのときすすめられたのが、昔のスケジュール帳を見返して組織づくりや経営についての考えを記録し、いずれ発表したくなるときに備えて文字に起こしておくことだ。わたしの経験や教訓は幅広い層の興味を引くといわれ、ハンクのすすめにしたがうことにした。

わたしはたびたび、学生や経営幹部、投資家、政治家、非営利団体の関係者を対象に講演している。いちばんよく質問されるのは、わたしたちがどのようにしてブラックストーンをつくり、現在どのように経営しているかについてだ。組織を思い描き、新しくおこし、成長させ、非常に有能な人材をひきつける企業文化を生みだす過程に聴衆は大いに関心を示す。また、どんなタイプの人間がそんな挑戦をするのか、そうした人間にどんな特性や価値観や習慣が必要なのかを知りたがる。

人生のあらゆる瞬間を記録した回顧録を書くつもりはもとよりなかった。自分にそこまでの価値があるとは思わない。そこで、世の中や働くことについて重要ななにかを教えてくれた出来事やエピソードだけにしぼることにした。わたしを今日のわたしたらしめた転換点と、そこから学んだ教訓をまとめたものが本書だ。みなさんの参考になればと思う。

****

わたしはペンシルベニア州フィラデルフィアの中産階級が住む郊外の町で育ち、一九五〇年代のアメリカの価値観――誠実さ、率直さ、勤勉さを身につけた。両親からは小遣い以外一セントももらえなかったので、わたしたち兄弟は自力で稼ぐほかなかった。わたしは家業のリネン店を手伝い、棒キャンディーや電球を訪問販売してまわり、電話帳を配達した。双子の弟ふたりをアルバイトに雇って芝刈りサービスもはじめた。実際に芝刈りをする弟たちに代金の半分がいき、顧客を確保するわたしに残りの半分が入るしくみだ。この商売は丸三年つづき、アルバイトのストライキで終わった。

現在、わたしのスケジュール帳は想像すらできなかったようなビジネスチャンスで埋まっている。各国の首脳、企業の経営幹部、放送タレント、金融界のリーダー、国会議員、ジャーナリスト、大学の学長、著名な文化団体の理事などとの面会だ。

どうやってここまで来たのか。

わたしは偉大な教師に恵まれてきた。両親には正直さ、良識、達成を重んじる価値観と、他者への思いやりの大切さを教わった。高校時代に陸上のコーチだったジャック・アームストロングのおかげで、苦しくてもへこたれない忍耐強さが身につき、準備や練習の力を実感した。起業家には欠かせない教えだ。高校時代の親友ボビー・ブライアントと陸上トラックを走ったことで、忠誠とはなにか、チームの一員であるとはどういうことかを学んだ。

大学では勉学にはげみ、冒険を追いもとめ、学生全体のためになるプロジェクトを立ちあげた。人のことばに耳をかたむけ、相手が口に出さないときもなにを必要としているのかに注意を払い、いざ難題にとり組むとなれば大胆不敵に行動することを学んだ。もっとも、自分が実業界に入るとは思っていなかった。経済学コースはとらなかったし、いまもそのままだ。証券会社のドナルドソン・ラフキン&ジェンレットに就職してウォール街で働きはじめたときも、証券がなにかさえ知らなかったし、数学の能力はお世辞にもよいとはいえない。弟たちはなにかにつけて驚きをあらわにした。「スティーブ、きみが？　金融業だって？」

しかし、基礎的な経済学の知識がたりなかった分は、パターンを見いだして新しい解決策や枠組みを開発する能力と、自分のアイデアを実現する強い意志で補った。わたしにとって金融は、世の中について学び、人間関係を築き、重要な課題にとり組み、大望を果たすための手段となった。金融のおかげで、結果を左右する二、三のことだけに主眼をおいて複雑な問題を単純化する能力にも磨きがかかった。

＊＊＊＊

ブラックストーンの設立はわたし個人にとって生涯最大の挑戦だ。ＭＩＴの外でピートとふたりで雨に降られたあの日からすると、わが社は大きな成長をとげた。いまでは世界最大のオルタナティブ資産運用会社だ。伝統的資産は、キャッシュ、株式、債券などをいう。広義の「オルタナティブ」資産にはそのほかのほぼすべてがふくまれる。わたしたちは会社や不動産を設立・開発し、買収し、再生し、売却する。投資先の会社は五〇万人以上の社員をかかえ、ブラックストーンと投資先会社全体ではアメリカ国内ばかりか世界でも最大級の雇用主だ。わたしたちは優れたヘッジファンドマネージャーを発掘し、投資する資金を提供する。企業に資金を貸し付け、債券に投資する。

顧客は大手の機関投資家、年金基金、政府系投資ファンド、大学基金、保険会社、個人投資家だ。このような顧客や投資家、投資先会社や資産、自分たちが働く共同体のために長期にわたる価値を生みだすのがわたしたちの使命だ。

ブラックストーンがめざましい成功をおさめている理由は企業文化にある。能力主義を信じ、卓越すること、開かれていること、誠実であることを信条としている。そしてこの信条を共有できる人材だけを精力的に雇っている。こだわっているのはリスクを管理して決して損失を出さないことだ。イノベーションと成長を信奉し、状況を先読みするためにたえず疑問をもち、必要に迫られる前に進化し変化できるようにしている。金融業界に特許は存在しない。いまは儲かって景気のいい事業が、明日には儲からない事業になってしまうかもしれない。競争や破壊的な変化が原因で、ひとつの事業部門だけにたよっていては組織は生きのこれない可能性がある。ブラックストーンでは、手がけると決めたからにはどんな事業であれ世界一になるという共通の使命のもと、能力にあふれるチームを編成してきた。世界一であるかどうかを基準にすれば、自分たちの位置を常に評価しやすくなる。

ブラックストーンの事業分野と勢力範囲が拡大するにつれ、個人的に本業以外でさまざまな機会に恵まれることも増えた。思ってもみなかったが、起業家やディールメーカーとして学んだ教訓と、産業界、政府、教育機関、非営利組織の世界で築いた人脈のおかげで、首都ワシントンにあるジョン・F・ケネディ・センター・フォー・ザ・パフォーミング・アーツの会長を務めたり、シュワルツマン・スカラーズという奨学金付き修士プログラムを中国に創設したりできるまでになった。幸いにして、ビジネスに臨むときと同じ信念にもとづいて慈善活動にもとり組めている。困難な課題を見きわめてそこに的をしぼり、独創的で思慮に富んだ解決策をつくりあげる。イェール大学のキャンパスに建設する他に類を見ない学生のための文化施設にも、MITに開設する人工知能（AI）関連の教育課程を再編成する新しいカレッジにも、オックスフォード大学で立ちあげる二一世紀における人文科学研究の意味を問いなおす新規構想にも共通していえることがある。近年わたしがとり組んでいるプロジェクトは、損益だけでなく人々の人生に影響をあたえるようなパラダイム変化のために資源を振りむけることに重きをおいている。金銭的な価値をはるかに上まわる効果をあげ、その影響がわたしの死後も長く残るだろう革新的なプロジェクトに一〇億ドル以上の援助をしてきたことを光栄に思う。

加えて、大きな課題に直面して解決策を必要としている各国の政府高官からの電話に応じたり面会したりすることにもかなりの時間を割いている。国内外の重大な案件に対するわたしの見解や助言を求めて世界のリーダーたちから連絡が入るたびにいまだに恐縮する。どんな場合もできることがあれば力になれるよう最善をつくしている。

読者諸氏が学生でも、起業家でも、経営者でも、組織の改善につとめるチームの一員でも、あるいは自分の可能性を最大限に引きだす方法を探している人でも、本書の教訓がなにかしらの参考になればと思う。

わたしにとって人生にもっとも大きな見返りをもたらしてくれるのは、新しいもの、意外性があるもの、強い影響力があるものを生みだすことだ。たえず卓越性を追求している。成功の秘訣を尋ねられたときの基本的な答えはいつも変わらない。またとない好機を見いだし、全力をつくしてものにすること。

そして決してあきらめないことだ。

Part 1

障害をとりのぞく

REMOVE THE OBSTACLES

第一章　やるからには大胆に

実家は、フィラデルフィアの中産階級が住むフランクフォード地区でシュワルツマンズ・カーテン&リネンを営んでいた。店は高架鉄道の下にあり、カーテン、寝具、タオルなどの家庭用品を売っていた。よい製品を扱い、価格も適正で、常連客でにぎわっていた。祖父から店を受け継いだ父は家業に精通し、愛想もよく、昔ながらのやりかたで店を守っていくことに満足していた。聡明で働き者だったが、居心地のいいぬるま湯から飛びだす野心はもっていなかった。

わたしは一〇歳のとき時給一〇セントで店を手伝いはじめた。まもなく、時給を二五セントにあげてくれと祖父にたのんでみた。「自分が時給二五セントに値すると思っているのか」ときっぱり断られた。まあ無理もない。これこれの大きさの窓にカーテンをつけるのにどれだけ布地が必要かと客に聞かれても、どう計算すればいいのかも、客になんと言えばいいのかもさっぱりわからないばかりか、学ぼうという気もまるでなかった。クリスマスの時季には、金曜の晩と土曜にリネンのハンカチを年配の婦人がたに売る仕事をまかされた。たかだか一ドルくらいのどれも似たようなハンカチの箱をつぎからつぎにあけてみせ、客が五分や一〇分ほどで気に入ったものを選ぶなりやっぱりいらないと決めるなりしたら、また全部のハンカチを箱にもどす作業を延々とくり返す。時間の無駄に思えてしかたがなかった。店で雇われていた四年のあいだに、わたしは無愛想な子どもから理屈っぽいティーンエイジャーへと進化した。なにより気に入らなかったのは、仕事のせいで友だちづきあいにしわ寄せが来ることだ。アメフトの試合にも高校のダンスパーティにも行けず、店に縛りつけられて自分が加わりたい世界から切りはなされていた。

　もっとも、プレゼント用のラッピングは習得できなかった反面、家業に発展の見こみがあることは見のがさなかった。第二次世界大戦世代の人たちが戦争からもどり、すばらしく平和で豊かな時代だった。どんどん家が建ち、郊外が拡大し、出生率が急上昇していた。ということは、寝室が増え、浴室が増え、リネン製品の需要が増えるということだ。こんなときにうちの店はフィラデルフィアの一店舗だけでなにをやっているのだろう。アメリカでリネンといえば、シュワルツマンズ・カーテン＆リネンに決まっている、となるべきだ。うちの店がアメリカ中に店舗を展開して、現在の大手雑貨チェーン店ベッド・バス＆ビヨンドのようになっているようすが思い浮かんだ。そんな未来のためならハンカチをたたむのも悪くない。父の意見はちがった。

「わかったよ」わたしは父に言った。「全国がだめならせめてペンシルベニア中に展開すれば？」

「いや、そんなことはしたくない」父が言った。

「フィラデルフィアの市内だけなら？　だったらたいしてむずかしくない」

「べつに興味はない」

「興味がないってなんだよ。これだけの人が店に来てるじゃないか。うちもシアーズみたいになれるって」――当時シアーズは繁盛していてどこにでもあった――「なんでやってやろうって思わないの？」

「レジの金をくすねる奴が出てくる」

「父さん、だれもレジの金をくすねたりしないって。シアーズはアメリカ中に店を出してる。そのへんはとっくに解決してるさ。手を広げる気がないってどういうこと？　でっかくなれるチャンスなのに」

「スティーブ。わたしは十分に幸せだ。立派な家もある。車だって二台ある。おまえや弟たちを大学にやれるだけの金もある。これ以上なにが必要だね？」

「必要かどうかじゃない。やりたくないのかって話」

「やりたいとは思わない。やる必要もない。そんなことで幸せになれると思えない」

わたしはかぶりを振った。「意味がわかんないよ。絶対うまくいくのに」

いまとなれば理解できる。経営者にはなりたければなれる。人の上に立つリーダーにも努力すればなれる。しかし、起業家はなろうと思ってなれるものではない。

母のアーリーンはじっとしていられない野心家で、父とは申し分のない組みあわせだった。母は家族がのし上がっていく姿を心に描いていた。一度などはヨットの操縦を覚えようと決意し——ハイアニス港で潮風に髪をなびかせるケネディ一家のようにでもなるつもりだったのだろう——全長二〇フィートのヨットを買って操縦を覚え、家族を巻きこんでヨットレースにも出場した。母が舵をとり父はいわれるままに動いて、たくさんのトロフィーを手にした。わたしも双子の弟たちも母の競争心と勝ちたいという強い意志にはいつも舌を巻いた。時代が時代なら母は大企業のCEOになっていただろう。

当時の住まいはフィラデルフィアのオックスフォード・サークルというほぼユダヤ人のみの地区に立つレンガと石造りの棟割り住宅だ。遊び場には割れたガラスびんが散乱し、まわりの子どもはタバコをふかしていた。向かいに住んでいた仲のいい友だちは父親をマフィアに殺された。母はキャスター街のボウリング場に出入りする黒い革ジャンの連中とわたしがつるむのを嫌がった。息子たちをもっといい学校へ通わせたがっていた。それで、わたしが中学校へあがってまもなく、母の一存で家族そろってもっと裕福な郊外へ引っ越すことになった。

ハンティンドン・バレーではユダヤ人がまれで、人口の一パーセントほどしかいなかった。大多数は白人のアメリカ聖公会かカトリックの信者で、自分の居場所に満足している人たちだった。ここではなにもかもがうそのように簡単に思えた。だれもわたしを痛めつけたり脅したりしようとしない。わたしは学業でよい成績をおさめ、州大会で優勝できる陸上チームのキャプテンを務めた。

一九六〇年代、アメリカは世界の経済と社会の中心のように感じられた。アメリカがベトナムにずぶずぶと深入りしていくなか、公民権からセックス、戦争に対する考えにいたるまでありとあらゆるものが変わりつつあった。わたしはテレビでしょっちゅう大統領を見て育った最初の世代だ。トップに立つリーダーは神話上の人物ではなく、わたしたちのような人間でも手が届く存在になった。

アビントン高校もわたしが二年生のときこの変化に巻きこまれることになった。学校ではペンシルベニア州法にのっとって毎朝聖書の朗読を聞き、主の祈りを唱えていた。わたしは気にしなかったが、エラリー・シェンプの家族はちがった。シェンプ家はユニテリアン信者で、学校がキリスト教に重きをおくのはアメリカ合衆国憲法修正第一条と第一四条で認められた自分たちの権利を侵害すると考えた。シェンプ裁判は最高裁判所までもちこまれ、賛成八、反対一で祈りを唱えさせるペンシルベニアの法令は違憲と判断された。アビントン高校は全国的な議論の中心になり、多くのキリスト教徒がこの判決は公立学校でのキリスト教信仰の終わりを告げるものだと異議を唱えた。

＊＊＊＊

四年制のアビントン高校で三年生のとき次期生徒会長に選ばれた。生徒会長になって革新者とはどういうものかをはじめて学んだ。

家業のシュワルツマンズ・カーテン&リネンをベッド・バス&ビヨンドの先駆けに変貌させるアイデアは父に反対されてしまったが、生徒会ではわたし自身が陣頭指揮をとる立場になる。三年から四年に進級する夏休みは家族でカリフォルニア旅行に出かけた。母が運転する車の後部座席で熱い風を顔に浴びながら、あらたな役職につくことで自分になにが生みだせるだろうと考えた。歴代の生徒会役員名簿にただ名前を連ねるだけで終わりたくはない。だれもやったことのない、考えたことすらないようなことをなしとげたい。実現のために学校中が結集するようなワクワクする未来図を見せてやりたいと思った。東海岸から西海岸へアメリカを横断してまたもどってくる道すがら、わたしは手あたりしだい思いつきをはがきに走り書きして、停車するたびに生徒会の役員たちに送りつけた。家でのんびりしているみんなをはがき攻めにしながらわたしは妙案を探しもとめた。

旅先の車中でようやくひらめいた。フィラデルフィアはディック・クラークが司会を務めるティーン向けのテレビ音楽番組『アメリカン・バンドスタンド』発祥の地だ。WDASのような国内屈指のすばらしいブラックミュージック専門ラジオ局もあった。わたしはとりつかれたように音楽を聴いていた。ジェームス・ブラウンもモータウン系も一九五〇年代のドゥーワップも聴いたし、ビートルズやローリング・ストーンズも聴いた。学校の廊下を歩けば、生徒たちのロックグループがトイレだろうが階段の吹き抜けだろうが、とにかく音響のいい場所で練習する音が聞こえないことはまずなかった。よく演奏されていたのはリトル・アンソニー&ジ・インペリアルズの「ティアーズ・オン・マイ・ピロー」だ。涙にぬれる枕、胸のうずきを歌ったこの曲はまさに高校生の心情を表していた。

リトル・アンソニー&ジ・インペリアルズを学校に呼んで体育館で演奏してもらえたらどんなにい

いだろう。たしかにブルックリンを拠点とするグループで当時絶大な人気を誇っていたし、わたしたちには金もなかった。だがそれがなんだ。これは前代未聞の事件になる。みんな大喜びするぞ。絶対になにかいい方法があるはずだ。わたしは方法を見いだす任務を自分に課した。

あれから五〇年たち、詳細はよく覚えていない。しかし、たくさんの電話とたくさんのつて――だれそれの父さんの知り合いにだれそれがいる――のおかげで、最後にはリトル・アンソニー&ジ・インペリアルズがアビントン高校へやってきた。いまでもあのときの音楽が耳に残っているし、バンドが舞台で演奏する姿が目に焼きついている。だれもが心ゆくまで楽しんでいる感触も忘れられない。なにかをほんとうに強く望めば道は見つかるものだ。なにもないところから道はつくりだせる。そして気づけば目の前に現れている。

それでも、望むだけではだめなこともある。困難な目標を追いかけようとすれば、ときに手が届かない場合がどうしても出てくる。これは野心の代価のひとつだ。

アビントン高校で陸上のコーチだったジャック・アームストロングは、中肉中背でオールバックにした白髪を耳にかけていた。いつも変わらずえび茶色のトレーナーとウィンドブレーカーを着て、いつも変わらず首からストップウォッチをぶらさげていた。そしていつも変わらず明るく前向きに指導にあたった。決して怒鳴ったり怒ったりせず、ただ声をほんの少し上げ下げして調子をわずかに変えるだけで相手にわからせる。「仲間の本気の走りを見たか？　いつまで練習しているふりをつづけるつもりだ！」。頑張りすぎて練習後にへどを吐かなかった日は一日もない。

あるとき、コーチは短距離選手に一マイル（一六〇〇メートル）走をさせた。わたしたち短距離選手にとってはうんざりする距離だ。みんなコーチにそう訴えたかったが、自分たちが天才の手にゆだねられていることは自覚していた。とにかくコーチを満足させたかった。冬のあいだも指導の手がゆるむことはなかった。強風にさらされる丘の上にある学校の駐車場を何周も何周も走らされた。氷ですべらないように足元を見ながら走った。コーチは壁を背にコートと帽子と手袋に身を包み、にこやかに手を叩いて選手を励ました。わが校には特別な設備こそなかったが、他校のチームがなにもせずに冬をすごしているあいだ、厳しい条件のもとで練習を積んだ。春が来たとき準備はできていた。競技会では負け知らずだった。

アームストロングコーチは相手が未来のオリンピック選手だろうと控えの選手だろうと全員を同じように扱い、一貫して簡素なメッセージを伝えた。コーチが立てた練習計画をしっかりこなすべくとにかく「ひたむきに走る」ことだ。脅すことも大げさにほめることもしない。選手自身がどうしたいかを本人に考えさせた。コーチとしての長い経歴を通じてチームが負けたことは四度しかない。戦績は一八六勝四敗だ。

一九六三年、わたしたちはペンシルベニア州の一マイル（四×四〇〇メートル）リレー優勝チームとして、ニューヨーク市一六八丁目のアーモリー室内競技場でおこなわれた特別イベントのレースに招かれた。バスで会場へ向かうあいだ、いつものように親友のボビー・ブライアントと並んですわった。ボビーは身長一八三センチのアフリカ系アメリカ人で学校のスーパースターだ。とても温和で親切な男で、学校のカフェテリアではテーブルごとに呼び止められて冗談を交わさなければならないためなかなか席につけない。学業では苦労していたが、陸上トラックに立つボビーはばけものだった。ボビーの家にはあまり金がなかったので、わたしは働いた金でボビーにアディダスのスパイクシューズをプレゼントした。友情のあかしでもあったがそれだけでなく、ボビーがいいスパイクシューズをはいて走ると、チーム全員が格好よく見えたからだ。

六チームが決勝に残った。わたしはいつも第一走者で、第二走者に二位以下でバトンをわたしたことは一度もなかった。ピストルが鳴り、わたしは先頭に躍りでた。ところが最初のコーナーが迫ってきたとき、右太ももの裏が肉離れを起こした。いきなり激しい痛みが襲ってきた。道はふたつにひとつだ。脇によけて走るのをやめるか？　自分の体を思えばこれが賢明な選択だ。あるいは、なんとかしてできるだけ引きはなされないように走りつづけ、チームが勝つ可能性を残すか？

わたしはトラックの外側にふくらんでうしろの選手が追いぬきやすいようにした。歯を食いしばり、痛みをこらえ、前方を駆けていく選手の背中を見ながら残りの距離を走った。第二走者にバトンをわたしたときには先頭から二〇メートル近く離されていた。よろよろとフィールドへ向かい、身をかがめて吐いた。できることはすべてやったが、これだけ距離をあけられて追いつけるはずがない。勝利を信じそれを確実なものにするために必死で努力してきた。冬中ずっとつらくて孤独な一周一周を積み重ねてきた。だがこうなってはもう負けは決定的だ。

しかし膝に手をついてぐったりしていたとき、観衆がどよめき歓声がレンガの壁に反響するのが聞こえた。チームの第二走者が差を縮めはじめていた。つぎの第三走者がさらに距離をつめる。バルコニー席の観客は靴を脱いで会場をとりかこむ金属の手すりを叩きだした。第三走者は差を一〇メートルにまで縮めたが、それでもまだ追いつくには遠くおよばない。ブルックリン・ボーイズ高校は、チーム一の駿足でニューヨーク市でも最強のアンカーがバトンを待っている。身長一九〇センチ、坊主頭、肩幅が広く逆三角形の引きしまった体にずば抜けて長い足のオリ・ハンターは、まさに走るための体をしていた。競技会では一度も負けたことがない。対するわたしたちのアンカーはボビーだ。

ボビーが板敷きの床をけって走りだした。かっと見開いた目でハンターの背中をひたと見つめ、ひと足またひと足とたぐり寄せていく。ボビーのことはだれよりもよく知っていたが、そのわたしでもボビーがどこからあれほどの気迫と強さを引きだしたのかわからない。ゴールの瞬間、前に出てせり勝った。やった！　観衆は沸きに沸いた。まさかほんとうにこんなことになるなんて！　もはや人間わざとは思えない。試合後、ボビーはフィールドのなかまでやってきて、太い腕でわたしを抱きしめた。「おまえのためにやったんだ、スティーブ。おまえをがっかりさせるわけにいかないからな」。わたしたちはともに練習し競いあうことで互いを高めあうことができた。

＊＊＊＊

四年生のとき、アメリカ一有名なアイビーリーグ校はハーバード大学だと知った。自分の成績なら当然入学できると思っていたが、出願した結果は補欠対象者だった。アームストロングコーチはプリンストン大学で陸上をつづけてはどうかと助言をくれ、その手はずまで整えてくれた。しかし若気の至りで、どうせプリンストン大学が欲しがっているのはわたしの運動神経だけだからと断った。イェール大学にも合格したが、ハーバード大学は絶対にはずせない。自分で描いた未来像の一部だった。そこでハーバード大学の入学事務局の責任者に電話して直談判することにした。まず入学事務局の責任者の名前と代表番号を調べた。そして学校の公衆電話を使うために二五セント硬貨を山ほど用意した。大学に電話するところを両親に聞かれるわけにはいかない。これは自分ひとりでやらなければならないことだ。恐ろしさのあまり身が震える思いで公衆電話に一枚ずつ硬貨を入れた。

「もしもし、ぼくはスティーブン・シュワルツマンといいます。ペンシルベニア州アビントン市にあるアビントン高校の生徒です。イェール大学に合格したのですが、貴校から補欠の通知をいただき、ぜひともハーバード大学に入りたいので電話しました」

「どうやってわたしにかけてきたのかね？　生徒や親とは話さないことにしているのだが」事務局長

が言った。

「とりつぎをお願いしたらつないでもらえました」

「申しわけないが今年は補欠対象者からの合格はない。新入生は定員いっぱいでね」

「それは大きなまちがいです。ぼくは立派に成功してみせますよ。ハーバードに入学させてほんとうによかったと思ってもらえるはずです」

「もちろんきみは立派にやるだろう。だがイェールはすばらしい大学だ。きっと楽しい学生生活を送れるし、貴重な経験ができるはずだ」

「もちろんそうでしょう。でもぼくはハーバードに入りたくて電話しているんです」

「それはわかるが、わたしにはどうしてやることもできないよ」

わたしは電話を切るとその場にへたりこんだ。自分を売りこむ才能を過信していたのだ。不合格を受け入れ、第二希望のイェール大学で妥協するほかなかった。

生徒会長としての最後のあいさつでは教育の考えかたについて話した。この思いは生涯にわたって意外なほど一貫している。


教育とは鍛錬だと思います。この鍛錬の目的は考えるすべを学ぶことです。これさえ身につければ、手に職をつけることにも、芸術を鑑賞することにも、本を読むことにも応用できます。教育があるからこそ神の手によって刻々と変わってゆく人生という物語の真価を理解できるようになるのです。教室を出たあとも教育はつづいています。友だちとのつきあい、クラブ活動への参加、すべてが知識を増やしてくれます。それどころか、人は死ぬまで学びつづけます。わたしたち生徒会役員はみなさんが教育の目的に気づき、その基本精神にもとづいて一生問いつづけ考えつづけることを願っています。

その年の夏、指導員として参加したサマーキャンプからの帰りに、車で迎えにきてくれた父がわたしに言った。これからおまえは父のわたしがまったく知らない世界へ足を踏みいれる。わたしはイェール大学に知り合いもいないし、イェール大学を出た人も知らない。新しい世界へ進むおまえにしてやれることといえば、おまえを愛すること、そしていつでも家に帰っておいでと伝えることくらいだ。あとは自分の力で頑張りなさい。

＊＊＊＊

イェール大学では一年生のときふたりのルームメイトと相部屋になった。寝室がふたつリビングがひとつのスイートで、ありがたいことにわたしはひとり用の寝室だった。ルームメイトのひとりはボルチモアから来た私立学校出身者で、共有のリビングの壁にナチ党の旗を飾っていた。ナチ党の勲章のほか第三帝国の品々を並べたガラスケースももっていた。毎晩『ヒトラーの軍隊行進曲集』とかいうアルバムを聞かされながら眠りについた。もうひとりのルームメイトは前期のあいだほぼずっと下着をとりかえなかった。大学に慣れるのはほんとうに苦労した。

イェール大学の大食堂「コモンズ」はキャンパスの中央にそびえ立つレンガの建物だ。一九〇一年に創立二〇〇周年を記念して建設された。何百人もが食事をしているぎゅうづめの駅のようだった。テーブルの皿やフォークやトレイがガチャガチャ鳴り、椅子と床がこすれてギギッと音を立てる。初日に足を踏みいれたとき、思わず立ちどまって考えた。なにかがすごく変だ。アビントン高校のカフェテリアとはまったくちがう感じがする。ややあってようやくわかった。女子がひとりもいないのだ。アビントン高校では顔見知りばかりだった。一九六五年の秋学期、イェール大学には一万人の学生がいて、そのうちの四〇〇〇人が学部生だったが、知り合いはひとりもいなかった。むちゃくちゃなルームメイトがふたり、女の子はなし、顔見知りもなし。孤独に押しつぶされそうだった。あらゆることと、あらゆる人にびくびくした。

アームストロングコーチには走るためにプリンストン大学へ行くのは嫌だと言ったが、皮肉なことにイェール大学に入学できたのもわたしが短距離走者だったからだ。一〇〇ヤード（九一・四四メートル）のタイムはペンシルベニア州でトップクラスだったし、四四〇ヤードと八八〇ヤードのリレーでアビントン高校チームの第一走者を務め、州大会で優勝し全国大会で四位に入賞した。成績はよかったし大学進学適性試験（ＳＡＴ）の点数も高かったが、合格したのは駿足のおかげだ。

当時イェール大学には有名なコーチがいた。この前年オリンピックのアメリカ代表チームのコーチを務めたボブ・ギーゲンガックだ。新入部員は練習に行き、決められた練習メニューが書かれたカードをとり、ひとりで走る。最大の力を引きだしてくれるアームストロングコーチはいない。笑いあったり冗談をいいあったりするチームメイトもいなければ、この人のためならへどを吐くまで走ってもいいと思える相手もいない。自分にできる精一杯のことは短距離走でアイビーリーグ選手権をとることだろうと思った。しかしそのためには精彩に欠けるコーチとわたしのことなどどうでもいいチームのために練習しなければならない。そんなわけで、わたしらしからぬことだが退部してしまった。まだ自分がなにをしたいのか迷っていたが、わたしを大いに形づくってきた陸上競技はもはや成功への道とは思えなくなっていた。

学業面では勉強がたりていないことがわかった。専攻は文化行動学という珍しい学科にした。心理学、社会学、生物学、人類学を融合させて一九六〇年代に生まれた学問だ。選んだ理由はおもしろそうだと思ったから。人間を総合的に研究するのは人々の目的や原動力を理解するのに役立つはずだ。

だがしばらくは基礎科目を学ばなければならない。同級生はわたしを入れてたった八人、学科担当の教員は四人だった。同級生の多くはアメリカ屈指のプレップスクール（大学進学の準備を目的とした学校）出身者で、みんな顔見知りのようだったし、なすべきこともちゃんと心得ていた。最初のライティングの課題はメルヴィルの『代書人バートルビー』についてだった。評価は六八点。つぎの課題では六六点だった。落第点だ。指導教員のアリステア・ウッドから面談のために狭い研究室に呼びだされた。若い先生だったが、ツイードのセーターにJ．プレスの肘あて付きスポーツジャケット、タッターソールチェックのシャツ、緑のニットタイという年配の教授のようないでたちだった。

「シュワルツマンくん、きみのライティングの課題について話し合いたいのだが」

「話すことなんてなにもありません」わたしは言った。

「なぜだい？」

「書きたいことはなにもなかったし、それをうまく書けなかっただけです」

「驚いた！　きみはばかなわけじゃないな。まさにきみの言うとおりだ。わかった。きみにはまず文章の書きかたを教える。そのあとでものごとの考えかたを教えることにする。両方を同時に学ぶのは無理だ。これから何回かの課題は答えを教えるから、書くことに専念しよう。それから考えることに専念すればいい」

先生はわたしの可能性を見ぬき、必要な素養を身につけられるよう計画的に指導してくれた。あの辛抱強さと厚意は一生忘れない。教えるということはたんに知識をわけあたえることではないと思うようになった。その人のゆく手に立ちはだかる障害をとりのぞいてやる必要がある。わたしの場合、障害になっていたのは高校までにわたしが受けた教育と同級生が受けた教育の格差だ。その年、わたしの成績は落第点から学科の最優秀者として成績優秀者リストに載るまでになった。

＊＊＊＊

一年生を乗りきったあとには冒険が必要だった。ありきたりの夏休みのバイトとはちがうことがしたかった。海に乗りだして異国情緒あふれる港に立ち寄りながらすごす夏なら、イェールでの男ばかりの大学生活からのいい転地療養になるかもしれないと思った。ニューヨークの埠頭で仕事を探すところからはじめたが、当時ギャングが牛耳っていた港湾労働組合はコネのない大学生のガキを雇ってはくれなかった。かわりにブルックリンのスカンジナビア船員組合をあたってみるようすすめられた。賃金はあまりよくないが、少なくとも働き口はあるかもしれないという。組合会館についたのはその日の業務時間がまもなく終わるころだった。三×五インチの情報カードに書かれた求人広告が壁いっぱいに貼ってあったが、わたしが条件を満たす仕事はなにひとつなかった。受付係の話では、組合員になれば今夜の寝床を確保できるし明日また仕事を探せるというので、そのすすめに乗ることにした。だが安眠は妨害された。体の大きいスカンジナビアの船乗りがわたしのベッドに入りこもうとしたからだ。肝をつぶしたわたしはあわてて逃げだし路上で眠った。朝日とともに通りの向こうのバプテスト教会へ行き、朝の礼拝に参列して組合会館があくのを待った。

告知板は整理しなおされていた。「到着港不明」と書かれたカードが目につき、受付係にどういう意味か尋ねた。すべて船荷しだいということだった。どこへ向かうかわかるのはヴェラザノ・ナローズ橋をくぐるときらしい。左に曲がればカナダ、右に曲がればカリブかラテンアメリカ、まっすぐならヨーロッパだという。空きがあるのは機関室の清掃係だけだった。ノルウェーのタンカーで最下級の船員だ。やってみることにした。わたしの仕事は機関室が油まみれにならないようきれいにしておくことだ。船はヴェラザノ・ナローズ橋をくぐって右に曲がり、トリニダード・トバゴへ向かった。

て、飲み食いできるのは、燻製の魚とひどいチーズとリングネスのビールだけだった。機関室は暑すぎて、飲んだビールがそのまま皮膚からしみ出してくるようだった。仕事がないときは木箱に入れてもってきたジークムント・フロイトの本を読んですごした。全著作を読破した。ノルウェー人の乗組員たちとはあまり話さなかったが、ここぞというときにはたよりになった。トリニダード島のバーで声をかけける女の子をまちがえ、たちまちパンチと椅子が飛んできて古い西部劇で見かける酒場のけんかのようになったとき、仲間の乗組員たちが助太刀してくれた。

船は北へ進路を変えロードアイランド州プロビデンスに到着した。わたしはバスでブルックリンへもどり、べつの働き口を探した。雇われたのははるかに快適な船だった。白い船体に青い船底が格好いいデンマークの貨物船キアステン・スコウ号だ。船内での仕事は司厨員で乗組員の食事をつくる。早朝四時に起きてパンを焼き朝食をつくった。仕事は気に入った。船は左に曲がってカナダへ向かい、酒と木材を積みこむと、つぎはコロンビアへバナナを積みに向かう。港へつくたびに網を使って荷あげと荷おろしをしなければならなかった。当時はまだコンテナがなく、船荷の積みおろしには三、四日かかったため、あちこち探索する時間があった。コロンビアのサンタ・マルタではクリスマスのようなイルミネーションが輝く海辺のバーで夜のひとときをすごした。生涯であとにも先にもこのときだけ、わたしは酔いつぶれて前後不覚になった。そのあとだれかがわたしを車で埠頭まで運んで放置していった。二日後、船上で目を覚ますと体中傷だらけになっていた。強盗に襲われてしこたま殴られたらしい。乗組員仲間がわたしを見つけ、目を覚ますまで交代で看病をしてくれていた。意識をとりもどしたときにはすでに洋上で、わたしはほとんど歩けない状態だった。船はカルタヘナに寄港し、パナマ運河を抜け、ブエナベントゥラについた。そしてわたしはイェールにもどった。

洋上ですごした三カ月のあとに単調なニューヘイブンへもどるのはきつかった。学生新聞「イェール・デイリー・ニュース」の一面に、気分が落ちこんでいるなら大学保健課の精神科医に相談をという広告が出ているのを見かけて、ためしてみることにした。パイプに蝶ネクタイという見るからに精神科医らしい医者だった。わたしはこの夏のこと、船のこと、女の子のこと、港のこと、そしてどれだけ学校にもどりたくないかを話した。

「もどりたくないのは当然だ」医者は言った。「もどりたいほうがどうかしている。大丈夫、セラピーの必要はない。きみは離脱症状に苦しんでいるだけだ。頑張りたまえ。二、三カ月すれば元気になるさ」

医者の言うとおりだった。ひょっとするとフロイトの本かバーか道中で出会った女の子たちが原因かもしれない。ひょっとすると挑戦して乗りきったことがかかわっているのかもしれない。同級生がテニスボールを打ったり事務所で働いたりして夏をすごしているあいだ、わたしは機関室で汗だくになりコロンビアのバーで飛んでくる拳をよけていたのだ。とにかく、今度は自分流のやりかたでイェール生活を送る準備ができていた。

＊＊＊＊

わたしはイェール大学の学生寮のひとつ、ダベンポートカレッジに移った。ひとつ上の学年に未来の大統領ジョージ・W・ブッシュがいた。寮の食堂は大学の大食堂よりずっと小さい。わたしは昼食や夕食のあとすぐに自室や図書館にこもって勉強するかわりに、コーヒーをいれて食堂にいる学生とだれかれなしに語らうようになった。

小遣いを稼ぐため、イェール大学文具売店の委託を受け、大学中の階段をくまなく歩いて学生を相手に名入れ便せんの注文聞きをした。稼いだ金でステレオを買った。音楽を聴くのが大好きだった。

わたしは「シニアソサエティ」に目標を定めた。最上級生の秘密結社ともいえる学生クラブで、キャンパスでひときわ目立つ学生や、スポーツチームのキャプテン、学生新聞の編集者、アカペラ合唱団「ウィッフェンプーフス」のリーダーなどが所属できる。どのクラブもいわくありげな名前がついている。スカル&ボーンズ、スクロール&キー、ウルフズ・ヘッド、ブック&スネークなどだ。加入の誘いが来たら、絶対に口外しないこと、クラブ内の密室で起きた出来事について決して語らないことを誓う。もっとも排他的なのはスカル&ボーンズだ。最上級生になるまでのあと二年間でそこのメンバーに注目されなければならない。

わたしはよく、イェール大学でいちばんきれいな学生寮であるブランフォードカレッジの中庭へいってベンチに腰かけ、鐘楼（ハークネスタワー）の鐘が奏でる音色を聞きながら考えた。学部生全体がわっと興奮するようなことがなにかできないだろうか。なにか独創的なことがいい。それまでにわたしが非凡さを発揮した出来事といえば、新入生の身体検査のとき垂直跳びで一〇六・七センチという大学の新記録を出したことだ。しかし自分にはもっとすごいことができるとわかっていたし、アビントン高校にリトル・アンソニーを呼んだ経験からも教訓を得ていた。生涯を通じてくり返し学んできたその教訓は、なにかに全力をつくす決意をしたら、大きいことをするのも小さいことをするのと同じくらいたやすいということだ。どちらも時間とエネルギーを消費することに変わりはないのだから、くれぐれも追いもとめるだけの価値があり、労力に見合った報酬が得られる夢を見ることだ。

イェールの学部生から感じとったもっともぎらぎらした欲望は女性との交際だった。何千人もの男性がネオ・ゴシック建築の校舎のなかで女性との交際どころか女性の姿にさえ飢えていた。解決すべき問題なのはわかりきっているのにだれもが手をこまねいていた。この手で状況を変えてみせるとわたしは決心した。

一六歳のとき、両親に連れられてルドルフ・ヌレエフとマーゴ・フォンテインのバレエを見にいったことがある。わたしはその優雅さと身のこなしに魅了された。その後、まだ一〇代のころ重症の肩鎖関節脱臼で一カ月動けなくなり、毎日一〇時間、グレゴリオ聖歌からはじめてチャイコフスキーの三大バレエ音楽までクラシック音楽のレコードをかたっぱしから聴いてすごした。イェール大学に入学すると、当時の学部長ホレス・タフト（タフト大統領の孫）の妻メアリー・ジェーン・バンクロフトが、わたしのバレエ好きを知って本を貸してくれ、多くのことを教えてくれた。だったら、自分のバレエ好きと大学生活での野心を一体化し、バレリーナの一団を連れてきてイェールの男子学生のために踊ってもらったらどうだろう？　注目を浴びること必至だ。

まずは組織が必要だったので、ダベンポート・バレエソサエティをでっちあげた。つぎにセブンシスターズに数えられる名門女子大学七校のダンス学科の責任者に電話をして、ダベンポート・バレエソサエティのダンスフェスティバルでバレリーナに踊ってもらえないかと依頼した。五校から同意をとりつけることができた。最後に高名な舞踊評論家ウォルター・テリーに電話をして、フェスティバルの批評を書きにニューヨークから来てくれるように説きふせた。こうしてなにもないところからバレリーナと批評家と観衆を一堂に呼びあつめることができた。イェールの男子学生についてのわたしの直感は正しかった。会場は男子学生であふれかえり、わたしはキャンパスで目立つ存在になりはじめた。

他校から最高のバレリーナを呼べたのだから、どうせなら目標を高くもってプロをねらってみてはどうだろう？　当時、世界最高のバレエ団はジョージ・バランシンが芸術監督を務めるニューヨーク・シティ・バレエ団だった。わたしは電車でニューヨークへ行き、楽屋口をうろついて警備員が休憩をとるまで待った。警備員がいなくなると、舞台裏の部屋にもぐりこんで支配人が見つかるまで尋ねまわった。

「いったいここでなにをしている？」支配人が説明を求めた。

「イェール大学バレエソサエティの者です。ニューヨーク・シティ・バレエ団をニューヘイブンにお招きしてバレエを演じていただきたくてやってきました」わたしはこの提案が支配人にとってどんな利益になるか前もって考えてあった。「学生はお金をもっていません。でもバレエが大好きで、あなたがたにとっては未来の観客であり未来の後援者です」わたしは支配人が降参するまで話しつづけた。

「言っておくが、バレエ団をまるごと連れてはいけない。少人数のグループだけでもかまわないかね？」

もちろんなんの問題もないとわたしは答えた。こうしてニューヨーク・シティ・バレエ団の小グループがニューヘイブンへ来て公演してくれた。これも大成功だった。ニューヨーク・シティ・バレエ団と関係ができたのをいいことに、また大勝負に出てふたたび支配人をたずねた。「ぼくらはしがない貧乏学生の団体です。ほんとうにバレエが好きな何百人という青二才どもです。ぼくらを無料で観劇させてくれませんか？　なにしろチケットを買う余裕がないんです」

「それはできない。われわれはチケットを売ることでなり立っているからね。だが舞台稽古をするなら、それでよければ『くるみ割り人形』の舞台稽古に好きなだけ学生を引きつれてくるといい。それなら手配してやれる」

というわけで、バレエ団側はあちらで必要な手配をし、わたしはこちらで必要な手配をし、すべての女子大学の学生を招待した。『くるみ割り人形』の舞台稽古は、イェール大学の男子学生と女子大学の女子学生で大入り満員だった。舞台が終わるころには、わたしは学生のバレエ興行師になっていた。イェール大のソル・ヒューロックとでもいったところだ。こうしてわたしはありえないことを現実にする男としての評判を築きはじめた。

＊＊＊＊

同じころ、アイビーリーグのほとんどの大学と同じように、イェール大学がインナーシティ（都市部の低所得地域）からもっと学生を集めようと苦心していることを知った。わたしは入学事務局の責任者のところにアイデアをもっていった。イェールの入学事務局も誠心誠意やってはいたが、全米各地の優秀な受験生候補がいそうな場所をすべておとずれるだけの人員はそろっていなかった。ニューヘイブンから遠く離れた都市や町や地方へ出向けないのだから、イェール大学の教育や開講講座について説明できるはずがない。潜在的な志願者の多くは、自分がイェールにふさわしいとは思いもしないし、まして金銭的にどうにかなるとは思ってもみないため出願しない。わたしのアイデアは、少人数の学生グループを派遣し、イェール大学の負担で受験生候補を大学へ招待して見学してもらうというものだ。大学が出向くのではなく、あちらからきてもらう。受験生候補をキャンパスに迎え、そのあいだにイェール大学の気前のいい学費援助プログラムを説明する。だれも金がないことを理由に門前払いされたりしない。

事務局長はこのアイデアを気に入った。手はじめにわたしの故郷フィラデルフィアでためすことになった。主要な大学が実施するこの種のとり組みとしては初の試験的なプロジェクトだ。はじめて南フィラデルフィア高校をおとずれたとき、カイロで生まれ、ユダヤ人だからと故郷を追われた男子生徒に出会った。フランス、イタリアと転々として五年前にようやくたどりついたのがアメリカだった。標準テストで高得点をあげ、アラビア語、フランス語、イタリア語、英語を話し、ヘブライ語も読める。ところが低所得地域に暮らす彼は、優秀な受験生候補でありながらイェール大学の名前すら知らないのだ。

こうした生徒のほとんどはヨーロッパからの移民二世やアフリカ系アメリカ人だった。気がかりだったのは、大学を見学しにきて、自己陶酔しているイェールの名門子弟たちに嫌気がさすのではないかという点だ。そこでできるかぎり実際的な見学ができるように計画した。はじめての見学会にやってきた八〇人の生徒は、それぞれの興味に応じて二、三人ずつのグループにわかれ、学部生ひとりが案内役につく。グループごとに研究室をたずねたり大学の放送スタジオを体験したりしたあと、入学事務局で授業料などをどう工面するか相談するという流れだ。

高校側は自分たちの生徒が形だけの平等のシンボルにされはしないかと警戒心をいだいていた。そのため、生徒には道のりがやさしくないことをはっきり伝えた。生徒たちは入学枠を争わなければならないし、他校との併願も必要になる。重要なのは、自分にもイェール大学の門戸が開かれていると知ってもらうことだ。カイロ出身の男子生徒は無事に合格し、イェール大学に入学した。そしてこのプログラムはわたしの卒業後も長くつづいた。

＊＊＊＊

最終学年のとき、イェール大学の全男子学生にとって最大の問題に挑戦することにした。寮の部屋に女性を泊めることを禁じた二六八年つづく風紀規則だ。地域の女子大学生とつきあっていたわたしにとっては、共同体の問題であると同時に個人的な大問題でもあった。

定石どおりに攻めるなら、大学職員と話し合う場を設けてなんとか状況を変えようとするだろう。しかしそれでどうなるかは目に見えている。ブレザーに蝶ネクタイで悠然とかまえた職員が、女性は気を散らす元凶だとわたしを諭す。女性は若い男性の学業を妨げる。女性は寮の雰囲気を変えてしまう。わたしのような若い男には理解しがたい理由がずらずらと出てくるだろう。職員はほほえんでみせ、結局なにも変わらない。二七〇年近くずっとそうだったように。べつの攻めかたが必要だった。そこで学生からはじめることにした。わたしは大学側があげそうな反対理由を書きだし、それを長いアンケートにした。寮の風紀規則が変わると自分の学業の妨げになると思いますか？　まわりに女性が増えると気がちると思いますか？　といった具合だ。

わたしは学生を一人スカウトし、食事どきに一一の学生食堂に張りついてもらって学部生全員にアンケート用紙を配った。回答率は一〇〇パーセントに近かった。それから「イェール・デイリー・ニュース」の副編集長だった友人のリード・ハントのところへいった（リードはのちにクリントン大統領のもとで連邦通信委員会の委員長を務めた）。

「リード、風紀規則撤廃についてのアンケート結果が出た」わたしは言った。「すごいことになるぞ」

三日後、寮の風紀規則は過去のものとなり、学生新聞の一面に「シュワルツマンの戦略――アンケート調査を受け風紀規則撤廃へ」という見出しがおどった。大学側は争いを避けた。わたしにとってはマスメディアの力を学ぶ最初の機会となった。このあとスカル＆ボーンズから加入の声がかかり、六月におこなわれる卒業式典の代表者に選ばれる。

はじめて大食堂でひとりぼっちの食事をして以来、結構な道のりを旅したものだ。

第二章 すべては相互に結びついている

卒業の少し前に受けた就職面接で、目指しているものはなにかと質問された。わたしはありきたりな答えなどもちあわせていなかった。

「電話交換機を目指しています。無数に入ってくる情報を選別して、世界中に送り返したいと思います」

面接官は変人を見るような目でわたしを見たが、わたしはそうなりたいと確信していた。四年生の終わり間近に確信をさらに深める出来事があった。当時わたしはこれからなにをするべきか模索していた。そこでアヴェレル・ハリマンに手紙を書いて助言を求めた。一九一三年卒業組のスカル＆ボーンズの会員で、アメリカ外交の賢人に数えられ、ニューヨーク州知事も務めた人だ。

ハリマンから返事が来て自宅に招かれた。はじめは午後三時の約束だったがあとで昼食に変更になった。わたしは大急ぎではじめてのスーツを買った。グレーに白いピンストライプの入ったJ・プレスのスーツだ。ハリマンの家はニューヨークのメトロポリタン美術館から半ブロックの東八一丁目一六番地にあった。白ジャケットに黒い蝶ネクタイの使用人がドアをあけ、印象派の絵画が並ぶ居間に案内してくれた。となりの部屋から元ニューヨーク市長のロバート・ワグナーの声が聞こえた。そしていよいよわたしの番が来た。ハリマンは肘かけ椅子にすわっていた。八〇歳に近かったが立ちあがってわたしを迎え、左耳が聞こえづらいから右どなりにすわってくれと言った。マントルピースには暗殺されたジョン・F・ケネディ大統領の弟ロバート・ケネディの胸像があった。この前年に兄と同様に暗殺されたが、ハリマンの友人だったという。政界に進む可能性について数分話し合ったあと、ハリマンが言った。「ところできみには十分な私財があるかね？」

「いいえ、ありません」

「なるほど。となるときみの人生は大きくちがったものになる。もし政治に少しでも関心があるのなら、社会に出て可能なかぎり金を稼ぎなさい。そうすればいずれ政界に入りたくなったとしても独立性を保つことができる。わたしもユニオン・パシフィック鉄道の経営者だったエドワード・ヘンリー・ハリマンを父にもたなければ、ここでこんなふうにきみと話してはいなかっただろう」

ハリマンは冒険に次ぐ冒険の人生を語ってくれた。ハリマンは名門寄宿学校のグロートン校からイェール大学へ進学。大学では相続した財産を酒とポロ競技のために使った。卒業後ビジネスの世界で経歴を積む。父の援助とコネを使って一九一七年革命後のロシアへ行き、新生ソビエト連邦へのアメリカからの投資を先導した。レーニン、トロツキー、スターリンとも知り合った。アメリカの投資した資産のほとんどがボリシェヴィキに差し押さえられると、帰国してスイスのサンモリッツを手本にアイダホ州にスキーリゾートをつくることを思いつく。このリゾート地はサンバレーと名づけられた。第二次世界大戦中、父の友人のフランクリン・ルーズベルト大統領に任命され、在ソビエト連邦アメリカ合衆国大使としてふたたびモスクワへおもむく。一九五五年、ニューヨーク州知事となり、その後やはり家族ぐるみの友人だったケネディ大統領のもとで国務次官を務めた。一九六九年はじめにわたしが出会ったころは、ベトナム戦争の終結を目指すパリ和平会談のアメリカ側首席交渉官だった。ハリマンが語っているあいだも、パリの交渉担当者から助言を求める電話がひっきりなしにかかってきた。

わたしはすっかり心を奪われ時間がたつのも忘れていたが、やがてハリマンが言った。「昼食にしよう。食堂でなくここにトレイを運ばせてかまわないかな?」。こんな大豪邸に招かれたのははじめてだったが、トレイでの食事なら慣れていた。

訪問先を辞すると、わたしは公衆電話に走って両親にすべてを話してきかせた。自分が人生でなにをなすべきかハリマンの助言をもらいにいってきたこと。心に決めたことならなんでもやれると言ってもらったこと。人は人生のどこかの時点で自分が何者なのかを見きわめなければならない、とハリマンは言った。早ければ早いほどいい。そうすれば、他人が用意した見せかけの夢に惑わされることなく、自分にふさわしいチャンスを追求することができるからだ。ただし、追いもとめる価値のある空想を現実にするには――情報がどんどん入ってくる電話交換機になるには金が必要だ。

＊＊＊＊

ウォール街でのはじめての面接には一時間早く到着した。遅刻したくなかったからだ。コーヒーショップのチョック・フル・オブ・ナッツでコーヒーをちびちび飲みながら(一杯分しか財布に余裕がなかった)、二、三分おきに腕時計を確認した。午前九時になるのを待ってブロードウェイ一四〇番地のドナルドソン・ラフキン&ジェンレット(DLJ)本社へ向かい、三六階まであがった。受付で待っているあいだ、わたしとあまり年がちがわないように見える黒いヘアバンドにしゃれた靴の都会的な若い女性や、ネクタイにワイシャツ姿の若い男性がきびきびと走りまわる姿が目についた。しびれるような活気が社内に満ちていた。

二〇分後、ウィリアム（ビル）・ドナルドソンのオフィスに案内された。ＤＬＪのＤだ。若い人がロッキングチェアにすわっているのに驚いたが、故ケネディ大統領も愛用したロッキングチェアは時代の先端だった。面接の段取りをつけてくれたのはラリー・ノーブルだ。ビルとイェール大学の同期で、当時イェール大学の入学事務局で働いていた。ラリーと出会ったのはラリーが家族を連れて第一五回同窓会に来たときだ。小さい息子さんがいるのを見て『ぞうのババール』の絵本を買ってあげないと気がすまなくなった。ラリーがどういう人なのか知らなかったが、急な思いつきの親切心が幸いして親しくなり、この面接にもつながった。

「まずはなぜＤＬＪで働きたいのか聞かせてもらおうか」ビルが言った。

「正直に言うと、ＤＬＪのことはよく知りません。ただ、ここは若くてすばらしい人が大勢働いているようなので、自分も同じ仕事をしてみたいと思います」わたしは答えた。

ビルは笑みを見せた。「それもいっぱしの理由だな」しばらく話したあとビルが言った。「せっかくだから、社内をまわって何人かパートナーに会ってくるといい」

言われたとおりにしてその日の終わりにビルのオフィスへもどったが、パートナーたちがわたしなど眼中にないようすだったと伝えるしかなかった。ビルは笑って言った。「まあ、二、三日中に連絡するよ」

その後、ビルから採用を知らせる電話がかかってきた。初任給は年一万ドルだ。

「すごくうれしいです」わたしは言った。「でもひとつ問題があります」

「なんだね？」

「一万五〇〇ドルにしてください」

「え？　なんだって？」

「一万五〇〇ドルにしてください。同期の卒業生のなかに一万ドル稼ぐ男がいるらしくて、ぼくは同期のなかで最高額を稼ぐ男になりたいんです」

「だからなんだ？　こちらはきみに支払ってやる義務などないんだぞ。一万ドルと言ったら一万ドルだ」

「だったらお断りします」

「断る？」

「はい。ぼくは一万五〇〇ドルいるんです。あなたにはなんでもないことでしょうが、ぼくにはほんとうに大事なことなんです」

ビルは笑いだした。「冗談だろう？」

「いいえ、本気です」

「考えさせてくれ」

二日後、ビルからふたたび電話があった。「わかった。一万五〇〇ドルだ」

こうしてわたしは証券業界に足を踏みいれた。

＊＊＊＊

出勤初日、アップタウン方向を一望する窓のある個室と秘書をあたえられた。そのうち、だれかがわたしのデスクに靴や衣料品を扱うジェネスコ社の年次報告書をおいていった。これを分析するのがわたしの仕事だ。こういった報告書を見るのはこれがはじめてだ。ページをめくるとジェネスコのバランスシート（貸借対照表）と損益計算書があった。バランスシートには優先株、転換優先株、劣後債、劣後転換社債、シニア債、銀行借入を説明する脚注がついている。いまのわたしなら、ひと目で財政難にある会社だとわかっただろう。しかし当時のわたしにはスワヒリ語を読んでいるほうがましに思えた。インターネットもなかったし、かみくだいて教えてくれる人もいなかった。いまでも「ジェネスコ」ということばを耳にするだけでひやりとしたものが背中を伝う。いまにもだれかが部屋にやってきて質問をあびせ、わたしの化けの皮をはいでしまうのではないかという恐怖だ。巨額の金が賭けられている世界だというのに、だれひとり新人を教育しようとさえしない。自力で突きとめるくらいの頭をもっているものと決めつけていた。なんてばかげたやりかただろう。

つぎの任務はニューヨークのさまざまな高級レストランを所有するレストラン・アソシエイツ社がはじめた新しい外食チェーンを調査することだった。ニューヨーカーに本格的なドイツソーセージを出すツム・ツムスだ。わたしははじめての訪問調査先となるレストラン・アソシエイツ本社に出向き、最高経営責任者や役員に質問をはじめた。みんなあまり愛想がいいとはいえず、たいして情報も得られなかった。地下鉄で会社にもどると、普段はわたしが無能なせいでほとんど仕事のない秘書が伝言をもって待っていた。「ジェンレットさんから至急の呼びだしです」

リチャード（ディック）・ジェンレットは金融界でもとくに聡明で感じのいい人で、のちには心を許せる親しい友人になる。だがこのときのディックはＤＬＪの社長で、ほとんど知らない間柄だった。

「レストラン・アソシエイツの人たちにいったいなにをした？　先方は激怒しているぞ」ディックが言った。

「激怒って、なぜです？」わたしはうろたえた。

「先方はきみが内部情報を探りにきたと言っている」

「わたしはただ、あの会社が今後どうなるか予測するのに必要だと思うことを聞いただけです。事業部門がいくつあるか、部門ごとの利益はどのくらいか、間接経費はどのくらいか。それでなにか見当がつけばと思ったんです」

「スティーブ、その手の情報を教えることは禁じられているんだ」

「では、今後どうなるかをどうやって知ればいいんです？　なぜ教えてもらえないんですか？」

「証券取引委員会（ＳＥＣ）は収集していい情報といけない情報について規則を設けている。その手の情報は内部情報にあたるんだ。きみに話せば、すべての人に話さなければならなくなる。二度とするな」

こんな規則があることをいちいち説明してくれる人はだれもいなかった。

ツム・ツムスの大失敗のあと、ナショナル・スチューデント・マーケティング社の調査をはじめた。大学生を相手に売れるものはどんなものでも売ろうという会社だ。生命保険商品を販売し（そういうものを買おうと思うような二一歳の若者にはお目にかかったことがない）、学生寮の部屋におく冷蔵庫をリースしたりしていた。大学を卒業したばかりの身としては、学生が電化製品をどう扱うか心あたりがあった。ひどいものだ。この会社は冷蔵庫が六年もつものとして会計処理をしていたが、わたしの知っている学部生はみんな二年で壊していた。会社の事務所を訪問したとき、最初に会った幹部はとなりの部屋で働いている人の名前を覚えていなかったし、ずいぶん暇そうにしていた。内部情報などなくてもこの会社が破産に向かってまっしぐらに進んでいるのは明らかだった。わたしは自分の意見を書きあげ提出した。ＤＬＪが同時にナショナル・スチューデント・マーケティング社の第三者割当増資の準備を進めていたとは知るよしもなかった。

数年後、わたしの予測どおりこの会社は破綻した。ＤＬＪは中身が腐っているのを知りながらその会社の株を売ったとして訴えられ、わたしは部屋いっぱいの弁護士を前に自分の意見を弁護しなければならなかった。ＤＬＪはわたしのことを自分がなにをしているかまったくわかっていない大ばか者だとし、だからだれもわたしに耳を貸さなかったのだと言った。原告側はわたしが天才サヴァンだとし、ＤＬＪのより高給の専門家がそろって見落としたことに気づいたのだと言った。原告側が勝訴した。

＊＊＊＊

ＤＬＪで働いているあいだ、ゴキブリだらけでエレベーターのない又貸しのアパートを転々とした。一時期、二番街沿いの四九丁目と五〇丁目のあいだに立つアパートに住んでいた。一階はミッドタウン・シェード会社というブラインド会社だった。ちょうどゆるやかな上り坂になっている場所で、トフックがギアチェンジする音がひと晩中聞こえた。夜はたいてい家でスパゲティとトマトソースをひとつの鍋で温めて食べた。キッチンはなく簡易電気コンロだ。トイレとシャワーは共同で廊下のはずれにあった。ある晩、女性を食事に誘った。迎えにいくと彼女はミンクのコートを着ていた。彼女が料理を注文しているあいだ、わたしはメニューから目を離せなかった。前菜もデザートも彼女の分をたのむのがやっとで、ふたり分たのむ余裕がないことを悟られないようにと祈りながら。かろうじて彼女をタクシーで送るだけの金はあった。さようならと別れたあと、わたしは家まで五〇ブロック歩きながらいつになれば人生が変わるのだろうと考えた。

ＤＬＪで働く同年代の人たちはニューヨークの名士の子息や令嬢で、知り合いはひとりもいなかった。むさくるしいアパートに住み、証券会社で下っ端の仕事をしていては状況が変わるはずもない。DLJがこれほど行儀のいい人ばかりでなかったら、みんなのゴミを収集する清掃係をさせられていたのではないかと思ったほどだ。それでも、自分とは世界がちがうニューヨークの暮らしを垣間見る機会はあった。同僚で年齢の近いローラ・イーストマンがわたしを気の毒に思い、七九丁目とパークアベニューの角に立つ家族の高級マンションに招待してくれたからだ。何度か夕食に呼んでもらい、地下室でスカッシュもした。ローラの姉リンダはポール・マッカートニーと結婚し、ほどなく父親のリーはマッカートニーの弁護士となった。パークアベニューの高級マンションをたずねたのはこれがはじめてで、生まれてこのかたこんな家は一度も見たことがなかった。当時全米一の室内装飾家だったビリー・ボールドウィンがデザインを手がけたという。玄関脇に小さい書庫があり、ベージュの葛布張りの壁にウィレム・デ・クーニングの絵画がかかっていた。ローラの話ではイーストハンプトンにある父親のビーチハウスの近くにデ・クーニングが住んでいて、法的な相談に乗ってもらった謝礼を現金でなく絵画で払ったらしい。デ・クーニングはたびたび相談する必要があったため、イーストマン家にはデ・クーニングの作品がいくつもあった。アビントンのシュワルツマン家ではありえないことだ。食事の席でのリーは強烈な印象となって心に残っている。前向きな性格で、なにかと大げさで、熱心で見識のある人だった。リーの暮らしは、成功したら手に入れたいとあこがれていたニューヨーク生活そのものだった。

わたしの奮闘はベトナム戦争で中断された。わたしは選抜徴兵されるのを待つかわりに陸軍予備役に志願していた。選抜徴兵されていればほぼ確実に戦地へ送りこまれていただろう。予備軍ではまず六カ月の現役訓練を受け、その後は五年間にわたり各地の部隊で月に一六時間の訓練が求められる。DLJに就職して六カ月後に最初の訓練に招集された。ビル・ドナルドソンはわざわざ退職面談の機会を設けてくれた。わたしは率直にＤＬＪですごした時間を申しわけなく思っていると話した。ほとんど役立たずで終わってしまったからだ。だれもあえて新人教育をしようとはせず、わたしは漫然と時をすごした。イェール在学中とはちがい、なにがしかの実績をあげる道を見いだせなかった。

「いったいなぜわたしを雇ったんですか？」セルフサービスの小さな社員食堂でいっしょに食事をしながらビルに尋ねた。「金を無駄に使わせてしまいました。なにひとつ達成していませんから」

「予感がしたからだ」

「予感ですか？　どんな？」

「きみがいつかわが社の社長になる予感がしたんだ」

わたしはあまりのことにめんくらった。「え？」

「そう、この手のことに第六感が働くたちでね」

ウォール街はまともじゃないと思いながらわたしは予備役についた。

＊＊＊＊

一九七〇年一月、ルイジアナ州のフォートポーク基地はベトナムへ送りだされる兵士のための主要な戦闘訓練センターだった。兵舎はじめじめとして寒く、演習中に地面で寝なければならないときは凍えそうだった。所属中隊の訓練兵たちはウェストバージニア州やケンタッキー州の小さい町の出身で、読み書きが怪しい者もいた。召集され戦闘におもむく者がほとんどだった。イェールやＤＬＪとのちがいに強烈なショックを受けた。練兵軍曹はベトナムで「トンネルラット」だった。南ベトナム解放民族戦線や北ベトナム軍が掘った地下トンネルにもぐりこんで爆薬をしかける特殊任務だ。懐中電灯と四五口径拳銃という装備だけで、暗い角にだれが潜んでいるか、どんな罠がしかけられているかもわからない狭い地下道を進む。これほど勇敢な人間には会ったことがなかった。教官になったのは頭に金属板が入っていてもう戦えないからだ。軍曹は戦争にとことんうんざりしていた。「戦争にはなんの意味もない」と訓練兵に説いた。「皆無。ゼロだ。時間をかけて丘を占拠しようと奮闘する。で、占拠する。五日後、丘を退去すると、悪党どもがすぐさま丘にもどってきやがる。あんなばかげたクソいまいましいことにかかずらったのは、あとにも先にもあれきりだ。だれがいい奴でだれが悪い奴なのかもわからねえ。あっちのことばをしゃべれる野郎もいねえ。昼間親しくなった奴が夜にはおれたちを殺そうとする。士官どもはほとんどがまぬけだ」。軍曹はさらに、無駄死にしないために自分たちの士官をだれか殺さなければならないとしたらそれも検討するべきだとまで言った。

軍曹は立派で勇敢な男だが、政府の最上層部の決定によって人生を変えられた。その怒りといらだちがわたしたちの認識に影を落とした。ベトナム戦争は政治家や外交官や将軍のためのたんなる戦略ゲームでもなければ、過激派学生のためのイデオロギー的な標的でもないことをわたしはすぐに悟った。何千ものアメリカ人の人生を変えるものだった。後年わたしは、自分が国家や世界にとって重大な決定に影響をおよぼす立場になったとき、その決定によって個々の人たちがこうむるだろう影響を忘れないようつとめた。

高校時代ほどの身体能力はもうなかったが、必死に努力する喜びはなくしていなかった。朝五時に戦闘装備で長距離を走ってきたえるのは楽しかった。武器の扱いを学ぶのもおもしろかった。ばかげたことには嫌気を覚えた。ある朝など、雨のなか整列隊形で直立したまま一時間半も朝食の席につくのを待ちつづけた。訓練兵が外にいるのを軍曹が忘れていたのに、だれひとり隊形を崩して軍曹に言いにいく勇気がなかったからだ。朝食にありつけた日も食べものがたりないことがよくあった。ここはルイジアナでベトナムの戦地ではない。食べるものは十分あるはずだ。そこで自分で調べてみることにした。

　わたしたち訓練兵がフォートポークに到着した日、大佐はなにかおかしいことに気づいたら自分に報告するようにと言っていた。そのことばに乗ることにした。わたしは訓練で砂ぼこりにまみれたまま大佐の執務室をたずねた。大佐付きの事務官にここでなにをしているのかととがめられ、名前と認識番号を伝えた。「とっととうせろ」と言われたが、わたしは頑として動かなかった。事務官は副官を呼んだ。わたしはただ大佐と話したいだけだと伝えた。

「いったい何様のつもりだ？　ここは軍隊だぞ。命じられたことをしろ。さっさと中隊にもどらんか」副官が言った。大尉がやってきて、またひととおり同じことをくり返すはめになった。いまにも自分が所属する中隊の大尉がドアから勢いよく入ってきて、わたしの首根っこを押さえつけ沼に放りこむのではないかと思った。しかしやがてわたしは大佐と向かいあってすわっていた。引きしまった体つきに白髪を短く刈りこんでいる。

　わたしは食糧事情を説明した。朝食、昼食、夕食に出たものを話すと、大佐はあっけにとられたようだった。大佐はわたしの所属中隊の練度がくわしく書かれた紙を引っぱりだした。旅団全体のなかで最低の中隊だった。大佐はわたしに中隊へもどって黙っておくように指示した。二日後、中隊の士官は全員いなくなった。訓練兵の食糧を盗んで横流ししていたらしい。その後わたしは大佐に呼びだされ、軍隊の構造を突破して意見を具申したことを感謝された。こういうときのために新任の全訓練兵にあのあいさつをしているが、実際に面会を求めてきた兵はこれまでいなかったそうだ。

　陸軍予備軍での経験で階層制に対する不信感が強くなり、おかしなことに気づいた場合にはそれに逆らう度胸もついた。フォートポークにいた全員のさまざまな運命にはめぐりあわせの重要さを身にしみて感じた。どんなに成功しても賢くても勇敢でも、いつなんどき厳しい立場におかれないともかぎらない。人は自分の現実こそが唯一の現実だと考えがちだが、現実は人の数だけ存在する。さまざまな現実を目にする機会が多いほど、その意味も理解しやすくなる。

ほかにも軍隊ですごすあいだに学んだ人生の教訓がある。軍人の献身と犠牲はどんなときも称賛されなければならないということだ。後年、二〇一六年にネイビーシールズ財団にかかわるようになり、殉職した海軍特殊部隊の家族を支援するための募金にブラックストーンとしてとり組んだのも、この信念に突きうごかされたからだ。わたしは使命感に燃え、社内のすべてのグループをまわって日々の自由を守ってくれている人たちに報いる重要性を説いた。最終的に、アメリカ国内のブラックストーン社員全員が寄付をし、ネイビーシールズ財団は最高記録の九三〇万ドルの基金を集めた。

＊＊＊＊

わたしは七月にルイジアナを離れ、八月下旬にはボストンで教室にすわっていた。イェールを卒業する前に大学院に出願してあった。第一志望はロースクール（法科大学院）、できればハーバードかイェールかスタンフォードだ。しかし合格したのはペンシルベニア大学のロースクールだけで、まだフィラデルフィアにもどる気にはなれなかった。そこで、ほとんど思いつきでハーバード・ビジネス・スクール（ＨＢＳ）に出願した。当時、ビジネススクール（経営大学院）は優秀な若者が好んでいく場所ではなかった。起業家や頭脳労働者ではなく、大企業の中間管理職を世に送りだすところと考えられていた。一九七〇年当時、経営学修士（ＭＢＡ）を取得するということは、ナパーム弾を製造したダウ・ケミカル社や枯葉剤を製造したモンサント社のような軍需産業で働くということだった。どちらの兵器もベトナムの人たちを殺したり重傷を負わせたりするのに使われた。それでも、ＨＢＳから入学が認められたので行ってみることにした。ひょっとするとこれがアヴェレル・ハリマンのすすめていた財産を築く道かもしれないと思ったからだ。

ハーバード大学についたとき、イェール大学についたときと同じ感覚をいだいた。社会的に孤立し、才能あふれる人たちはどこかよそにいるという気分だ。わたしがＨＢＳに入学した年、ビル・クリントンはイェール・ロースクールに進みヒラリーと出会っている。未来のリーダーたちは部品メーカーの研究などはせず、模擬裁判で知的な論戦をくり広げていた。

最初に受けたのは経営経済学というコースのクラスだった。このクラスの核は論理を樹形図にしたディシジョンツリーを描き、異なる行動方針に確率をあてはめ予測される結果をもとに最良の行動方針を導きだすことだ。歩兵訓練でさまざまな体験をしたあとではまったくの空理空論としか思えなかった。最初のケーススタディは海底の宝を探す海洋回収業者だった。問われているのは、海底に沈むガレオン船の船内に残されているかもしれない黄金の期待値をもとに、黄金を回収するための潜水にいくら使うかを算出することだ。担当教員はわたしたち学生より少しだけ年上で教員一年目のジェイ・ライトだった。クラスのはじめに手をあげたわたしをジェイが指名した。

「シュワルツマンくん、きみが議論の口火を切ってくれるのかい？」

「いえ、質問があります」わたしは言った。

「いいよ。なにかな？」

「ケースを読みました。でもくだらないと思いました。こういう内容のクラスになるならわたしみたいな人間にはほとんど実用性がありません」

ジェイはまじまじとこちらを見た。「聞かせてくれ。なぜそう思うんだい？」

「この期待値についてのケースは黄金を見つけるために何回でも無限に潜水できる前提になっているからです。わたしの人生に回数無限の潜水はありえない。潜水するのは一〇〇パーセントの確率で黄金が見つかるときだけです。そうでないとこの事業のせいで破産しかねませんから。このケースはほぼ制限なく何回でも潜水できる巨大企業にはあてはまるでしょう。でもみんながエクソンみたいな大手じゃない。大多数は経営資源がかぎられている。わたしなんかはなんの資源ももっていません」

「なるほどね。そんなふうに考えたことはなかったな。少し考えさせてくれ。ひとまずクラスをはじめよう」

＊

数週間後、ＨＢＳではさまざまなコースの体裁をとりながらたったひとつの概念を教えているだけという結論に至った。ビジネスではあらゆることがほかのあらゆることと関連しているという教えだ。ビジネスが成功するには、それぞれの部分が独立して機能しつつほかのすべての部分と連係する必要がある。ビジネスは経営者たちが統率するひとつに統合された自立したシステムだ。自動車をつくる場合、人々がなにを買いたがるか知るためにしっかりした調査が欠かせない。よい製品をつくるには優れた設計とエンジニアリングと生産が必要だ。労働力を集めて教育するための効果的なプログラム、製品を買いたいという欲求を生みだす優れたマーケティング、商談をまとめられる優れた販売員もいる。システムのどの部分が壊れても、迅速に修復できなければ損失を出して廃業の危機にさらされるおそれがある。よし、わかった。で、つぎは？　翌日も同じことを教えるケーススタディを三つ。そのつぎは？　さらに同じことをもう少し教えるケースを三つ。

一二月の休暇に入るころには退学するほうに気持ちがかたむいていた。もううんざりだった。それにボストンは寒かった。授業は凡庸で、ほとんどはまだ教えかたを模索している若い助教授が担当だった。なぜわたしはこんなところで人生を浪費しているのだろう？　仕事に復帰する覚悟はできていた。

わたしをＤＬＪに雇ってくれたビル・ドナルドソンはすでに退職し、ワシントンで国務次官の職についていた。社長としてドナルドソンを引き継いだのはディック・ジェンレットだ。最後にディックに会ったのは、わたしがレストラン・アソシエイツではからずも内部情報を求めてしまい、その件で叱責されたときだ。とはいうもののディックはＨＢＳの出身だったので、手紙を書いて助言をあおごうと考えた。

「前略　ディック様。ここが嫌でしかたありません。ＨＢＳの趣意はもう理解できたので退学を考えています。ＤＬＪに復職させてもらうことはできますか。あるいはどこかよそで働くのがいいでしょうか。どうか意見を聞かせてください」

驚いたことにディックはわざわざ六ページにおよぶ手書きの返事をくれ、これがわたしの人生を変えた。書かれていたのはだいたいこんなことだ。「前略　スティーブ。気持ちはよくわかる。わたしも一年目の一二月にハーバード・ビジネス・スクールを退学しかけた。知的にまるでものたりないと感じ、経済学研究科に編入して博士号をとるつもりだった。だがとどまることにした。これはわたしにとって人生で最良の決断だったし、まさしくきみがするべきことでもある。退学するな。とどまれ」

わたしはディックの助言にしたがうことにした。いまでも感謝している。若い人から手紙や電話で助言を求められるたびにディックの思慮深く温かい手紙を思い返す。ディック・ジェンレットもジェ

＊いまでもジェイ・ライトはわたしの質問につきあいつづけている。出世をはばもうとするわたしの懸命の努力をよそに、ジェイはＨＢＳの学長まで務めた。長年にわたるブラックストーン取締役会の一員でもある。海底に沈んだ宝のケーススタディをわたしがどう思ったかはべつにして、その後もずっと知恵を貸してくれていることをありがたく思う。

イ・ライトと同様に長年にわたるブラックストーン取締役会の一員になった。わたしはHBSにとどまる決心をし、DLJで学ばなかったさまざまなことをコーポレートファイナンスの基礎から会計、生産管理、経営にいたるまで学びはじめた。一年目を優秀な成績で終え、教職員が選出するセンチュリー・クラブのメンバーになった。七二名からなるセクション（学級）ごとに上位三名がメンバーになれる。わたしはほかのメンバーにおされてクラブの代表になり、高校時代やイェール時代にしてきたように、どうすればここでの経験がメンバーにとって他に類のないすばらしいものになるかを考えた。そして自分たちより少しだけ年上の若い成功者を招いてクラブで話してもらうプログラムを立ちあげた。最初のゲストは反戦ベトナム帰還兵のジョン・ケリー（のちに上院議員、国務長官、民主党の大統領指名候補になった）と、当時ボストン交響楽団の副指揮者だったマイケル・ティルソン・トーマス（その後ロンドン交響楽団、サンフランシスコ交響楽団などの指揮者を務めた）のふたりだ。また、HBSでの二年目には同校でコースアシスタントとして働いていたエレン・フィリップスとも出会い結婚した。

さらにわたしはHBSでの経験をよりよいものにする力になりたいと考えた。イェール大学で寮の風紀規則を変えたり、フォートポーク基地で食糧問題を正したりした成功に勇気を得て、HBSの学長ローレンス（ラリー）・フォーレイカーに学校の改善方法を提案しようと面会を申しこんだ。フォーレイカーは無難だからという理由で学長に選ばれた個性のない地味な管理者で、学校から離れて企業の社外取締役を務めることにほとんどの時間をあてていた。HBSは依然として高い評判を誇っていたが、重大な問題の兆しを見せはじめていた。フォーレイカーと会う約束をとりつけるのに五カ月かかった。

「この学校には、教えられない教師と学べない学生しかいません。カリキュラムは時代遅れだし、事務運営は恐ろしく非効率です」わたしはそれぞれの問題の実例をあげ解決策を提案した。

「シュワルツマンくん、きみはずっとはみだし者だったかね？」

わたしは中学校でも生徒会長、高校でも生徒会長、イェール大学でも卒業式典の代表者だったし、いまはハーバード・ビジネス・スクールのセンチュリー・クラブ代表を務めている。だからべつにはみだし者ではないと話した。そういうあなたこそはみだし者なのではないか。ＨＢＳの何倍も大きいイェール大学では、学長のキングマン・ブルースターみずからが、だれであれ面会を求めてきた人とは四日以内に会うようにしている。わたしに言わせればなぜＨＢＳが落ち目なのかは明らかだとつづけた。「あなたには現在の状況を説明しました。解決できるかもしれない方法も提案しました。でもいっさい興味をもってもらえなかった。力になりたいと思ってのこのやってきたことを後悔しています」

「もうそのへんで十分だと思うがね」フォーレイカーは言った。

フォーレイカーはわたしの意見を侮辱と受けとった。べつにわたしは自分が学長より利口だと思っていたわけではないが、学生生活のまっただなかにいる者としてべつの視点をもっていた。学校として欠点があるとはいえ、ハーバード・ビジネス・スクールを大切に思うようにもなっていた。エレンもコースアシスタントの仕事を通じて、わたしと同じように授業や学生の力量に危惧をいだいていた。学長への提案にはエレンの影響も反映されている。唯一のミスはわたしの正直さを学長が尊重してくれるだろうと考えたことだ。学長は対話すらする気がなかったのだ。

もし自分が組織を運営するなら、面会を求める人ができるだけ簡単に会えるようにして、どんなに大変なときも必ずほんとうのことを語ろうと自分に誓った。正直に理性的にしっかり真意を伝えることができるならなにも不安に感じる必要はない。どんなに頭がいい人でも、ひとりであらゆる問題を解決することはできない。しかし頭のいい人が大勢で率直に話し合えば問題を解決できる。これがリー・フォーレイカーから学びとった唯一の教えだ。

ＨＢＳでの歳月でわかったことは、ＤＬＪで初っぱなから失敗したとはいえ金融が自分に向いているかもしれないということだ。ケーススタディでは、数字に惑わされることなくパターンを見つけだし、問題をかぎわけて解決策となりうるものを提案できた。課外活動では、ほかの人と協力して困難なことや不可能そうなことにさえ挑戦する楽しさに気づいた。卒業が近づくにつれもう一度ウォール街で力をためしてみたいと思うようになった。ＤＬＪではつまずいてしまったし、数学の能力は当時もいまもせいぜい人なみでしかないのは覚悟のうえだ。

当時、投資銀行にはふたつの業務があった。ひとつはセールス&トレーディングだ。債券、株式、オプション、財務省短期証券（ＴＢ）、金融先物、コマーシャルペーパー、譲渡性預金（ＣＤ）といった金融商品を売買する。もうひとつは企業へのアドバイスだ。資金調達方法、資本構成、Ｍ&Ａなどについて助言をおこなう。こういう仕事はさまざまなタイプの人間をひきつける。まだコンピュータがマーケットの機能に大改革をもたらしていなかった一九七〇年代初頭、セールス&トレーディング業務をおこなっているトレーディングフロアは熱狂と喧噪に包まれ、激しやすい人間でいっぱいだった。いっぽうアドバイザリー業務はえてしてもっと理知的で、長期にわたる交渉や辛抱強い関係づくりをともなう。大手企業の上級幹部がこちらの話を信用してそのとおり実行するよう手をつくさなければならない。新機軸を打ちだし、説得し、決着をつけ、競争することになるだろう。自分が得意そうな仕事に思えた。

わたしは六社に応募した。会社訪問をするうちに、イェール大学で文化行動学を学んだことを思い出し、ＨＢＳでわたしがいちばん重きをおいている科目の論文テーマを思いついた。それぞれの社屋から企業文化についてどんなことがわかるか、というものだ。クーン・ローブは会社の歴史を見せつけるような本社だった。正面玄関を入ってすぐのところにクーン・ローブを大投資銀行に育てあげたジェイコブ・シフの巨大な肖像画と、歴代パートナーの小ぶりな肖像画がずらりと並んでいた。パートナー陣はドアを閉ざした個室にこもり、アソシエイトがいる大部屋の営みから切りはなされている。暗く内向きで、順応して生きのこれる会社だとはとても思えなかった。

モルガン・スタンレーはDLJと同じビルに入っていたが、最上階にあって光がたっぷり差しこんでいた。パートナーの区画は金色のカーペットと蛇腹式ふた付きのアンティークな木机で過去の面影を残していたが、それ以外は現代的で変化に開かれていた。リーマン・ブラザーズはといえば、ウィリアム・ストリート一番地に立つ壮麗でどっしりしたイタリアの宮殿のような石の建物で、てっぺんにロマネスク様式の塔があった。どの階もごちゃごちゃと小さい個室に区切られていた。陰謀の渦巻くまったく透明性のない中世の城のように感じられた。ここで働く人間は成功するために戦いをくり広げなければならないだろう。リーマンは順調な業績をあげているものの、やがては内部抗争で崩壊するだろうと感じた。

論文を書くのはたやすかった。数字も出てこないし調査も必要ない。担当教官は独創的だと評価しよい成績をつけてくれた。

就職面接のほうの首尾はそれに遠くおよばなかった。一九七二年当時、ファースト・ボストンにはユダヤ人の専門職はひとりもいなかったし、わたしが最初のひとりになれそうもなかった。ゴールドマン・サックスではわたしを気に入ってくれたが、ちょっと我が強すぎるところが心配だと言われ、オファーはもらえなかった。

モルガン・スタンレーはそのころ世界でもっとも権威ある投資銀行だった。主要企業を顧客とし、それが名門投資銀行の代名詞だった。モルガン・スタンレーにはひとり専門職のユダヤ人がいた。パートナーのルイス・バーナードだ。あとは生粋のアングロサクソン系プロテスタントの白人ばかりだった。わたしは二次面接に呼ばれ、「シェパード」と呼ばれる引率役の社員に連れられてパートナーひとりひとりに対面してまわった。わたしを担当したシェパードは目論見書の作成にいかに正確さが重要かをしきりに語った。正確さがモルガン・スタンレーの企業文化にとって重要なのはまちがいなく、どうにもスリルに乏しいように思えた。

最後に社長のロバート（ボブ）・ボールドウィンとの面接に呼ばれた。ボブは海軍次官の経験者だった。個室の机のうしろにアメリカ海軍の軍旗とアメリカ合衆国の国旗が掲げてあった。この年モルガン・スタンレーは七人のアソシエイトを採用する予定になっていて、ボブはわたしにそのひとりになるチャンスを提示してくれた。とてつもない栄誉だが、ひとつ重い条件がついていた。自分の人格を変える必要があった。モルガン・スタンレーはきっちりした階層型の企業文化だった。主張が強く能動型のわたしのままではいられないということだ。モルガン・スタンレーで働く素質はある、ただ順応しなければならないとボブは言った。

オファーはありがたいが受け入れることはできないとわたしは答えた。自分の人格が無理なくなじむ場所で働きたい、だからオファーをとり消してもっとふさわしい人にその枠をまわしてほしいと伝えた。しかし、それはできないとボブは言った。モルガン・スタンレーがオファーを出したら、それをどうするかは受け手の問題だという。わが社は決して約束をたがえない、ということばに感銘を受けた。ボブはこのあと一〇年かけてモルガン・スタンレーの企業文化を近代化し、多くの古い伝統を捨てて変革をおしすすめた。しかし制約を受けつつ一定の条件のもと、受け継いできた企業文化を尊重しながら進めなければならなかった。ボブはわたしを飼いならすのはひとすじ縄ではいかないと見てとったうえで、自分の思い描く方向へ会社を導いていくのに役立つかもしれないと感じたようだ。リーマンのほうがずっと魅力的に見えた。経営学修士を大量生産するＭＢＡ工場とはちがう。おもしろそうな人たちが集まっていた。元ＣＩＡ捜査官、元軍人、石油業界出身者、親族、友人などの寄り合い所帯だ。デザインが同じ階はひとつもなく、三〇人のパートナーと三〇人のアソシエイトを分断する垣根もない。複雑で刺激的な経験ができる場所に思えた。

面接の当日、パートナー用の食堂に集められた志望者はテーブルを囲んですわり、パートナー陣がうしろにすわった。会長のフレデリック・エールマンが銀のバックルのついたカウボーイベルトというウォール街らしからぬ格好で登場し、面接はふたりひと組でおこなうと言った。志望者はふたり組のペアになり、やはりふたり組のペアになったパートナーの面接を受ける。一回の面接は四五分とし、志望者のペアは一日かけてパートナーのペアを順にまわっていく。このペア方式は悲惨な結果にもなりうるぞと思った。ふたりの志望者が互いに相手をしのごうと争えばそうなりかねない。極端に強い競争心を前面に出して九回の面接をこなせば、互いに血を見る状況で一日を終えることになるだろう。最良の方法は今回ペアを組んだ同じ年の女性に対して鷹揚な態度で友好的に接することだと判断した。結局それが正解だった。面接のあいだ争ったり競ったりした人たちは落とされ、協力した人が採用された。

この判断はもっと長期にわたる利益をもたらすことにもなった。面接でペアを組んだエリザベス（ベティ）・エヴェイヤールは投資銀行業界で長く輝かしい経歴を築いた。わたしたちは仕事上ばったり出くわすことがよくあった。油断のならないあの面接の一日をなんとかふたりで乗りきってから数十年後、ニューヨーク市マンハッタンのアッパーイーストサイドにある美術館フリック・コレクションでともに理事会のメンバーを務めている。ベティは理事会の議長になった。このような若いころの出会いや友情がふたたびひょっこり現れることがなぜか生涯を通じてよくある。

DLJでは放っておかれ、ひとりでウォール街の霧のなかを暗中模索した。リーマンではオファーをもらってすぐに指導役のパートナーをあてがわれた。HBS出身者で元CIA捜査官のスティーブン（スティーブ）・デュブルルだ。風貌は典型的なインベストメントバンカーで、すらりとした長身に端正な顔立ちで黒褐色の髪を横わけにしていた。前会長のロバート・リーマンの秘蔵っ子だ。スティーブはわたしを夕食に連れだし、会社のしくみを説明してくれた。

ところがわたしがリーマンからのオファーを承諾した一週間後、スティーブから家に電話があった。「がっかりしないでもらいたいんだが――」スティーブが言った。「リーマンを辞めることになった。ラザードに移るんだ」

「ちょっと待ってください。酒や食事でわたしをもてなしてくれたのはあなたですよ。そのあなたがいなくなる？　気にするなと言うほうがむちゃだ」

「リーマン・ブラザーズがどうこうというのではまったくないし、きみならうまくなじめるはずだ。きみはきっと大成功をおさめる。だがわたしはずっとここで働いてきた。そろそろほかに移るころあいなんだ。きみには直接伝えなければと思った。わたし個人の都合だということをわかってもらうためにね。会社に問題があるわけじゃない。リーマンで働くのはいいぞ」

「あなたがラザードに移るなら、ついていったほうがいいかもしれない」

「わたしに忠義だてする必要はない。忠義をつくすなら相手は会社だ。まあ、どうしてもというなら面接の段取りをつけることはできるが」

わたしはその誘いに乗り、ニューヨークへ飛んでラザード・フレールのフェリックス・ロハティンに面会した。M&Aやコーポレートファイナンスの有名なアドバイザーだ。しわくちゃのスーツを着たやせ形の人で、金融界に強大な影響力をもっていた。ロハティンは少年のとき第二次世界大戦の開戦と同時に母親とヨーロッパから逃れてきた。大学を出てそのままラザードに入社し、ニューヨーク屈指のバンカーになった。こののち、一九七五年にニューヨーク市を財政破綻の危機から救うために尽力し偉大な功績を残すことになる。ロハティンのオフィスで一時間ばかり話した。最後にロハティンが言った。「スティーブ、きみはおもしろい男だな。ラザードで働きたいならここでオファーを出してもいい。だが承諾しないことをすすめるよ」

「なぜですか？」

「ラザードには二種類の人間がいる。わたしのような主人ときみがなるだろう奴隷のふたつだ。きみは奴隷でいることに納得できないだろう。リーマン・ブラザーズに入社して訓練を積ませてもらってから、晴れて主人としてラザードに来るといい」

ボストンにもどり、面接はどうだったと尋ねる妻のエレンにわたしは言った。「ロハティンはオファーをくれたよ。でも承諾するなと言うんだ。ほんとに変なところだ」

そんなわけで、しっかり訓練を積み、世界中から情報がどんどん入ってくるウォール街の中心で電話交換機になるためにわたしはリーマンに入社した。

コラム　採用面接を成功させる八つの心得

人材の才能をしっかり的確に評価できるようになることはどんな起業家にも欠かせない重要なスキルのひとつだろう。ウォール街で面接を受けていた若いころから、どうすればうまく才能を見きわめられるかをずっと考えてきた。

金融という分野は有能で野心的で自分の足跡を残すつもりの人間であふれている。しかし有能なら十分かというとそうではない。わたしがブラックストーンで採用面接をするときは、その人間がわが社の企業文化に合うかどうかを考える。少なくとも「空港テスト」は必ずやる。飛行機が遅れて空港で足止めを食った場合、この志望者とふたりで待つ気になるか、と自分に問うテストだ。

何千もの人を面接するなかで、わたしは独自の面接スタイルをつくりあげてきた。対話しようというこちらの意図に志望者がどう反応するか、相手のことばとことば以外の手がかりを組みあわせて判断する。決まったやりかたがあるわけではないが、どの面接でも目標にしているのは、相手を理解することで考えかたや人となり、ブラックストーンにふさわしい人材かどうかを評価することだ。

まずはほとんどの面接官がするように履歴書を読んで面接に備える。書かれていることの一貫性に注意し、特異な点や特筆すべき情報があれば書きとめておく。わたしが履歴書を念入りに読みこんで問するとに驚く志望者もいるが、ほとんどの志望者は自分に身近な話題や関心事についてこちらが質問すると安堵する。

志望者とわたしの双方が興味をもちそうなことから会話をはじめるのを目標にしているが、どのようにはじめるかは同じ部屋で顔を合わせるまでわからない。方針は直観で決める。

いきなり履歴書の特異な点からはじめることもある。ときには相手がひと言も発しないうちに身振りやしぐさから手がかりを読みとることもある。楽しそうかつらそうか、生き生きしているかぐったりしているか、興奮しているか緊張しているか、という具合だ。志望者を面接モードから自然な会話モードへ引きこめば、志望者がどんなふうに考え、反応し、変化に順応するか評価しやすくなる。

志望者に質問する場合もある。社内の人間と会ってみて楽しかったか、社員は期待に沿う人たちだったか、この会社はこれまで面接を受けたり働いたりした会社とどうちがうかなど尋ねてみる。

場合によっては、直前までやっていた刺激的な仕事について志望者に話し、どんな反応をするかためすこともある。ほとんどの志望者はそんなにすばやくわたしの世界に引きずりこまれるとは思っていないので、反応が多くを物語る。志望者は発言を控えるだろうか、積極的に対話する手だてを見つけるだろうか。思いがけない状況におどおどしたり落ちつきをなくしたりするだろうか。自分にはさっぱりわからない話題や経験でも共通点を見いだして会話を楽しめるだろうか。

あるいは、こちらが興味をもっていることや話題性のあることについて尋ねてみたりもする。志望者がその話題をよく知っているようなら、対話の進めかたを観察する。自分なりの見方をもっているか。筋の通った分析的な判断をしているか。こちらの話がわからないとき、それを認めて会話を先に進める方法を見いだすか。それともわかるふりをするだろうか。

考えてみれば、これはすべて不確かなものに対処する能力を評価することにほかならない。金融、とくに投資は新しい情報や人や状況にすばやく順応しなければならない動的な世界だ。会話というかぎられた範囲内でつながりをもち、積極的にかかわり、方向を変える能力を示さない志望者は、おそらくブラックストーンでうまくやってはいけない。

わが社にはさまざまな人間がいるが、全員に共通する特性がある。自負心、知的好奇心、礼儀、新しい状況に順応する能力、プレッシャー下での情緒の安定、無欠陥（ゼロディフェクト＝ZD）の精神、そして、誠実にふるまい、やることすべてにおいて最高を目指すという揺るぎない決意だ。人柄がいいこと――思いやりがあり気づかいができ節度を知っていること――も損にはならない。どんなに才能があっても人柄がよくなければ雇いはしない。ブラックストーンが社内権力闘争のない会社でありつづけることもわたしにとっては重要だからだ。有利な地位につこうと画策するようなところがある人間はわが社には必要ない。

わたしの考える面接成功の心得を伝授しよう。

1　時間厳守。約束の時間を守ることは、どれだけ面接について考えたり準備をしたりしてきたかを示す最初の指標になる。

2　等身大で。面接は相互に評価する場であり、お見合いパーティと少し似たところがある。だれもがぴったりの相手を探している。身構えず自然体でいればありのままを気に入ってもらえる可能性が高い。自分という人間を知ってもらい、それで面接に合格すれば言うことはない。もしうまくいかないなら、おそらく自分にとってもふさわしい会社ではなかったということだ。知ったうえでつぎに進むほうがいい。

3　準備する。会社について調べておく。面接官は自分のまわりで起きていることを話題にするのが好きなものだ。加えて、そこで働いている社員が職場にどれだけ情熱を注いでいるかを聞かせてもらうよい機会でもある。志望のきっかけや理由を説明しよう。面接官は志望者の動機を聞き、それが企業文化に合うかどうか知りたがっている。

4　率直に。思ったことは恐れずにことばにする。面接官によい印象をあたえようとするより、ざっくばらんで誠実な会話を心がける。

5　堂々と。お願いする立場ではなく対等の立場で面接に臨む。ほとんどの場合、雇う側は対等に話ができる人材を求めている。もちろん横柄な態度はつつしむこと。

6　好奇心をもつ。よい面接は双方向的だ。質問し、助言を求め、面接官に職場で働いてなにがもっとも楽しいか尋ねよう。面接官を会話に引きいれる方法を見つけ、会話が一方通行にならないようにしたい。面接官も話したがっているし、自分が知っていることをわかちあいたいと思っているものだ。

7　意見がわかれる政治問題には触れない。もし尋ねられたら正直に答える。自分の考えとなぜそう思うのかを説明するにとどめ、議論がましくならないようにする。

8　社内にいる知人の名前を出すのは、その人を好きで尊敬できる場合だけにする。人を見る目がそこで判断される。

第三章　最高の学びは実践から

リーマンでのはじめての任務はハーマン・カーンに命じられた仕事だった。気むずかしい古参のパートナーで、見かけたことはあるがまだ面識はなかった。カーンの指示はとある航空機シート製造会社について「フェアネスオピニオン」を出すための分析をすることだ。企業はM&A取引の買収価格を客観的に評価してもらうために、投資銀行にフェアネスオピニオン（公正性に関する意見書）を依頼する。今回の案件でいうと、この製造会社は航空機シート市場がちょうどピークに達した三年前に高値で売却されている。その後、航空機の販売は落ちこみ、企業の価値も劇的に下落した。カーンは一九六九年に支払われた価格が適正だったかどうか算定するようわたしに命じた。

分析は簡単ではなかった。今日では調査も計算もコンピュータと関連データベースを使っておこなう。当時はリーマンの地下書庫で過去の『ウォール・ストリート・ジャーナル』や『ニューヨーク・タイムズ』の記事を何日も読みあさらなければならなかった。一〇時間後に新聞インキまみれになって地下からもどっては計算尺を使って計算にとりかかるという日々だった。効率が悪くひどく退屈な仕事だったが、技術を身につけるには欠かせないものだった。

わたしは会社の歴史とその移りゆく企業価値を六八ページにまとめあげた。企業価値は株価の軌跡だけでなく業績の見通しや市場動向のほか、関係がありそうなあらゆることをもとに算定した。説明を補足する付録と脚注もつけた。そしてこの美しい作品をパートナー階のハーマン・カーンのところへもっていった。カーンが席をはずしていたので、もどったらすぐ目につくようにデスクの真ん中においていった。そして部屋にもどって待った。数時間後、電話がかかってきた。

「スティーブ・シュワルツマンか？」ハーマン・カーンは難聴で声が大きく、鼻にかかっている。

「はい、そうです」

「シュワルツマン。ハーマン・カーンだ。きみのメモを見た。五六ページにタイプミスがある」それだけ言うと電話はガチャンと切れた。

五六ページを見たが、見つかったのはコンマの打ちまちがえだけだった。なんてことだ、とわたしは思った。ここはハーバード・ビジネス・スクールとはわけがちがう。いい加減なことをする者はひとりもいない。ここのやりかたにしたがって生きるからには、そのやりかたを学ばなければまずいことになる。このプロジェクトでハーマン・カーンから声がかかることは二度となかった。

＊＊＊＊

数カ月後、担当チームをはじめ社内の複数の人間が役員室に召集された。リーマンは教育ローン大手である学生ローンマーケティング協会（通称サリー・メイの前身）の新規株式公開（ＩＰＯ）の主幹事だった。当時としては高額の一億ドルの調達を目指していた。しかしまだ一〇〇〇万ドルしか集まっていなかった。リーマンの筆頭トレーダーで社内ナンバーツーのルイス（ルー）・グラックスマンが理由を知りたがった。わたしはその場でいちばんの下っ端だった。先輩アソシエイトの下でジュニアアソシエイトとして二、三の数値を担当していた。ルーは鋭い目でテーブルを見まわし、わたしに目をすえた。

「貴様はだれだ?」ルーが怒鳴った。「なぜきちんとすわらない?」

顔から火が出るかと思った。まわりの人はみんなわたしから目をそらしていた。会議のあと部屋にもどった。体が震えていた。しばらくすると同僚がひとりずつ部屋にやってきて、きみにはなんの落ち度もないと慰めてくれた。この会議から生じたものがふたつある。一、現在にいたるまで、わたしは重要な会議では背筋をのばしてすわっている。二、わたしはルー・グラックスマンの注意を引いた。ルーはまわりにわたしのことを尋ね、いい評判を聞いたにちがいない。それからまもなく電話がかってきて、この座礁しそうなIPOを立てなおす仕事につくよう指示された。資金調達の経験もなければやりかたもわからなかったが、自分ひとりでなんとか知恵をしぼるようなばかなまねはもうしなかった。わたしは助けを求めた。

直属のシニアアソシエイト、スティーブ・フェンスターは社内でいちばん親しい友人でもあった。金融業界に入る以前、スティーブはロバート・マクナマラの「ウィズ・キッズ」のひとりだった。ウィズ・キッズは一九六〇年代に国防長官だったマクナマラが国防総省を近代化するために編成した秀才たちのチームだ。スティーブは核心をつく刺激的な知性に加え、ほかの人と同じ事実を見てほかのだれにも見えないことを発見するたぐいまれな才能をもちあわせていた。わたしたちは毎晩のように語りあい、スティーブはIPOや合併のしくみ――ローンの形体、さまざまな負債性金融商品、M&A、金融機関のしくみ――を説明してくれた。

スティーブは社内の変わり者でもあった。毎日黒っぽいスーツに斜めストライプのネクタイをしめ、ウィングチップの革靴をはいていた。ローファーをはくのは休暇のときと決めていた。こんな逸話がある。スティーブは休暇先から取引先へ直接向かわなければならなかったのに、荷づくりのときまちがって左足用のウィングチップ靴をふたつ入れてしまった。仕事の打ち合わせにローファーをはいていくのはどうしても受け入れがたいからと、スティーブは両足に左足用の靴をはいた。取引先の人たちも気づいた。ところがスティーブがあまりに優秀なため、だれも気にしなかったという。

「そんなにむずかしいことじゃない」スティーブはそう言って、あらたに課された仕事にあわてるわたしを落ちつかせた。「なぜこれが有利な投資かというモデルをつくれ。すべてはスプレッドだ」。学生ローンマーケティング協会は、貸付をおこなって、その貸付の資金を借りるのにかかった費用より高い金利を請求する。この差額、つまりスプレッドが会社にとっての利益だ。この会社がどれだけの貸付をおこなえるか計算すれば、会社の収益性を算出できる。「そのうえで金融機関をたずねて、なぜこれに投資すべきか説明すればいい」とスティーブは言った。やらなければならないのは、興味を示しそうな投資家や機関投資家を突きとめ、学生ローンマーケティング協会を投資ポートフォリオ（資産構成）に加える必要があると説得できるだけのピッチブック（提案資料）をつくりこむことだ。

この会社が貸付をおこなう相手は学生だから、手はじめに大学からあたろうと考えた。ハーバード大学は最大の大学基金をもち、わたし自身が最近の卒業生でもあったので、ハーバード大の財務担当役ジョージ・パトナムに連絡して面会の約束をとりつけた。パトナムは一九三〇年代に自身が設立した巨大な投信会社パトナム・インベストメンツのトップだった。投資銀行の一年目アソシエイトにとっては、投資を懇願しに各地を巡業するために用意したちっぽけなピッチブックだけをたずさえてパトナムに面会するのは、ニューイングランドの神々のひとりに面会するようなものだった。

わたしは提案資料を開いて話をはじめた。

「シュワルツマンくん」パトナムがわたしをおしとどめた。「それを閉じてくれないか」

わたしはどぎまぎしながら資料を閉じた。

「きみはUJAを知っているかね?」。UJAというのはユダヤ人抗議連合のことだ。それがジョージ・パトナムの口にのぼるとは思ってもみなかった。

「はい、UJAなら聞いたことがあります」

「カードコーリングは知っているか?」。カードコーリングはUJAのチャリティディナーでふつうにおこなわれている。司会者が寄付者候補の名前を呼んで前年の寄付額を発表し、みんなが聞き耳を立てるなか、呼ばれた人は今年どれくらい寄付するつもりか発表する。期待される水準を示しつつ周囲からの圧力を加える方法だ。

「では最初から面会をやりなおそう。わたしにこう言いなさい。『パトナムさん、あなたはハーバード大学の財務担当役です。わたしはアメリカ最大の——最大になる予定の——学生ローン貸付事業をはじめます。あなたからは二〇〇〇万ドルの出資を予定しています』。さあ、言って」

わたしはそのとおりに言った。

「シュワルツマンくん、それはすばらしい考えだ」パトナムは言った。「よし、二〇〇〇万ドル出資しよう」。パトナムはわたしが部屋へ足を踏みいれる前にすでにこの会社について調べていた。わたしがなにを言ったところで会社の実力についての判断が変わるわけがなかったのだ。パトナムはいくら投資するかすばやく決断するのに助けが必要だったにすぎない。

「さて、きみはこれからピッチブックをもって電車に乗り、ニューヘイブンへ行ってイェール大学のなにがし氏に面会してこう言いなさい。『なにがしさん、わたしは学生ローンマーケティング協会への出資を募っています。アメリカの学生ローン最大手になる会社です。イェール大学から一五〇〇万ドルの出資を予定しています』。ためしてごらん。あとはなるようになる。つぎはまた電車に乗ってプリンストン大学へ行く。そこで一〇〇〇万ドル出してくれとたのんでみるといい」

大学への売りこみ巡業が終わるころには、サリー・メイの設立資金となる一億ドルの大部分を調達できた。パトナムに受けた資金調達の手ほどきはキャリアを通じて忘れられない教訓となり、ブラックストーンでつぎつぎに資金を集めるときにも役立った。投資家は常によい投資を求めている。投資家のために簡便にすればするほど、だれにとってもよい結果になる。

＊＊＊＊

スティーブ・フェンスターとジョージ・パトナムはよい教師だった。しかしわたしは自分自身の失敗からも学んだ。一年目の終わりごろのことだ。わたしはエリック・グリーチャーと飛行機に乗っていた。エリックはふたつほど年上の聡明できまじめな元海兵隊員で、パートナーに昇進したばかりだった。セントルイスの食品加工会社でコンビニチェーン事業のスピンオフについて話し合うことになっていた。

財務分析を用意し、さまざまなオプションを整えておくのはわたしの役目だった。プレゼンをするのはエリックだ。強大なチームを有する今日の投資銀行にくらべると当時の投資銀行はずっと小さかった。プレゼンをチェックし再チェックする事前精査のしくみはなかった。飛行機に乗って落ちついたところで用意した文書をエリックにわたした。エリックは最初のページをめくりながら額にしわを寄せた。つぎのページを見てさらにいぶかしげな顔になった。三ページ目を読みおえるとエリックは言った。「スティーブ、誤りがあるようだ」

わたしははじめのほうで数値をひとつとりちがえ、それがあとの計算にずっと影響して全体の半分くらいがおかしなことになっていた。

「これはだめだな」エリックが言った。「だがとにかくプレゼンはできる。まずいページをとってしまって、あとはわたしが舌先三寸でなんとか切り抜ける。大丈夫だ」

ハーマン・カーンはひとつのタイプミスで激怒した。ところが今度は資料全体をめちゃくちゃにしてしまった。エリックが新聞に顔をうずめているあいだ、わたしはプレゼン資料のすべてのコピーから問題のページを引きちぎった。セントルイスに到着し、タクシーで先方へ向かうあいだもエリックはおし黙っていた。取締役会の席につき、エリックは例の冊子を配った。軽いまえおきのあと、エリックはプレゼンをはじめた。

「この分析からおわかりのように……どうやら統計誤差があるようです」エリックは話しながらほとんどテーブルを乗りこえんばかりの勢いで取締役たちからプレゼン資料を引ったくった。「数字は使わずに説明させていただきます」

わたしは自分のミスに気が動転して、誤りのあるページではなく問題のないページを引きちぎってしまっていたのだ。いっそテーブルの下でとけてしまいたかった。エリックと会社を出てタクシーに乗り空港へもどった。ずっと無言だ。搭乗案内が流れる直前、エリックがわたしのほうを見た。「今度あんなまねをしたらその場でクビにしてやる」

苦々しい記憶だが、リーマンはわたしにとって必要な学校だった。どんなスキルにもいえることだが、金融も学んで身につけるものだ。マルコム・グラッドウェルが著書『天才！　成功する人々の法則』で指摘したとおり、ビートルズは一九六〇年から一九六二年までのハンブルク時代がなければアマチュアバンドからビートルズに化けなかったし、ビル・ゲイツは一〇代のころ自宅近くのワシントン大学で長い時間コンピュータに触れたからこそ世界初のパーソナルコンピュータ用のソフトウェアを書けるようになった。同様に金融で成功する人もくり返し練習するところからはじめなければとうてい技を習得できない。リーマンでは一連の流れを段階ごとにつぶさに観察し、細部にわたる訓練を受けた。流れのどの部分もひとつまちがいが起これぱすべてをだいなしにしかねない。

法律やマスメディアなどほかの専門職から金融へ転職する人もいるが、いっしょに仕事をした人のなかでも抜きんでているのは金融のなかで育った人たちだ。基本的な分析をこなしながら学んだ人たちであり、ささいなことが重要だと思い知らされたり駆けだしのころに失敗して屈辱を受けたりしながら、仕事のためのしっかりした基盤を築いた人たちだ。

＊＊＊＊

リーマンで働きだして二年目、新しい会長兼ＣＥＯがやってきた。メディア機器を製造するベル＆ハウエルのＣＥＯや、直近ではニクソン大統領のもとで商務長官を務めたピート・ピーターソンだ。ピートは他社のＣＥＯに顔がきき、政財界で広く尊敬されていた。ピートが就任した当時のリーマンは経営不振で生きのこりの瀬戸際にあり、わたしがハーバード・ビジネス・スクール時代の論文で予言した崩壊を招きかねないような内部抗争に満ちていた。

ピートにはジョージ・ボールという味方がいた。ケネディ大統領とジョンソン大統領のもとで国務次官、国連大使を歴任した経歴をもつパートナーだ。ふたりは国際的なコネを使ってイタリア商業銀行を説得し、リーマン存続のための資本を提供してもらうことに成功した。リーマンが息を吹きかえすと、すぐにピートは社内全体に回覧状を送りアイデアを募った。わたしもこの会社で一年間すごし、資産運用や投資銀行業務に関する戦略計画を書けるくらいにはなっていた。戦略計画を送った一週間後、ピートから呼びだされた。面談の最後にピートが言った。「きみは有能な若者のようだ。どうだ、いっしょに仕事をしないか」

うわさによれば、ピートは切れ者だが金融や投資銀行業務の経験がまったくない。人の五倍は質問するのでいっしょに働くのはひどく疲れると言われていた。しぶとく質問するからこそ会社がかかえる問題の核心にも迫れるわけだが、なんとも骨の折れる仕事になる。

ピートが業界にくわしくなく、わたしがまだまだ勉強不足だとすれば、いっしょに仕事をするのは半人前がずぶの素人をしたがえるようなものだ。わたしはもう少し経験を積むまで待ってほしいと提案した。ピートはわたしの率直さをよいほうに理解した。二年ほどして、ふたたびピートから連絡があり、チームに加わってくれと言われた。わたしたちは相性がよかった。ピートが不案内なことをわたしが知っている場合もあったが、わたしのほうがずっと若かったので、でしゃばることはなかった。

ある日、ゼネラル・エレクトリック（GE）のCEO、レジナルド（レジ）・ジョーンズとの昼食会に誘われた。ピートとジョーンズはともにゼネラルフーヅの取締役会メンバーで親しい間柄だった。ジョーンズはGEで手塩にかけて育てている若い幹部をピートに紹介したがっていた。

「こちらはジャック・ウェルチだ」ジョーンズが言った。

「はじめまして、スティーブ。よろしく」ウェルチはきついボストン訛りの甲高い声で言った。

「レジがジャックを連れてきたのは、GEの次期CEOになるからだ。いまのところ秘密だがね」ピートが言った。「ジャックに金融を教えてやってほしいそうだ。それをきみにまかせたい」

「わかりました」わたしはためらいがちに言った。

「いやあ、いやあ、いやあ」ウェルチが言った。「そいつはいいね」

この金切り声の「いやあ、いやあ、いやあ」男がGEの次期CEO？　だとすればウェルチは地球上でいちばん頭のいい男か、そうでなければレジナルド・ジョーンズが見当はずれの後継者選びをしたかのどちらかだ。

ジャックが金融を教わりに来ると、ものの一分でレジナルド・ジョーンズの見当がまったくはずれていないことがわかった。はずれどころか大当たりだ。ジャック・ウェルチが学びとるつもりになったが最後、脳に掃除機を直接つながれたように知っていることをなにもかも吸いだされてしまう。ジャックのような人にはあとにも先にも出会ったことがない。質問はとどまるところを知らず、矢つぎ早にくりだされる。ジャックは自分にとってまったく目新しいことでもひとつの考えとべつの考えとのつながりを瞬時につかんでしまう。ちょうどターザンがつるを一本も逃さずにものすごい速さで木から木へと飛びうつるように、ジャックはわたしが教えるより早く学んでいった。

ジャックと親しくなりその仕事ぶりを目の当たりにすることで、ビジネスでもっとも重要な資産は情報ではないかという思いがますます深まった。知っている情報が多いほどさまざまな見方をしたり多くのことを結びつけて考えたりできるようになり、問題を予測することも可能になる。

ジャックは一九八一年にGEのCEOに就任し、アメリカ史上最高のCEOのひとりに数えられるようになった。ピートの紹介をきっかけに長い親交もはじまった。ジャックと出会えたことは、まだほんの駆けだしのころに大企業の一員だったおかげであずかった恩恵のひとつだ。ウォール街も実業界も小さい世界だ。一流の学校や大手の会社からスタートして同世代の優秀な人たちと顔を合わせていれば、その後もひょっこり出くわすことになる。イェール大、ハーバード・ビジネス・スクール、陸軍予備軍、それにウォール街での下積み時代にできた友人の多くはいまもよい友だ。こうした若いころの交友関係の信頼と親交は、想像さえしなかった形で人生を豊かにしてくれている。

第四章　どの取引にも危機はつきもの

バンカーの仕事のひとつは、変化に対応しストレスが大きい状況に対処することだ。買収のターゲットや買い手を見きわめて企業の買収や部門の売却を提案する。事業拡大の資金づくりのために借り入れを増やすことを進言したり、自社株が安いときに買いもどしをすすめたりする。いかにその変化を主導するかが成功の尺度となる。

一九七八年の終わりにはリーマンでアソシエイトとして働いて六年がすぎていた。責任が増え、パートナーへの昇進が検討されていた。ある金曜日、出張先のシカゴにケネス（ケン）・バーネベイから電話が入った。オレンジジュースで有名なトロピカーナプロダクツのCEOだ。この年の早い時期にわたしはさまざまな財務案をたずさえてフロリダ州ブレイデントンにあるトロピカーナ本社へ出向きケンに会っていた。知り合うことが目的の気軽な会合だった。とはいえ、当然ながらこれがいつかなにかにつながればとは考えていた。

「わが社はいま非常に微妙な状況におかれている。相談に乗ってもらえるだろうか」電話の向こうでケンが言った。「わが社を買いたいという会社から打診を受けているんだが、どうすればいいか迷っている」。もし差しつかえなければブレイデントンへ来て土曜の朝八時半に取締役会で話してくれということだった。わたしはニューヨークの本社に電話をした。同僚のセオドア（テディ）・ルーズベルトがあちこち聞いてまわり、利益相反がないことを確認してくれた。リーマンのほかの部署がトロピカーナがらみの取引を進めていれば、わたしがこの案件を手がけることはできない。ケンに電話をして買収価格の条件を聞いた。金額については大筋で合意しているが、買い手は組みあわせの異なる現金と証券のパッケージを提示している。どれを受け入れるかでトロピカーナ売却の価値がちがってくる。わたしの役目は取締役会のためにそれぞれのパッケージのストラクチャーを評価し助言することだ。

シカゴは吹雪のただなかにあった。サラソータ・ブレイデントン空港への便はすべて遅延していた。飛行機に乗ったときにはもう時間も遅くほとんど空席だった。暴風のなか南へ向かう飛行機で、提案された取引を読み解くのに使えそうな資料といえば、上場企業の基本的な財務データを掲載した本『ストック・ガイド』一冊だけだった。トロピカーナを調べると、収益といくつかの数値が見つかった。利益はいくらか、利益は売上高に対して何パーセントか、バランスシートの負債と純資産の額はいくらかがわかった。財務の健全性を示す単純な指標だ。ほかの食品会社も調べ、トロピカーナとくらべてみた。しかし一九七三年の株の暴落以降、この業界での合併の動きはほとんどなく、参考にできそうな最近の取引はなかった。

飛行機が着陸したのは早朝の四時、タクシーを探してモーテルにつくまでにさらに一時間半かかった。数分ばかりベッドで横になり、それからシャワーを浴びた。シカゴからニューヨークへとんぼ返りするつもりだったから着たきりで替えはない。脱いだ服をまた着こみ、できるだけ頭をしゃっきりさせようとつとめた。午前七時半にトロピカーナの本社へ足を踏みいれた。

「われわれが急いでいるのはすでに取引を大筋で承認しているからだ」ケンが言った。「ベアトリス

（買い手企業）側も承認している。月曜に市場が開くとき公表しなければならない。いますぐにすべて準備を整えておかねばならないということだ。ベアトリスからは三種類の案が提示されている。ひとつは普通株と優先株の組みあわせ。ひとつは普通株と転換優先株。ひとつは普通株と現金だ。どれを選ぶべきかきみの助言が欲しい。取締役たちが到着するまであと一時間しかない」

わたしは一睡もしていなかったし、パートナーどころか自分と同じアソシエイトの同行者もいないうえ、合併を手がけたこともなかった。大変なことになったぞ、と内心思った。どうする？

金融業界で働きはじめたころは仕事のストレスに対処することができていなかった。どの交渉のどの段階も戦いで、勝者と敗者がいた。この業界の人たちはパイを切りわけてみんなにひと切れずつ配ろうなどとは考えもしない。パイをまるごと自分のものにしたがった。わたしは自分が決断をする立場にあるとき、まわりの声が大きくなり激しい感情がぶつかりあうと動悸がして呼吸が浅くなるのを自覚するようになった。そうなると力を発揮できなくなり、認知反応をうまくコントロールできなくなる。

わたしが見つけた解決法は呼吸に集中することだ。呼吸を落ちつかせ肩の力を抜いて長く深い呼吸を心がける。効果はばつぐんだ。思考がはっきりする。直面している状況と勝つために必要なことを客観的に冷静に見きわめられるようになる。

フロリダまでやってきたこの日もまず呼吸を落ちつかせた。やがてストレスなどまったくないかのように人とかかわれるようになり、直面する問題を把握できる状態になった。

あまり長くないキャリアのなかで、つまるところ取引はそれぞれの側にとってもっとも重要な二、三点にいきつくことを学んでいた。ほかのことをすべてとり払ってその要点に集中できれば、交渉を効果的に進めることができる。さまざまな意見や事務処理や期限にふりまわされてはいけない。ケンと取締役会がいまわたしに求めているのは明晰な思考だ。

対価の五〇パーセント以上をベアトリス株で受けとることをトロピカーナの株主が受け入れれば、各ストラクチャーの普通株の部分は非課税になる。もっとも簡単なのは普通株と現金での支払いだ。ベアトリスはトロピカーナの株主に買収価格である四億八八〇〇万ドルの五一パーセントを自社株で、残りを現金で支払う。ほかのふたつのストラクチャーの魅力は、統合されたベアトリスとトロピカーナの将来をどう考えるかに左右される。それなりによい見通しをもっているなら優先株を選ぶかもしれない。議決権はないが普通株主に配当が支払われる前に優先して配当を受けることが保証されている。もし統合の将来に大いに確信があるなら転換優先株だろう。配当率は低いがいつでも普通株に転換できる。株価がさがっても配当はもらえる。株価があがればもうけは青天井だ。これをすべて自分の頭で考えて答えを見つけだすのは不可能だ。疲れはててしまったわたしには助言が必要だった。そしてこの取引が失敗したときのための保険も。わたしはピートに電話した。

「あと一時間でトロピカーナの取締役会に出ることになっています。どうすればいいでしょう」

ピートはルー・グラックスマンと投資銀行部門シニアパートナーのロバート（ボブ）・ルービンに電話をするよう助言してくれた。わたしは電話でルーをたたき起こした。「ルー、『ストック・ガイド』をもとに計算したマルチプル（評価倍率）はこのとおりです」

「価格は適正だと思う」ルーはそう言って、三つの案のうちひとつをすすめてくれた。

そのあとボブ・ルービンに電話をかけた。「ボブ、いまトロピカーナ本社にいます。電話でルーと話し、ピートと話しました。状況はこうです。どうすればいいでしょう」

「価格は問題なさそうだ」ボブは言った。「ストラクチャーについては好みの問題だな」

取締役会の五人のメンバーが到着したとき、少なくともいくらかは心に余裕ができたように感じた。部屋には速記者がいてテープレコーダーも二台おいてあった。わたしのことばはもらさず記録されるわけだ。会長のアンソニー・ロッシは見た目も口調も『ゴッドファーザー』でドン役を務めたマーロン・ブランドが死ぬ直前にトマト畑で孫と遊んでいるときのようだった。「こっちだ、シュワルツマンくん」ロッシは自分のとなりの席を指さして言った。「ここへかけてくれ、わたしの横に」

ロッシは若いころシチリアからアメリカに移住した。フロリダで食料雑貨店を開業し、その後柑橘類のビジネスに参入してトロピカーナを創業した。運営は厳格で、社員の気がちってはいけないから事務所のどの部屋にも窓をつくらせなかった。窓があったのはロッシの部屋だけで、トラックが運んできたオレンジをだれにも盗まれないように見張るためだった。この取引は生涯をかけた仕事の総仕上げとなる。バプテスト派のロッシはこれで手にする金の多くを宗教団体に寄付することを考えていた。ロッシは金融の専門家ではないが、強大な事業を築きあげてきたやり手だった。ロッシに対しては単刀直入に理路整然と話すべきだ。

「聞かせてくれ、シュワルツマンくん」ロッシが言った。「われわれはどうすべきかね？」

わたしが学んだストレスに対処するもうひとつの秘訣は、少し時間をとって自分を落ちつかせることだ。こちらがひと呼吸おいても気にする人はいない。むしろ安心感を覚えるらしい。こちらの準備ができたときには前より熱心に話を聞いてくれる。わたしは少し間をおいてそれから話しはじめた。

「まず最初に、事業を売却する必要はありません」。これはぜひともロッシの耳に入れておきたかった。主導権をにぎっているとロッシが感じることが重要だ。「しかしすでに売却を決断されたわけですから、つぎに検討すべきことは価格が魅力的かどうかです。すでに価格についてはご不満がないと承知しています。わたしも同じ意見です」

わたしはベアトリスの財務が健全であることから売却先については安心していいと伝え、それぞれのストラクチャーの詳細と税金やタイミングの問題についてルーとボブの見識を利用しながらくわしく説明した。また、転換優先株なら安定した収入があり株価が上昇すればさらに儲かることをロッシに話した。一時間半におよぶ話し合いのあと取締役会は転換優先株と現金の組みあわせを選び、わたしにベアトリス側のアドバイザーを務めているラザードと買収条件を最終確定するよう依頼した。

　わたしは部屋を出てエレンに電話した。ほんとうは前夜のうちに帰宅しているはずだった。

「エレン、ぼくだ。すまない……」

「いまどこにいるの？」

「フロリダのブレイデントンだ。たったいま、とんでもない案件を成功させたところだ」。自分でも半信半疑だった。

「え？　今晩は夕食会よ」

「夕食会には間に合いそうにない。いま強烈なストレスにさらされているんだが、やりかけの仕事を片づけなければならない。あとで話すよ」

　ラザードの主人《あるじ》のひとりでシニアパートナーのルイス（ルー）・パールマターはM&Aの達人だった。わたしの経験の浅さにつけこもうと思えばいくらでもできただろう。

「スティーブ、これは必然に導かれた取引だ」ルーは言った。「こちらから標準ど真ん中の条件を出す。ただイエスと言ってくれ。無駄な交渉はしたくない。そんなことをしてもぶちこわしになるだけだからね」

　ルーはトロピカーナに興味を示しているのがベアトリスだけではないことを知っていた。ほかの企業がなんとか交渉の場に立とうとしていた。ルーは財務に疎いトロピカーナの取締役会とそのアドバイザーの投資銀行の若い担当者を相手に交渉を長引かせるつもりはなかった。とにかくわたしに取締役会をすばやく説得させ、早々に取引をまとめて帰宅することを望んでいた。わたしを陥れようとすれば、わたしが真相をかぎつけるかリーマンのだれかがかぎつけて取引が頓挫するとわかっていた。だからとんとんと事を進めた。わたしたちはその日一日いっしょに仕事をした。

飛行機で帰途についたが、前夜シカゴを襲った吹雪のあおりを受けてニューヨークへの便には遅れが出ていた。家へ帰りついたのは早朝の四時半だった。くたくたのまま、ついさっき起きたことを理解しようとつとめた。四億八八〇〇万ドル！　その年の世界で二番目に大きいM&A取引だ。帰宅したときには丸二日間眠っていなかったが、まだとてもベッドで横になる気になれなかった。リビングの暖炉に薪をくべて火をおこした。めったに飲まないたちだがこのときはグラスにクルボアジェを注ぎ、ビージーズの「サタデー・ナイト・フィーバー」をかけた。安楽椅子にもたれこみ、ジョン・トラボルタがディスコのフロアでこれ見よがしにステップを踏む姿を思い浮かべた。四億八八〇〇万ドル。ほんとうにやりとげたのか？

午前七時に電話が鳴った。ラザードのフェリックス・ロハティンだった。ルー・パールマターから事情を聞いたのだ。フェリックスが話しはじめたとき、わたしの頭はまだクルボアジェと極度な疲労と「サタデー・ナイト・フィーバー」でいっぱいだった。

「トロピカーナの案件を聞いたよ」フェリックスは言った。「まず、おめでとうと言わせてくれ。じつにすばらしい。第一に、きみは三〇歳にしてドデカいことをなしとげた。しかもたったひとりで、パートナーもだれもなしにだ。これはきみのキャリアにとって大ブレークの瞬間だ。大勢がきみを憎むようになる。気にすることはない。きみはそんな連中とはちがうんだ。いちいちわずらわされるな。第三に、いまやきみは公の場で意見を述べる責任を負った。正すことのできる不正を目にしたら率直に発言しなければならない。恐れずに声をあげなさい。一部の人間はそうする義務を社会に対して負っているからだ。わたしはそうした人間のひとりだ。きみもそうした人間のひとりになったんだ」

フェリックスはバンカーが貢献できることについて独自の見識をもっていた。しかしわたしの頭にあったのはだれがわたしを憎むのかということだけだった。

ふたたび電話が鳴った。リーマンの副会長、ピーター・ソロモンだった。

「貴様、いったいなんのつもりだ？　トロピカーナを売っただと？　フィリップモリスのために買収の準備を進めていたところなんだぞ！　こっちはＴＯＢ（株式公開買付）を予定していたってのに。フィリップモリスはうちの最大の顧客だ。おまえはそれを妨害したんだ。月曜日に経営執行委員会に話す。おまえはクビだ！　月曜にはもう過去の人だ」

「テディ・ルーズベルトがあなたと話したことは知っています」わたしは答えた。「あなたはトロピカーナのことなどひと言も口にしなかった」

「月曜の朝だ、スティーブ。月曜の朝、おまえは追いだされるんだ！」ガチャン。

だがわたしは真相を知っていたのでピートに電話した。テディがとりわけソロモンにはまちがいなく利益相反について確認したこと、フィリップモリスがトロピカーナに興味を示しているなどソロモンはおくびにも出さなかったことをピートに告げた。

「めちゃくちゃな話だな」ピートは言った。「大丈夫、心配するな」

月曜日、ソロモンはフィリップモリスとの取引を邪魔されたと経営執行委員会にぶちまけた。職場のだれもがわたしの将来をあれこれ憶測した。まわりはジャッカルだらけだった。だがピートがいてほんとうに助かった。ピートはいっさい雑音を受けつけなかった。

第五章　困難は金では解決できない

わたしはトロピカーナの案件でパートナーへの昇進を確実にし、それを祝って会社の個室を改装した。日に一二時間をそこですごすからには、仕事のあらゆる精神的なストレスから守ってくれる居心地のいい場所にしたかった。イギリス風の美しい家の居間か書斎のようにくつろげる部屋がいい。壁の一部を赤味がかった栗色に塗り、あとはリー・イーストマン邸で見たような葛布張りにした。チョコレート色のカーペットをしき、花柄のインド更紗の椅子、一八九〇年代の両袖机をおいた。申し分のないできばえだった。個室の改装をしたのは社内ではじめてだった。だれも仕事をそんなふうにとらえていなかったからだ。しかしわたしは自分が職場にいるとは思っていなかった。ここは第二の家だ。美しく快適で見あきることのない空間にしたかった。

一九六九年にＤＬＪに入社したときは、想像するほかない優雅な人生をガラス越しに物欲しげに見つめるばかりだった。それから一〇年近くたち、わたしはその優雅な人生を生きていた。一九七九年のある日、ちょうどひとつの案件が終わったとき、パートナー仲間のひとりがドアから顔をのぞかせた。エレンも連れていっしょにエジプトへ行かないかという誘いだった。出発は明日。ピラミッドを望んでの晩餐会に出席するためだ。顧客のひとりがスポンサーを務めるイベントで、リーマンもテーブルひとつ分の金を出したので席を埋める必要があった。翌日、わたしたちはパンアメリカン航空の飛行機でほかの一〇〇人の招待客とともに出発した。燃料補給のために立ち寄ったパリで、これまで一度もお目にかかったことがないような美しい女性が五〇人飛行機に乗りこんできた。わたしたちのために開かれるファッションショーに出演するモデルたちだ。カイロに到着すると、税関を素通りしバイクの護衛隊に先導されてスフィンクス近くのホテルへ向かった。その夜、デザイナーのピエール・バルマンによるファッションショーに参列した。翌日の午後はエジプトのアンワル・サダト大統領とジハーン夫人との茶会に招かれた。サダト大統領はイスラエルとの和平交渉に尽力し、一九七八年にノーベル平和賞を受賞したばかりだった。最後の晩、ピラミッドとスフィンクスを前に五〇〇人の人たちと砂の上の晩餐会に参加した。わたしはサダト大統領のとなりのテーブルだった。その夜はフランク・シナトラの歌う「ニューヨーク・ニューヨーク」で幕を閉じた。人生のなかでも強烈に印象に残る忘れがたい晩のひとつだ。

帰路の飛行機でほぼ全員がアメーバ赤痢にやられた。わたしもだ。それでもこのたぐいまれな旅の輝きがにぶることはない。いつの日か自分もと望んできたような驚異的な経験だった。わたしはもっと望むようになった。

一九八〇年、『ニューヨーク・タイムズ』日曜版のビジネス面トップにリーマンの「合併しかけ人」として大きな写真付きでわたしの人物評が掲載された。記者はわたしを「成功への意欲に燃え、非常にねばり強く（クロスカントリー走のレース中につまずいて手首が折れたときも最後まで走りきった）、あふれるバイタリティがまわりに伝播してだれもがいっしょに仕事をしたがる」男と評した。クロスカントリー走は九年生のときの話で、完走後すぐに病院に連れていかれた。記者はつづける。「シュワルツマン氏は問題にとり組むとき、『自分が相手の立場ならどうするか』と自問する。それが相手との信頼関係を築くのに役立つのだという。いまも行動学の学生らしく他者の言うことを熱心に聞く。口にされることばは、理由があって口にされると信じているからだ。この聞く技術のおかげで記憶の才に非常に長けている」

当時のわたしをかなり正確に描いている。人の話に耳をかたむけるのは当然のことに思えるが、どうやらウォール街では変わり種ということになるらしい。わたしは売らなければならないものをとりあえずなんでも売るようなやりかたはしなかった。わたしは耳をかたむけた。相手が望んでいることと、考えていることを聞こうと耳を澄まし、それを実現する仕事にとりかかる。会談中にメモをとることはほとんどない。ただ相手がなにを言っているか、どんなふうに言っているかに細心の注意を払う。可能なら仕事上の出会いをもっと個人的な出会いに変えられるようななんらかの接点や共通点、似たような興味や経験を探す。ごくあたりまえのことのようだが、実際にはそれほどあたりまえにはおこなわれていないらしい。

一心に聞くことは出来事や会話を細かいところまで思い出せるという効果をもたらす。あたかも脳に刻みこまれ保存されるかのようだ。多くの人がそうできないのは利己心から出発するからだ。自分になんの得がある？　こういう人たちはほんとうにおもしろくてやりがいのある仕事は一生できない。注意深く耳をかたむけ、相手の話しかたに注目すれば、わたしが常に自分に問いつづけている質問への答えにぐっと近づくことができる。わたしになにができるか、という質問だ。もしだれかに力を貸してその人の状況に寄りそうことができれば、あとのことは自然にうまくいく。

自分自身の問題ほど人にとって興味のあることがらはない。その人にとっての問題を突きとめ解決策を思いつくことができれば、どんな階級や地位の人もこちらの話を聞きたいと思ってくれる。問題が厄介で解決策が少ないときほどこちらの助言が貴重になる。だれもが目をそむけて立ち去るようなこういう状況こそ競合は一掃され、最大のチャンスが待っている。

一九八〇年代初期はわたしにとってだけよい時期だったわけではない。五年連続でリーマンは過去最高益を記録した。自己資本利益率（ＲＯＥ）ですべての同業他社を上まわった。わたしはＭ＆Ａ部門の責任者に昇進し、大手の顧客へのアドバイスを担当した。リーマンのウォーター・ストリート本社では一日が何時間あっても常にたりなかった。リーマンのＭ＆Ａ部門は取引金額でゴールドマン・サックスに次ぐ第二位だったが、取引件数ではウォール街のトップに立っていた。

そのころにはピートはリーマンのＣＥＯ兼会長に就任して一〇年がたっていた。ピートは奈落の底にあったリーマンを立ちなおらせた。別段金融が好きだったわけではないが、ピートには政財界に幅広い人脈をもつという強みがあった。相手がだれでも電話口に呼びだすことができた。二一歳の年の差はあったが、わたしとピートは仕事のうえで密接な関係を築いていた。互いを補いあう関係だ。ピートは人を結びつけ関係を培うことができ、わたしは案件を創出し遂行することができる。ピートは思索家で辛抱強く思慮深い。わたしはいざとなれば対決を辞さない。ピートが見つけてきた案件の多くをわたしが進め成立させた。社内の人々はわたしたちふたりをチームと見なした。わたしたちは互いを暗黙のうちに信頼していた。しかし、抗争の絶えないリーマンでは人を信頼しやすいこの性質が災いしてピートは窮地に追いこまれることになる。

＊＊＊＊

一九八〇年代初期、リーマンのトレーダーたちは強気相場で大きな利益をあげていた。トレーディング部門を率いるルー・グラックスマンはトロピカーナ案件のとき力になってくれた人だ。だがルーはだいたいにおいて市場そのものと同じくらい機嫌が乱高下しやすかった。ルーの感情の語彙に自制心ということばはない。しわくちゃのスーツかワイシャツ姿でいつもシャツのすそをはみださせ、火のついていない葉巻を歯でくわえたままトレーディングフロアを歩きまわる。あるときなど腹立ちまぎれに壁掛け電話を引きはがして窓ガラスにたたきつけた。興奮しすぎて自分のシャツを引きちぎり、上半身裸でドスドスと歩きまわったこともある。

一九八三年、ルーはピートのところへ行き昇進を求めた。ピートは同意してルーを社長にした。しごく当然で正当なことだと思ったからだ。しかしピートはルー・グラックスマンのような男をわかっていなかった。数カ月後、ルーはピートの部屋にずかずか入りこんで、あれは一本目のバナナにすぎないと言い放った。今度は房をまるごとよこせというのだ。ルーは共同CEOになりたがった。ピートは争うのが嫌で要求を受け入れた。八週間後、ルーはまたやってきた。「わたしがCEOになる。あなたは出ていってくれ」。ルーはトレーディング部門のパートナーたちと反乱を組織していた。ピートがルーの最後通牒についてわたしに話したのは敵に屈したあとだった。わたしは愕然とした。

「どうして闘わなかったんです？」わたしは言った。「あなたがもっている力を総動員すればこんな奴は排除できたはずだ。パートナーのなかにはあなたを支持する人が大勢います。せめてわたしにだけは相談してくれてもよかったのに」

「きみの言いそうなことはわかっていたからね。きみなら彼を殺してやりたいと思っただろう。きみはそういう男だ。わたしはちがう。わたしはここへきてもう一〇年になる。ここを立てなおすことにも成功した。危機に瀕していた会社がいまでは大もうけしている。破滅させたいわけがないだろう？闘う意味などない。それにわたしはトレーディングについてなにも知らない。グラックスマンを追いだしたらトレーディング部門はいったいどうなると思う？」

「トレーディングのことなんて知らなくていいんです。ゴールドマンかJPモルガンから最高の人材を雇えばすむんだから」

「そんなことをすれば会社がばらばらになるだけだ」

「自分を脅かす人が出てきたなら、会社をばらばらにする覚悟も必要です。あとでまたまとめなおせばいい」

「いや、だめだ。それはきみのやりかただ。わたしのではない。わたしはこの一〇年ずっと闘ってきた。もううんざりなんだ」ピートはそう言って出ていった。ピートは五七歳で、脳腫瘍の手術も受けていた（腫瘍は良性だとわかった）。六〇歳になれば会社はピートにリーマン株を現金化しはじめるよう要求することになる。十分な解決金をもらって退任することができるなら、本人と家族にとっては最良の選択なのだろう。

会社にとってあまりよい結果にならないだろうことはわかっていた。ピートが去ってほんの何カ月かでリーマンは深刻な問題に直面した。ルーとロンドン支社の協力者たちはコマーシャルペーパー（CP）市場で大きな取引をしていた。CPは企業に無担保で資金を融通する手段だ。借り手が返済不能となった場合、無担保の約束手形であるCPをもっていてもまったく資産の所有権を主張できない。レバレッジをかけてCPを保有すれば利益が見こめるし、たいていは短期（三〇日、六〇日、九〇日）なのでそれほどリスクは高くない。ふつうはこの短い期間のうちに金がもどってくると思ってまちがいない。

ルーたちは上げ相場で欲を出し、満期が五年のものを買った。短期ものより金利が高く、格段にリスクも高い。市場は不利に動き価格は急落した。このトレーディング取引でルーたちが出した損失は会社の純資産総額を超え、リーマンはふたたび崩壊寸前に追いこまれた。

ルーはこの取引をひそかにおこなっていたがうわさが広がりはじめた。はじめはロンドンで、つぎにニューヨークで。ロンドン支社でなにが起きているのかわたしに知らせてくれたのは親しい友人のスティーブン（スティーブ）・バーシャドだ。スティーブはリーマンのコーポレートファイナンス事業を立ちあげるためにイギリスに派遣されていたが、トレーディングフロアで目撃したことにたまらなく不安な気持ちになり会計監査法人に調査を依頼していた。「会社は破産だ」電話口でスティーブは言った。「自己資本を食いつぶした」

ルーはパートナー全員に招集をかけた。三三階の大会議室に集まった七〇人以上のパートナーを前にルーは言った。「ロンドン市場でのポジションについていろいろうわさが飛びかっているのは承知している。あれはまったくのデマだ。わが社はなんの問題もない。問題があると言いふらすような奴は即クビだ！」

ルーは問題を共有して助けを求めるどころかうそをつく腹づもりだった。わたしは取締役にもなっているシニアパートナーがだれか声をあげるはずだと期待していた。ところがみんな静まりかえって話を聞くばかりで、会議が終わるとささやきあいながら不安と戸惑いの面持ちで出ていった。ルーの会社経営が有害であることがはっきりし、さっそく人々は会社が倒産してしまう前に自分の持ち株をどう守るか考えはじめた。シェルドン（シェル）・ゴードンは投資銀行部門の責任者でリーマンの副会長だった。トレーダーとしてルーとともに働いてきた人で、ルーのもっとも緊密な協力者との見方をされていた。しかしわたしはシェルが頭の切れるまっとうな人だと知っていた。取締役会のほかのメンバーとなにか方法がないか探っていると耳にして、シェルに会いにいった。

「このままでは破滅ですよ」わたしは言った。「ルーがうそをついていると大勢が気づいています。会社が破綻していることをわたしは知っているし、あなたも知っている。わが社に自己資本がないことが世間に知られれば倒産です。パートナー陣はクビにされるのを恐れているからルーと対決しようとしない。もし身売りもせず外部にかぎつけられたらすべてが終わりですよね？」

「そのとおりだ」シェルは同意した。「おしまいだろう」

「会社を売却する気はありますか？」Ｍ＆Ａ部門のトップとして、介入して救ってくれる強固な企業を見つけられるかもしれないと思った。深刻な問題をかかえているとはいえ、それでもリーマンは世界的なブランド力と優秀な人材をもつ巨大企業だ。

「もちろんだとも。これが世間に知られたらわれわれは一巻の終わりだ。だがやるなら数日のうちに片をつける必要がある。もはや時間は残されていない」。シェルのことばを聞きながら、わたしはすでに買い手の候補を考えていた。

リストの筆頭はアメリカン・エキスプレス系列の証券会社シェアソンの会長兼ＣＥＯ、ピーター・コーエンだ。わたしと同い年で、ウォール街では最年少のＣＥＯのひとりだった。アメリカン・エキスプレスはリーマンを買う金をもっていたし、コーエンがシェアソンを拡大して投資銀行事業に進出したがっていることも知っていた。そのうえハンプトンズにあるわたしの別荘の近所に住んでいた。互いに顔見知りの間柄だった。人に知られず打診するのは造作もない。その金曜日遅くにコーエンに電話し、翌朝会いにいった。わたしたちはコーエン家の私道で顔を合わせた。

「わが社はトレーディングで大きな損失を出した」わたしは説明した。「まだ本気で身売りを検討しているわけではないが、おそらくそうするべきなのだと思う。もし興味があるなら、これは一度かぎりの特売品だ。きみが数日のうちに行動できれば、だが」

コーエンはその週末のうちにアメリカン・エキスプレスのＣＥＯ、ジェームズ（ジム）・ロビンソンと話した。月曜日、コーエンから取引をしたいと連絡が来た。提示額は三億六〇〇〇万ドルだ。ソロモン・ブラザーズはこの二年前に四億四〇〇〇万ドルで買収されたが、ソロモンははるかに大きなトレーディング部門をもっていたし、破産の瀬戸際にあったわけでもない。時間に制約があることを考えると、これ以上の条件は望めないだろう。

シェルはパートナー陣に話をした。全員がたっぷり分配金を受けとれるとシェルは伝えた。先送りにすればなにも手に入らないおそれがある。ルーは話し合いから締めだされていた。ルーのもっとも緊密な協力者ひとりをのぞく全パートナーが売却を承認した。二日後、『ニューヨーク・タイムズ』の一面で買収が発表された。まだ細かい交渉は残っていたし、取引が成立しないリスクもあった。しかし新聞に載せてしまうことでニュースを制御し、アメリカン・エキスプレスの気が変わった場合でも逃げられないようにできる。発表の日、投資家やジャーナリストが情報を求めて騒ぎたてた。一八五〇年創業のリーマン・ブラザーズはウォール街で一二五年以上の歴史を刻んできた。その売却は大事件だった。

まだルーと話していないことにようやく気づいたのは夕方のことだ。シェルたちパートナー陣はルーをだし抜いた。リーマンは売却され、CEOとしてのルーの失敗は完結した。わたしはルーの部屋へ向かった。以前はピートが使っていた部屋だ。暗かった。きっともう家に帰ったのだろうと思いながらも半開きのドアをノックした。「だれかいますか?」

消え入りそうな返事があり、奥の壁際にあるソファの端にルーがすわっているのがかろうじて見えた。

「なぜこんな真っ暗なところにいるんです?」わたしは尋ねた。

ルーは恥じていると言った。自分の愛する会社をつぶしてしまったからだ。「いっそ頭を撃ち抜こうかと思う」

すわっていいかと聞くと、ルーは手招きした。

「ルー、あなたに悪気はなかった。不本意でも起きてしまうことはあります」

「わかっている。だがわたしには責任がある。本意がどうあれわたしのせいだ」

「あなたがよかれと思ってやったことが裏目に出た。それが会社にとってひどい結果をもたらした。でも人は自分の人生を生きていくしかないんです。あなたが自殺したところでなにも変わりはしない。悲劇に悲劇を重ねるだけだ。まだ年をとったわけじゃないし、いつだって未来はありますよ。なにかしらの形で再出発できます」

ルーと三〇分ばかり話し、自分の部屋にもどった。わたしは三六歳で、そしてリーマン・ブラザーズを売却した。我慢ならなくなっていた会社を自由に去れる身だ。晴れ晴れとした爽快な気分だった。しかしそのいっぽうで、ルー・グラックスマンはあんなところにぽつんとすわって銃で自殺するかどうか考え、それが娘にどんな影響をおよぼすか心配している。ルーは会社を愛していると言った。悲劇なのはルーがまちがいなく会社を愛していることだ。

わたしはとにかくできるかぎり早くリーマンを離れたかった。交渉がはじまったばかりのころ、ピーター・コーエンにはリーマンのパートナー陣がルーを解雇しなかった時点でパートナーたちへの信頼をなくしたことを伝えてあった。コーエンはわたしが去ることに同意していた。ところが交渉中にコーエンから家に立ち寄ってくれと連絡が入った。コーエンはリーマンのすべてのパートナーに非競争契約に署名することを要求していた。署名すれば、会社を辞めた場合、三年間は競合企業で働くことを禁じられる。わたしは自分に署名を求めるのは筋ちがいだとコーエンに話した。コーエンはわたしが辞めることを知っていたからだ。

「問題はアメリカン・エキスプレスの取締役会がきのうあったことだ」コーエンは言った。「ピーターソンが去り、グラックスマンがいなくなったも同然のいま、取締役たちにもっともよく知られているのはきみだ。会議の場で話されたのは、われわれが買おうとしているのは有能な人材であってその人材を維持できないなら買収する意味はないということだ。きみは有能な人材の代表だ。だから取締役会は非競争契約を要求している。それが取り決めだ。きみが取引をしたくないというなら取引をやめればいい」

「買収はもう発表されたんだぞ」わたしは言った。

「発表されたのはわかっている。だがもしきみが非競争契約に署名しないなら発表をとり消すまでだ。きみの会社は破産する。わたしはどちらでもかまわない。決めるのはきみだ」

「冗談だろう？　合意したじゃないか」

「いや、本気だ」

非競争契約に署名していないパートナーはわたしひとりだった。いまや取引の成否がわたしにかかっていた。拒否すれば取引は崩壊し、それとともにリーマンも崩壊する。しかし自由になりたくてたまらないときに三年というのはあまりに高い代償だった。エレンは三年くらいなんでもない、きっとなんとかなると言った。パートナー陣はわたしをとりかこんで協力を迫った。

リーマンに入社した当初、パートナーのひとりに「リーマンではだれも背後からきみを刺したりしない。まっすぐに向かってきて正面から刺すだろう」と言われた。競争が激しく、だれもかれもがわが身のことだけを考えていた。建物の造りにもそれは現れていて、ハーバード・ビジネス・スクール時代の論文に書いたほどだ。だがわたしはリーマンのそういうところを愛していた。このような内部抗争はブラックユーモアで笑いとばせるたぐいのものだった。友人のブルース・ワッサースタインが投資銀行のファースト・ボストンでM&A部門を率いていたときのことだ。ブルースがわたしとエリック・グリーチャーに言った。「リーマン・ブラザーズの人たちがみんな互いを憎みあっているのが不思議でならないよ。ぼくはきみたちふたりのどっちとも気が合うのに」。わたしは答えた。「きみがリーマン・ブラザーズの人間だったらきみのことも嫌いになるさ」

しかしピートが去り会社が買収されたいま、わたしは辞めたかった。自分ならいつだってなにかしら金を稼ぐ手だては見つけられる。頭を冷やして考える場所が必要だった。ザ・リッツ・カールトン・ニューヨーク・セントラルパークに部屋をとった。セントラルパークへ長い散歩に出た。妥協案が見つかるまでゆっくり考えた。それからピーター・コーエンに電話をかけ、三年でなく一年会社に残り、その後は大手の競合企業には入らず自分の会社を立ちあげると提案した。コーエンは同意した。結局、どちらでもいいと言ってはいたが、コーエンもわたしに劣らず取引を望んでいたのだ。

買収がまとまると、アメリカン・エキスプレスのＣＥＯジム・ロビンソンから会いに来るように言われた。

「きみとは有意義な関係を築けるものと期待しているよ」ジムは言った。「だが、きみが浮かぬ顔をしているときにしてね」

「それはこんな顔にもなりますよ。いたくもない場所で働かされているんだから」

ジムはピーター・コーエンとわたしの交渉のことはまったく知らなかったと言った。「きみにずいぶんひどい仕打ちをしてしまったようだな。どうだ、ここへきてとなりのオフィスで働かないか？　わたしとルー・ガースナーのあいだの部屋だ」。ルイス（ルー）・ガースナーは当時アメリカン・エキスプレスの旅行事業とクレジットカード事業を率いていた。のちにアメリカン・エキスプレス会長兼ＣＥＯ、ＲＪＲナビスコＣＥＯ、ＩＢＭのＣＥＯを歴任する。「アメリカン・エキスプレスのＭ＆Ａ案件をいくつか手がけて、ガースナーに金融の手ほどきをしてくれないか。現場の運営をしてきた男だ」

リーマンでただすわっているよりましに思えた。こうしてふたつのオフィスをかけもちし、アメリカン・エキスプレスのジム・ロビンソンの隣室で多くの時間をすごすようになった。わたしは感謝していたが、ジムはわたしがどんなに辞めたがっているかすぐに察したようだ。非競争期間を終えるまでワシントンで仕事をしてはどうかと提案し、当時レーガン大統領の首席補佐官だったジェームズ（ジム）・ベイカーとの面会の手はずまで整えてくれた。

首都でしばらくすごすチャンスには心をひかれた。わたしが金融の世界でやってきたような仕事をしていれば、嫌でもワシントンが経済におよぼす影響力に魅了されずにはいられない。アヴェレル・ハリマンとフェリックス・ロハティンはビジネスと政治の交差する人生、たびたびかみ合わない動きをするこのふたつの世界を結びつける人生の魅力をわたしに確信させた。

ジム・ベイカーには一九八二年にホワイトハウスでおこなわれた経済活性化についての会議で一度顔を合わせていた。当時は格付けが最高水準の会社でも借入費用は一六パーセントだった。その場には二〇人ほどの人がいたが、この人たちがどれほどおびえきった顔をしていたか、もう二度とアメリカ経済を成長軌道にもどせないのではないかとどれほど不安がっていたかをわたしは一生忘れない。だがベイカーはワシントンという闘争的な世界で堂々として如才なく有能だった。

ベイカーとの面会は首尾よくいった。わたしがホワイトハウス職員のナンバー4になることについて話し合った。その後、ベイカーは財務長官に就任した。そこで空きがあるのは政府債務の発行を管理する仕事だけだった。二年間空席のままの役職だったので、どう考えても必要のない仕事のようだとベイカーに伝えた。わたしにとってタイミングの悪い時期だったということだ。

非競争期間はまだ六カ月残っていたが、退職の交渉をはじめることにした。簡単にはいかないだろうとうすうす感じていた。ピーター・コーエンはわたしをどうやって引きとめたのか取締役会にありのまま話してはいなかった。支持してくれる弁護士が必要だったが、シェアソン・アメリカン・エキスプレスの規模を考えるとわたしを顧客として受け入れようという人を見つけるのはひと苦労だった。ようやく勇敢な弁護士が見つかった。シャーマンアンドスターリング法律事務所のM&A責任者のスティーブン（スティーブ）・ヴォルク弁護士だ。ヴォルクはのちにシティバンクの副会長になる。彼の下のアソシエイトは、のちに大手メディア企業バイアコムのCEO兼会長になるフィリップ・ドーマンだ。ふたりはわたしの話を聞き、わたしのために闘うと約束してくれた。

コーエンについてのわたしの直感は正しかった。あれだけ約束したのに、コーエンにはわたしを手放す気などみじんもなかったのだ。コーエンは、わたしが顧客を引きつれていくのではないか、わたしだけ特別扱いを受けたといううわさが立ってほかのパートナーの耳に入れば全員が同じ扱いを要求するのではないかと心配していた。シェアソンは、リストにあげた法人顧客を獲得しようとしないこと、そしてべつのリストにあげた法人顧客とビジネスをした場合はもうけの一部を分け前として提供することをわたしに求めた。交渉は長く腹立たしいものになったが、わたしはとにかく退社して人生を前向きに生きたかった。ピートが介入して最終合意に達するのを助けてくれた。コーエン側は一度ならず二度までも合意書の署名に姿を見せなかった。わたしは必要な書類をテーブルに広げたまま人けのない会議室で待ちつづけた。ついに署名を交わしたときには、怒りと恨みが渦巻いているのがはっきり感じられた。すばらしい経験の締めくくりとしてはひどい結末だが、同時にこれはあらたな出発のチャンスでもあった。

そのころには自分自身について多くを学んでいた。高校時代から大学、HBS、そしてリーマン時代まで、ほとんどどんな状況も切り抜けられることをくり返し自分に証明してきた。わたしは夢見る価値のある夢を描きそれを実現させることができる。アームストロングコーチにはねばり強さの価値を教わった。余計に走って努力をたっぷり預金し、必要なときに引きだせるようにしておく大切さを学んだ。そしてその預金をどう投資すればキャリアを積めるかわかるようになった。

ウォール街で働きはじめたころにタイプミスや計算ミスなどの失敗を犯しばつの悪い思いをしたおかげで、厳密であること、リスクを排除すること、助けを求めることの重要性を学んだ。今日のウォール街ではコンピュータのキーひとつで終わるような計算も、かつては手計算でおこなわなければならなかった。けれどもそうやって学んだからこそ、取引がいかに入り組んだ構造をとりうるか、どのような細部まで交渉するべきかを理解できた。習熟するには経験と辛抱強さと痛みに耐える力が欠かせない。習熟すればこれ以上ない見返りをもたらす。

トロピカーナの案件では、プレッシャーのかかる状況でも思っていたよりずっと自分が力を発揮できることがわかった。ピート・ピーターソンは偉大な師にしてよき仲間をもつありがたみを教えてくれた。すばらしい人たちと貴重な親交を結ぶこともできた。リーマンの同僚やジャック・ウェルチなどの経営者たち、キャリアを通じてたびたび顔を合わすことになる人たちだ。わたしは最高のウォール街を体験することができた。世界でもっとも興味深い人たちと情報を交換し、複雑な取引を遂行する興奮、宇宙の中心にいるようなあの感覚を味わった。

リーマンを辞めるにあたっては、だれもがわれがちに争うウォール街の最低の一面を思い知った。リーマンのパートナー陣がルー・グラックスマンに立ちむかおうとしないのを見て、倫理や道徳が恐怖と強欲に屈することがあるのを痛感した。嫉妬深く執念深い人がいるのも目にした。リーマンを売却し意に反して引きとめられた経験は、優秀な弁護士の真価を教えてくれただけでなく、困難は金では解決できないことに気づかせてくれた。

Part 2
価値ある夢を追求する

PURSUE WORTHY FANTASIES

第六章　問題がむずかしいほど競争はかぎられる

ようやくリーマンから自由になり、またピートといっしょに働けるようになった。わたしたちは独自の事業を立ちあげようと本格的に話しはじめた。最初の話し合いはイーストハンプトンにあるピートの自宅でそれぞれの妻もまじえておこなった。

「わたしはまた大企業と仕事をしたいと思っている」ピートが言った。リーマンを去ったあと、ピートは小さな会社をおこし規模の小さい取引をしていた。

「わたしはとにかくピートとまた仕事がしたい」わたしは言った。わたしは三八歳で、リーマンで稼いだ金で家族を養っていた。娘のズィビーと息子のテディはふたりともすこやかに育ち、すばらしい学校に通っていた。市内のマンションに住み、海浜のハンプトンズにも別荘をもっていた。仕事面では起業を考えるところまで到達していた。すでに起業を成功させるのに十分なだけ学び、公私にわたり十分な資源を手に入れたという実感があった。この一年間わたしがリーマンでどれほどみじめだったかをずっと見てきたエレンが言った。「わたしはスティーブに幸せでいてほしいだけ」

ピートの妻ジョーンは子ども向けテレビ番組『セサミストリート』の生みの親だ。ジョーンはビッグバードにもわかる目標をあげた。「わたしはヘリコプターが欲しい」

「よし」わたしは言った。「これでみんなの望みが出そろった。さあはじめよう」

＊＊＊＊

シリコンバレーではヒューレット・パッカードからアップルまで多くのすばらしい企業がガレージで誕生している。ニューヨークでは朝食から生まれる。一九八五年四月、ピートとわたしは東六五丁目とパークアベニューの角に立つメイフェアホテルの中庭レストランで毎日会うようになった。わたしたちはいつもいちばんに到着し、最後まで居座って自分たちの経歴をじっくり検討し、いっしょになにができるか何時間も話し合った。

わたしたちの最大の資産はふたりのスキルと経験と名声だ。ピートは最優等の称号「スンマ・クム・ラウデ」を受賞して大学を卒業し、全米優等学生友愛会「ファイ・ベータ・カッパ」の会員でもある。プロセス指向で分析的な人だ。ピートが理屈と論理で突きとめられないことはなにもない。ニューヨーク、ワシントン、アメリカ実業界のすべての人と知り合いで、そのだれとでも気楽に気がねなくつきあうことができた。いっぽうわたしはもっと直観的ですばやく人を読み解き理解できると自負している。決断をくだして迅速に遂行することができ、いまやM&Aスペシャリストとしてよく知られていた。わたしたちはスキルも個性も異なるが互いを補いあう存在だ。きっと名コンビになり、わたしたちのサービスを人々が望むようになるという自信があった。たとえほとんどのスタートアップが失敗するとしても、わたしたちは大丈夫だと確信していた。

実家でリネン店を営んでいた父や、その後にアドバイスを担当した企業や起業家を観察するなかで、わたしは起業について重要な結論に達していた。小さい会社をはじめるのも大きい会社をはじめるのと同じくらい大変だということだ。なんとしても誕生させようと手をつくし、財政面や心理面で同じ犠牲を払うことになる。金を工面し、ふさわしい人材を見つけるのは大変だ。だからなにかのビジネスに人生を捧げるつもりなら（そうでなければビジネスは成功しない）、大きくなる可能性のあるビジネスを選ぶべきだ。

　リーマンでまだ駆けだしだったころ、どうして資金を借り入れるとき銀行のほうが同規模の一般企業より多く支払わなければならないのかと先輩のバンカーに尋ねたことがある。「金融機関は一日で破産してしまう。だが一般企業が市場での地位を失って破産するまでには何年もかかるからだ」と彼は言った。まさにそれが起きるのをわたしはリーマンで目の当たりにした。一度のまずい取引、一度のまずい投資が破滅を引き起こし、突然運命が逆転するのを間近に見てきた。わたしたちは小さい手こぎボートでこの旅をはじめるつもりはなかった。勇敢さではなく卓越性で名声を築きたいと思った。

　計画当初から、数世代の所有者や首脳陣にわたって生きのこれる堅固な金融機関を立ちあげることを目指していた。ウォール街で会社をおこし、いくらか金を稼ぎ、廃業し、つぎに移る手合いの仲間入りはしたくない。業界の傑出した名前と同一に扱われるようになりたい。

　わたしたちがもっとも熟知しているのはＭ＆Ａの仕事だ。当時、Ｍ＆Ａはまだ大手投資銀行の領分だった。しかし新しいタイプのＭ＆Ａブティック（小規模アドバイザリー専門会社）のサービスに対する需要があるはずだ。わたしたちには名声と実績があった。Ｍ＆Ａをはじめるにはスウェット・エクイティ（技術や努力などの無形の資産）が必要だったが資本金はいらないし、企業としてほかにどんなサービスを提供するか考えるあいだ収入をもたらしてくれるはずだ。気がかりだったのはＭ＆Ａに波があり、Ｍ＆Ａだけではビジネスを維持していくのに十分ではないことだ。景気が失速すればわたしたちのビジネスも低迷する。いずれはもっと安定した収入源が必要になるだろう。それでもはじめるにはうってつけだ。とはいえ規模を拡大し、安定した息の長い組織をつくりあげるには、M&Aの枠を超えてもっと大きなことをする必要がある。

メイフェアホテルでアイデアを出しあっていたとき、くり返し話題にのぼった事業部門の候補がある。レバレッジド・バイアウト（LBO）だ。リーマン時代には、世界の二大LBO専門会社コールバーグ・クラビス・ロバーツ（KKR）とフォーストマン・リトルへのアドバイスを担当した。ヘンリー・クラビスとは知り合いで、ブライアン・リトルとはテニス仲間だった。LBOについて三つのことに心を打たれた。一、経済情勢のいかんにかかわらず、資産を集め経常手数料や投資利益から収入を得ることができる。二、買収した会社を実際に改善することができる。三、巨額を稼ぎだすことができる。

古典的なLBOのしくみはこうだ。運用者は会社を買収すると決め、金額の一部を自己資金で支払い（家を買うときの手付金にあたる）、残りを借入金でまかなう。この借入金が「レバレッジ」になる。会社が上場企業なら買収後に非上場化し、株式を非公開にする（そのため「非公開株投資」、「プライベートエクイティ投資」と呼ばれる）。会社は自社のキャッシュフローから借入金の利子を払い、運用者は会社を成長させるために業務のさまざまな領域を改善する。運用者は運用報酬を徴収し、やがて投資益が確定すればその配分を受けとる。実施される業務の改善は、製造工程やエネルギー利用や調達の効率化、新製品ラインや新しい市場への進出、技術の改良、さらには経営陣のリーダーシップ育成など多岐にわたる。数年後、こうした努力が実を結び会社が大幅に成長していれば、運用者は買収したときより高い金額で会社を売却できる。あるいはふたたび株式を公開することで利益をあげることもできる。この基本的なやりかたにはさまざまなバリエーションがある。

すべての投資の鍵をにぎるのは使えるものをなんでも使うことだ。LBOの概念が気に入ったのはどの投資形態よりたくさんのツールを提供するように思ったからだ。まず、買収するのにふさわしい資産を探す。つぎに所有者と秘密保持の契約を結び、買収する対象についてより詳細な情報を手に入れ、デューデリジェンスをおこなう。バンカーと協働し、経済情勢が不利になっても投資をして耐えられる柔軟性のある資本構成を構築する。買収した資産の改善を安心してまかせられる経験豊富な人材を投入する。すべてがうまくいけば、売却の時期が来たとき、つぎこんだ借金（レバレッジ）が投下資本に対する利益率をあげることになる。

このタイプの投資は株式を買うより格段にむずかしい。数年にわたる労力、努力、忍耐、優れた管理、熟練した専門家のチームが必要となる。しかし何度もくり返し成功させれば大きな利益をあげ、アビントン高校でアームストロングコーチがなしとげた一八六勝四敗のような実績を積み、さらには投資家の信頼を得ることができる。このような投資で得られる投資家――年金基金、学術団体や慈善団体、政府などの機関投資家や個人投資家――の利益は、教職員、消防士、企業の社員など数百万人の退職資金を確保し、増やすのに役立つという利点もある。

M&Aとちがい、LBOは新しい顧客をつぎつぎに開拓する必要はない。一〇年間のロックアップ期間を設けたファンドに投資するよう投資家を説得できれば、わたしたちは運用報酬を得ながら一〇年かけて買収したものを改善し、投資家とわたしたち自身のために大きな利益を生みだすことができる。景気が後退しても乗りきることができるばかりか、パニックに陥った人々が低価格で優良な資産を売りだすため、運がよければさらに投資機会に恵まれるかもしれない。

一九七九年に実施されたKKRによるフーデイル・インダストリーズの目を見張る買収は、最初期におこなわれた大型LBOのひとつだ。わたしは当時その目論見書を研究していた。この取引はLBOを読み解く「ロゼッタストーン」だった。産業機械のコングロマリット（複合企業）、フーデイル買収のためにKKRが支払ったのは買収金額のわずか五パーセントで、残りはすべて借入金でまかなった。この規模のレバレッジをかけると、フーデイルが五パーセント成長すれば、投下資本は二〇～三〇パーセントの収益性を生みだす。わたしはリーマンの財源を使ってぜひ同様の取引をしたいと願ったが、社内の支持を得られなかった。

その二年後、伝説のメディア・エレクトロニクス企業のRCAが子会社のギブソン・グリーティングスの売却を決めた。グリーティングカード会社としては当時アメリカで第三位の大手だったが、RCAのほかの事業とはなじまなかったからだ。RCAはリーマンの顧客でわたしが担当していた。わたしたちは七〇の買い手候補に連絡した。興味を示したのは二社のみだった。ひとつはサクソン・ペーパーだが決算書に虚偽があった。もうひとつは元財務長官のウィリアム・サイモンが共同創業者の小さな投資ファンド、ウェスレイだ。ウェスレイはギブソンに五五〇〇万ドルを提示し、わたしたちは取引を完了する期日を設定した。ウェスレイの投資家たちは自己資本のうちわずか一〇〇万ドルを投入し、残りは期日までに用意すると請けあった。しかしウェスレイは金を工面できず、期日を一カ月延長することになった。それでも金は入らなかった。ほかに買い手候補はない。ウェスレイはもう一度チャンスをくれと訴えた。あとでわかったことだが、このときウェスレイはギブソンの製造施設や倉庫を売却すると同時にリース物件として賃借する（セール＆リースバックする）よう手配して資金を調達しようとしていた。うまくいけば必要な資金を得られただろうが、ウェスレイは間に合わせることができなかった。これまでだ、とわたしは思った。

そのいっぽうでギブソンの収益は上昇しはじめた。ふさわしい買い手はまだ見つかっていなかったが、わたしはRCAでこの売却を担当している幹部ジュリアス・コッペルマンにギブソンの売却価格を引きあげることをすすめた。コッペルマンは五〇〇万ドル引きあげると言った。わたしはその程度では利益が増加しているギブソンの価値をまったく反映できていないと伝えたが、RCAはギブソンを売却して取引をすませることに躍起になっていて、最高額を引きだすことには無関心だった。RCAが六〇〇〇万ドルでの売却についてフェアネスオピニオンを求めてきたが、わたしは断った。当時としてはきわめて異例で物議をかもす姿勢だった。六カ月後に取引が完了すると、コッペルマンはRCAを辞めてウェスレイのコンサルタントになった。ウェスレイがギブソンを買収したあと、わたしは自分の考えをピートとルー・グラックスマンに伝えにいくことを忘れなかった。ウェスレイがいずれ大金を稼ぐことになり、わたしたちは無能だと非難されるだろうということだ。異議があるときは、あとで問題が起きたときに責めを負わないためにも自分の意見が記録に残るようにしておくのが重要だ。一六カ月後、ギブソンの株式が公開されて企業価値は二億九〇〇〇万ドルと評価され、リーマンはギブソンを安く売りすぎたとRCAの投資家や報道陣から激しく批判された。ウェスレイはリーマンが一年間で稼ぐより多くの金を一度の取引で稼ぎだした。

ギブソンの案件は、きわめて収益性の高い最初期のLBOの成功例として広く知れわたった。この案件は、ピートとわたしが新会社でやりたいと思っていたタイプの取引の完璧なケーススタディでもあった。

よかったのは、ギブソンのIPOのあとLBOがリーマンの注意を引いたことだ。当時リーマンのCEOだったピートもそのひとりだ。ピートはつぎにシカゴへ出張する前に、買収可能な企業のリストを用意するようわたしに言った。わたしは自動車のダッシュボード計器類やスタジアムの得点掲示板を製造するスチュワート＝ワーナーに目をつけた。当然のごとくピートは会長のベネット・アーシャンボーと知り合いだった。わたしたちは羽目板張りで壁中にヘラジカの頭が飾ってある古風な造りのメンズクラブでアーシャンボーと会った。ピートはアーシャンボーに会社を非上場化することを提案した。わたしは手順をひととおり説明した。株式を購入するための資金をどう調達するか、利息をどう支払い、価値をどう高め、会社の機能をどう強化するか、長期的にはどうなっていくのか、ということだ。

「きみ個人としても大金を稼げるはずだ」ピートがアーシャンボーに言った。「きみの株主陣も利益をあげられる。だれもが得をすることになる」

アーシャンボーは納得した。既存の株主にはプレミアムが支払われる。アーシャンボーは非上場企業のトップとして株式市場をなだめるための四半期決算を気にかけることなく、時間をかけて会社を改善していける。会社の持分もいまより大きくなる。「やらない理由はあまりないようだな」とアーシャンボーは言った。

リーマンにもどるとわたしはさっそく行動を開始した。チームをつくり、シンプソン・サッチャー法律事務所のリチャード（ディック）・ビーティに、リーマンがLBOをはじめるためのファンドを計画してくれるよう依頼した。ディックはカーター政権の法律顧問を経て、LBOの複雑な法的事案の専門家になっていた。わたしたちは一億七五〇〇万ドルを調達してスチュワート＝ワーナーを非上場化できると確信していた。ピートとわたしの提案はリーマン社内の審査手続きを通過し取締役会にかけられた。取締役会は却下した。

内在する利益相反を懸念してのことだ。顧客にM&Aのアドバイスをしながら、それと同時に顧客が興味を示すかもしれない会社を買収するわけにはいかないと取締役会は判断した。その見解の基本は理解できた。しかし潜在的な利益相反に適切に対処する妥協策はあるはずだ。なるほど、買いたい会社をすべて買えるわけではないだろう。それでもそのうちの一部は買収する方法があるはずだ。LBOのもつチャンスは無視するには大きすぎる。

取締役会がわたしたちの提案を退けてから何年かのうちに、ＬＢＯマネーの波がアメリカの会社売買のありかたを一変させた。買い手が増え、それまで手の出なかった企業を熱心に買いたがった。銀行は利回りを高めたり、まったく新しい返済条件を設けたりしてあらたなタイプの負債を開発し、買収資金を供給するようになった。企業は不要になった事業をもっとうまくまわせる買い手に売却する好機だととらえた。Ｍ＆Ａの専門家としてまともに受けとめてもらうには、このダイナミックな新しい融資方法をきわめる必要がある。しかしピートもわたしも、もっと大きな好機をつかむには自分自身が運用者になることだと考えた。

投資銀行のＭ＆Ａ担当者としてはアドバイザリー報酬を受けとるだけのサービス事業しか手がけられない。運用者なら、自分の働きによってはるかに大きな利益を手にすることができる。プライベートエクイティ会社では、無限責任を負うゼネラルパートナー（運用者）が有限責任のリミテッドパートナー（出資者、投資家）のためにすべての投資について案件を発掘し、遂行、管理をおこなう。ゼネラルパートナーはリミテッドパートナーに運用を委託された資金のほかに自己資本を出資して投資業務をおこない、多くの場合ふたつの形で報酬を得る。投資家から受託し運用する資金に対して一定の割合を受けとる運用報酬と、投資が成功したときもうけの一部を受けとる成功報酬だ。

ふたり組の起業家にとってプライベートエクイティのビジネスモデルの魅力は、純粋なサービス業を経営するよりずっと少ない人員で規模を大きくできることだった。サービス業では拡大するにつれ、電話を受け、仕事をするために人を増やしつづける必要がある。プライベートエクイティ業では、少人数のグループのままでより大きな資金を調達し、より規模の大きい投資を管理できる。何百人もの人員を補充する必要はない。ウォール街のほとんどの会社にくらべて、プライベートエクイティ会社は構造が単純で、金銭的な報酬は少数の手に集中する。しかしこのビジネスモデルをうまく機能させるにはスキルと情報が欠かせない。わたしたちにはその両方があるし、それをさらに向上させていけるはずだ。

事業を立ちあげるにあたってわたしたちが考えた三つ目にして最後の方法は、無制限の質問で自分たちをためしつづけることだった。常に「なぜやってみない？」と自問するということだ。もし投資先として有望なビジネスを拡大するのに適任の人を見つけたら、なぜやってみない？　もし自分たちの強みやネットワークや資源を生かしてそのビジネスを成功させられるなら、なぜやってみない？　わたしたちの考えでは、ほかの会社はみずからを狭い範囲に限定しすぎ、新機軸を打ちだす自己の能力に限界を設けていた。自分たちをアドバイザリー会社、投資会社、クレジット会社、不動産会社と決めつけてしまっている。それでいてどの会社も儲けるチャンスを追求していた。

ピートもわたしもこの新しいビジネス領域を「一〇点満点」の人材で経営したいと考えた。ふたりとも長いあいだ人の才能を判定してきたため、一〇点の人を見ればそれとわかるようになっていた。八点は言いつけられたことだけをする。九点は優れた戦略を実践し開発する能力に秀でている。九点だけでも成功をおさめる会社をつくれる。しかし一〇点の人たちは問題を察知し、解決策を考案し、だれに言われることもなくビジネスを新しい方向へ導く。一〇点は必ず大金をもたらしてくれる。

わたしたちが事業をはじめれば、一〇点の人材がアイデアをもってやってきて、投資や組織的な支援を求めるだろうと考えた。その人たちと対等なパートナーシップを結び、もっとも得意なことをやってみるチャンスを提供する。その過程でその人たちを育成し、こちらも学ばせてもらう。このような聡明で有能な一〇点がまわりにいることで知見が広がり、わたしたちのするあらゆることが向上し、想像もしなかった機会を追求できるようになる。一〇点は会社の知識ベースを増やして豊かにする助けにもなるが、そのデータを存分に活用して重要な決定をくだすには、こちらも相応に聡明でなければならない。

一〇点の人材をひきつけるために必要な文化には必然的に矛盾がある。規模のメリットをすべて備えている必要があるが、同時に人々が自由に発言できる小さな会社の精神ももちあわせていなければならない。きたえぬかれた規律正しいアドバイザー陣、投資家陣でありたいが、「なぜやってみない?」と問うのを忘れてしまうほど官僚的だったり新しいアイデアに対して閉じてしまったりはしたくない。なにより、新会社を設立するために日々奮闘しながらも革新する能力をもちつづけていたかった。適切な人材を集めて適切な文化をつくりあげ、M&AとLBO投資と新事業の三本柱からなるビジネスを展開し、そのすべてから情報を得ていれば、顧客やパートナー、貸し手やわたしたち自身のために真の価値を生みだすことができるはずだ。

＊＊＊＊

ビジネスの成否はタイミングに左右されることが多い。早すぎれば顧客のほうの準備ができていない。遅すぎれば商売敵の長い行列の後方でとり残される。わたしたちがブラックストーンを立ちあげた一九八五年秋には大きな追い風がふたつ吹いていた。ひとつはアメリカ経済だ。レーガン大統領下の景気回復三年目だった。金利が低く借り入れは容易だった。投資機会を探している資本がたっぷりあり、金融業界ではいままでにないストラクチャーや事業が出てきてこの需要を満たしていた。LBOと高利回り債はクレジット市場の急激な変化の一部だ。ヘッジファンドも出現しつつあった。通貨から株式まであらゆる資産クラスを扱い、高度に専門的な方法でリスクと収益を管理する投資商品だ。こうしたさまざまな投資形態の可能性は出現したばかりで競争はまだ激化していなかった。なにか新しいことに挑戦するにはいい時期だった。

もうひとつの大きい追い風はウォール街の解体だ。ニューヨーク証券取引所は一八世紀後半に設立されて以来、固定委託手数料制度を採用し、証券仲介業者が徴収できる手数料の利率を定めていた。この制度は証券取引委員会（ＳＥＣ）に価格協定の一種と判断され、一九七五年五月一日に廃止された。以前の制度下では、ウォール街の証券会社はほとんど競争を強いられず、もちろん革新の必要もなかった。いまや委託手数料を交渉しなければならなくなり、価格とサービスが重要になった。テクノロジーがさらなる後押しとなり、規模が小さく費用の高い証券仲介業者は痛めつけられ、規模が大きくよりよいサービスを低価格で提供する業者は報いられた。ＳＥＣが規則を変更して一〇年のあいだに、成功した会社はどんどん大きくなり、そのいっぽうで立ちどまって動かなかった会社はしだいに消えていった。

この変化はウォール街の文化を一変させた。一九七二年にわたしがリーマンに入社したとき、社員は五五〇人だった。シェアソン・リーマンを退社したときには二万人になっていた（二〇〇八年にリーマンが破綻したときは三万人にふくれあがっていた）。だれもが巨大な企業で働くのを歓迎したわけではない。全員の顔を見知っている親密さ、ひとつにまとまった集合体のために働いているという感覚が失われ、社員は機敏なチームの一員から巨大な官僚組織のなかのひとりになった。リーマンで新人だったころ、わたしはルー・グラックスマンの目を引いた。会議中にきちんとすわっていなかったために怒鳴られたのだが、それがきっかけで、だれかがわたしには将来性があるとルーに進言し、ルーに仕事をもらうことができた。これは五五〇人の会社だから起こりうることだ。二万人もいたのではは優秀な若手を見つけるのははるかにむずかしい。一九七〇年代初頭のリーマンにはＣＩＡや軍隊などさまざまな分野の出身者がいて、実地で金融を学びながら働いていた。異業種から来たそうした人たちは幅広いスキルや視点やコネをもたらした。しかし一九八〇年代半ばには即戦力になるMBA取得者が大量に採用されるようになっていた。

ピートとわたしは、大企業の文化がこのように変化したことによって優秀な人材やすばらしいアイデアの再編成が起きると考えた。わたしたちと似た部類の人なら脱出方法を探しているはずだ。その人たちの受け皿になりたいと思った。

＊＊＊＊

社名をどうするかは何カ月も悩みぬいた。わたしは「ピーターソン&シュワルツマン」がいいと思ったが、ピートはすでに自分の名前を冠した会社をいくつか立ちあげていて、もう名前は使いたくないという意見だった。無彩色の社名にすれば、新しいパートナーが加わったとき社名にパートナーの名前を追加するかどうかで言い争う必要がないからだ。レターヘッドに五つの名前がずらずら並ぶ法律事務所のようにはなりたくない。わたしは知り合いにかたっぱしから意見を求めた。ピートの妻ジョーンがもっともな意見でわたしたちを説きふせた。「わたしが事業を立ちあげたときは、なかなかいい名前が思いつかなくて最後にはでっちあげたの。『セサミストリート』って。ばかげた名前だけど、いまでは世界中の一八〇カ国に広がっている。事業が失敗すれば名前なんて忘れられてしまうものよ。事業が成功すればみんなに知れわたる。だからなんでもいいから名前を決めて、あとはその名前が知れわたるくらい成功するのを祈るだけ」

エレンの義父が答えを見いだした。タルムード学者で空軍の首席ラビを務めた人で、ふたりの名前を英語に訳して社名にすることを提案してくれた。シュワルツのドイツ語「シュヴァルツ」は英語のブラック（黒）を意味する。ピートの父親の本名はギリシャ名の「ペトロプロス」で、ペトロスは英語のストーン（石）やロック（岩）のことだ。ブラックストーンかブラックロックか。わたしはブラックストーンが気に入った。ピートも異論はなかった。

こうして何カ月も話し合った結果、M&A、LBO、新事業という三つからなる特徴ある会社の構想と社名が決まった。わたしたちの会社の文化は最高の人材をひきつけ、顧客に驚くほどの価値をもたらすはずだ。ちょうどいいタイミングで市場に参入し、大きく成長する可能性があった。

わたしたちはそれぞれ二〇万ドルの資金を出した。創業には十分だが、決して無節操に浪費できるほどの大金ではない。グランドセントラル駅のすぐ北にあるパークアベニュー三七五番地の「シーグラムビル」に二八〇平方メートルのオフィスを借りた。開放的で近代的な高層ビルで、近代建築の開拓者ミース・ファン・デル・ローエが設計した建築学的にも重要な建物だ。ウォール街から遠く離れたミッドタウンにあったが、近くには多くの会社のオフィスがあった。シーグラムビルにはネットワークづくりの場として名高いフォーシーズンズも入っていた。一九七九年に『エスクァイア』誌が「パワーランチ」の発祥地と紹介したレストランだ。多くの企業に顔がきくピートもここで存分にコネを生かせるだろう。もしハーバード・ビジネス・スクール時代の論文で事例としてとりあげていたら、この会社は必死で格調を求めていると書いただろう。

調度品を買い、秘書をひとり雇い、役割を分担した。ピートはCEOを二度務めたことがあり、事業を経営するわずらわしさにはこりごりしていた。CEOの役はわたしにまかされ、社長も兼任することになった。最初の仕事はロゴと名刺のデザインを決めることだ。デザイン会社に複数の案を考えてもらい、膨大な時間をかけて検討した。そのとき選んだのが現在も使っているデザインだ。白黒でシンプルですっきりした品のいいものにしあがった。時間と金がどちらもあまりないときに両方を費

お知らせ

このたび新会社を設立いたしました

ブラックストーン・グループ

民間投資銀行

会長：ピーター・G・ピーターソン
社長：スティーブン・A・シュワルツマン

郵便番号　10152
ニューヨーク州ニューヨーク市
パークアベニュー375番地
(212) 468−8500

やしてでもしっかりしたものにする必要があると思った。自分を売りこむときには全体として筋が通っていなければならない。自分が何者かを他者に伝える手がかりになる統一のとれたアプローチが必要だ。センスの悪さがすべてを狂わせることもある。この名刺はわたしたちの目指す姿を確立する最初の一歩だ。

一九八五年一〇月二九日、メイフェアでいっしょに朝食をとるようになってから半年後、『ニューヨーク・タイムズ』に全面広告を出し、世界に向けて発表した。

第七章　しつこく電話をかけつづける

ビジネスを軌道に乗せるため、わたしたちは知り合いという知り合いに手紙を書いた。四〇〇通を超える手紙をしたためて新会社の設立を晴れやかに知らせ、ふたりのこれまでの実績やいっしょに手がけた仕事、今後の構想を説明して仕事を求めた。そして椅子にゆったりとくつろいで待った。わたしはひっきりなしに電話が鳴るものと期待していた。ところが鳴ったのはほんの数回で、それも創業を祝い、成功を祈るものばかりだった。

「仕事も受けるよ」ともちかけてもみた。

「いまはいいよ。でも今後は考えておく」

『ニューヨーク・タイムズ』に広告が出た翌日、ドアをノックする音がした。あけてみると、革のズボンに黒い革ジャン、革のバイク帽の男が立っていた。M&Aのなじみ客からの連絡を待っていたのに。たずねてきたのは映画『乱暴者《あばれもの》』のような暴走族のリーダーだった。

「スティーブ・シュワルツマンさんはいる？」男は言った。

「なにか届けもの？」

「いや、配達に来たわけじゃない。わたしはサム・ゼル。リアに言われて会いに来たんだ」

わたしたちはリーマン時代の一九七九年にリア・ゼルを採用した。リアはハーバード大学で英語を専攻し、博士号を取得したばかりだった。ほんの数分話しただけで、並はずれた知性の持ち主なのがわかった。金融についてはなにも知らなかったが、ためしに雇ってみることにした。リアはすばらしいアナリストだった。この暴走族はリアの兄だった。

「その格好は？」わたしは言った。

「下にバイクを止めてきた」

「下？」

「パークアベニューにね。消火栓にチェーンでつないである」

初日にこれだった。前途多難だと思った。

サムのほうも、電話も鳴らない殺風景なオフィスにスーツ姿でいるわたしを見て同じことを思ったにちがいない。

「申しわけない。ちょうど今日引っ越してきたばかりで備品もまだほとんどない状態なんだ」わたしは言った。

「かまわないさ」サムは壁を背に腰をおろし、丸めたままの敷物に寄りかかって話しはじめた。サムはいくらか不動産をもっていて会社をいくつか買おうと考えていたが、金融についてはあまりくわしくなかった。「教えてくれないか？」とサムは言った。

あとになって、不覚にも格好に惑わされていたことがわかった。サムの言う「いくらか不動産をもっている」は、アメリカ国内で最大級の不動産ポートフォリオを構築しつつあるという意味だったのだ。この日サムが話してくれたのは、倒産した物件を買って帝国を築きたいということだけだった。床にすわったまま二時間半ばかり話しこんだ。この先何年にもわたり、わたしたちはいっしょに多くの仕事をすることになる。この思いがけないひとりの訪問者は、創業初期に見こんでいた（けれどもやってこなかった）全顧客よりもブラックストーンにとって価値のある人物だった。

新会社の立ちあげに合わせて、『ウォール・ストリート・ジャーナル』は第一面で大きくとりあげてくれることになっていた。この宣伝記事はわたしたちにとって大きな後押しとなるはずだった。掲載予定日の前日、記者が電話をかけてきて編集部が掲載を見送る判断をしたと言った。記者は申しわけないと謝った。「シェアソンのある筋の人が記事のことを聞きつけて電話をかけてきたんです。いろいろとよくない理由であなたがシェアソンをクビになったと聞かされました。シェアソンがバックグラウンド（匿名での引用可）であなたを悪人だと言っている以上、記事を載せるのはむずかしいように思います」

新会社の立ちあげがシェアソンを怒らせることは予想すべきだった。わたしがリーマンから脱出したかったのは、社内の倫理があまりにひどくなっていたからだ。強欲、恐怖、臆病、権力欲、不正直が蔓延していた。しかしこの報復は過去最低だ。わたしは備品の入った箱が散乱する殺風景なオフィスにへたりこんだ。どうしたら人はここまで執念深くなれるのだろう？

こうしたつまずきはあったものの、自分たちの名声と経験に加えて何百通もの手紙を送りまくったからには仕事が殺到するはずだという確信は揺らがなかった。数週間がすぎた。ひとつも来ない。ピートには秘書がいて給料は出ていく。わたしは自分で電話をかけ、自分で玄関に出て配達を受けとった。借りたスペースを見まわるのが日課だった。まるで砂時計を見ているようだった。仕事がまったく入らず金だけがさらさらと流れおちていく。少し前まで、人々は先を争うようにわたしたちに仕事を依頼してきた。ピートとわたしはなにも変わっていないのに、ふたりで独立したとたん、だれからも相手にされなくなってしまった。刻々と日がすぎていくにつれ、破綻したスタートアップの仲間入りをするのではないかと不安が募った。

ようやく、リーマン時代にいっしょに仕事をしたことのある製薬会社スクイブ・ビーチ・ナットから五万ドルでアドバイザリー業務を依頼された。前職ならひとつの案件の弁護士費用だけでももっと高かっただろう。いまはこれが命綱だ。このあと、リーマン時代の顧客でアメリカ中西部にある中規模の鉄鋼会社アームコからもうひとつ小さい仕事が入った。賃貸料などの基本費用はなんとかまかなっていたが、ギリギリであることに変わりはなかった。一九八六年の初夏、創業してもう九カ月になっていた。ピートは不在で、わたしの家族は海辺の家にいた。わたしはひとりマンハッタンで、このふたつのささいな仕事にとり組んだ。

ある蒸し暑い夜、ひとりでレキシントンアベニュー沿いの三十何丁目かに立つビルの二階の日本料理店へいった。すわっているうちにめまいがして全身がくずおれてしまう感覚に陥った。なにもかもが失敗しかかっている気がした。自分があわれでしかたがなかった。ウォール街は他人が失敗するのを見るのがなにより大好きだ。リーマンであれほどの力を誇り自分たちの成功をあれほど確信していたピートとわたしが敗北を喫するのを見るのは、多くの人を大喜びさせることだろう。そんなことをさせるわけにはいかない。失敗は許されないのだ。なんとかしなければならない。

＊＊＊

ここに大いなる真理がある、とわたしは気づいた。過去になにをなしとげたにしても、わたしたちはスタートアップのひとつにすぎないのだ。楽な仕事などあるはずがない。このときのわたしが気づいていなかったのは、それまで鉛筆と計算尺を使ってこつこつと金融モデルをつくり、同僚から金融の技術を学ぶことに費やしてきた時間と労力の真価がまさに現れようとしていたことだ。

日本料理店での孤独な夕食からまもなく、大手鉄道会社CSXのCEOヘイズ・ワトキンスから電話があった。一九七八年、わたしはCSXが保有する新聞社の売却にかかわった。通常の売却ではイギリス式オークションが用いられていた。オークションハウスでとられているような方式で、入札者が手をあげて徐々に入札額をあげていき、次位入札者が脱落するまでつづける。次位入札者より一ドルでも高く入札すれば勝てる。この方式の問題は、落札者がいくらまで払う意思があったか売却側にわからないことだ。たとえばだれかがゴッホの絵を五〇〇〇万ドルで落札した場合も、もしもっとべつの入札者がいれば落札額が七五〇〇万ドルにつりあがっていたかもしれない。

そこで、CSXの新聞社の売却では二ラウンド制の封印入札を用いた。各ラウンドで入札者はほかの入札者の提示額を知らないまま自分の入札価格を封印して入札する。最初のラウンドでは入札額の低い、ただ探りを入れているだけの人を排除する。つぎに、真剣な買い手はターゲット企業の財務状況を調査し、経営陣を訪問する。その後、二回目の入札をおこなう。この種のオークションの魔法は、買い手がターゲット企業を本気で手に入れたい場合、たんに次位入札者より一ドル高く提示するだけではすまないことだ。確実に落札できるように自分に提示できる最高額を入札する。このオークション方式はわたしがM&A業界に入ったころにはあまり知られていなかったが、いまでは常識になっている。ワトキンスは、新しいオークション方式をとり入れたわたしを革新者であり問題解決に長けた男と記憶していると言った。

「いまプロジェクトを進めているんだ」ワトキンスが言った。「まだ動きだしたばかりなんだが、きみたちならやれるんじゃないかと思ってね」

わたしたちならやれる？　ただすわって破産の心配をしているのに？　しかし状況が単純ならワト

キンスはわたしたちのところになど来なかっただろう。助けてくれるアドバイザーはたくさんいる。ワトキンスはむずかしい問題をかかえ、革新的な解決策を求めていた。バンカーとして、その後は投資家としてやってきて、わたしは問題がむずかしいほど競争がかぎられることを知った。簡単なことなら解決してやろうという人はいくらでもいる。しかしほんとうに厄介なことになると、まわりにはだれもいなくなる。それを解決してやることができれば、いつのまにか希有な人たちの仲間入りを果たしている。困難な問題をかかえた人たちに追いもとめられ、解決すればたっぷり金が払われる。ほかの人にはできないことができる人間として名声を得る。現状を打開しようともがくふたりの起業家にとっては、困難な問題を解決することが能力を証明する最良の方法になるはずだ。

CSXは海上輸送にも進出しようとコンテナ会社のシーランド・コーポレーションに気前のいい友好的買収を申し入れていた。シーランドの経営陣は受け入れに乗り気だったが、テキサスの気むずかしい投資家ハロルド・シモンズに足止めを食っていた。シモンズはシーランドを所有することに興味があるわけではなかった。外部からの買収を見越してシーランド株を買い、自分の希望する価格になるまで売却を妨げるつもりだった。金を十分にくれれば引き下がってやるというわけだ。金融業界で「グリーンメール」と呼ぶ行為だ。

CSXの当初の提示額は値ごろな六億五五〇〇万ドルだった。リーマンではこの規模の取引にはひとチームまるごとのサポートがついた。いまはこの仕事を自分ひとりでこなさなければならない。シモンズはシーランド株の三九パーセントを所有していた。シモンズに売却を強いることはできないが、CSXが提示している価格でもシモンズはかなりの利益をあげることになる。ところがシモンズはもっと高値になるまでねばれる有利な立場にあった。わたしはシモンズと電話で話し、現状の提示額で彼がどれだけの利益を得ることになるか説明した。シモンズのテキサス訛りがいまも耳に残っている。「シュワルツマンさん、何度も言ったが株は売らないよ。絶対に」

なんとか説得しようとあらゆる努力をしたが、最後は弁護士を連れて会いにいくことにした。シモンズはあばた面のやせこけた男だった。五〇代半ばだったが、もっと年上に見えた。事務所からは莫大な富の気配はまったく感じられなかった。ヒューストン郊外の安い建物のなかにあり、内壁ははがれたベニヤ板で覆われていた。

「わたしたちはぜひともシーランドを買収したいが、あなたが立ちはだかる形になっています」わたしは言った。「脇へどいてもらえませんか。あなたの株を買わせてください。ご存じのように、こちらは買収プレミアムを上乗せしています」

「そちらの希望は知っているよ」シモンズは言った。「だが言ったように株を売るつもりはない」

「そう言うだろうと思って」わたしは言った。「TOBに参加したくないという株主のために特別な取り決めを用意してきました」。参加しないと言っているのはシモンズだけだった。「現金がいらないということなら、かわりに満期のないPIK（現物支払い、現金では支払わない）優先株を発行しますよ」

この提案の意味するところは、シモンズが現金を受けとるか、さもなければわたしたちがシモンズの資産を大きな負債に変えてしまうということだ。あちらがCSXを人質にとるつもりなら、こちらもTOBで強制的な買収をはかりシモンズを締めだして同じ目にあわせてやるまでだ。シモンズの優先株はどの取引所にも上場されないため、簡単に売ることはできない。また、資本構成では社債よりも支払いの順位が低いため、なにか問題が起これば債権者への支払いが完了するまで現金化されない。さらに満期日がないせいで株式が満期を迎えることはないため、いつまでたっても償還することさえかなわない。増えつづけるいっぽうの納税通知書を生みだす株式をこの先ずっと保有しつづけるしかない。おぞましく、きわめて異例な提案だ。

シモンズはわたしを見つめ、それから自分の弁護士を見た。「そんなことができるのか?」シモンズは尋ねた。

「ええ」弁護士は何度もうなずいた。「できますね」

シモンズがくるりとこちらを向いた。「うちの会議室から出ていけ!」

わたしは弁護士と部屋を出て車に乗り空港へもどった。待合室の公衆電話から秘書に電話をした。ちょうどシモンズから自分の株を売ると電話があったところだった。

これが簡単な仕事ならわたしたちにまわってくることはなかっただろう。創造性とシモンズの弱みを見きわめる心理的な洞察力とCSXの問題に対するこちらの解決策をシモンズに突きつける度胸が必要だった。この仕事が躍進の突破口だった。わたしたちがアドバイザリー業務で受けとった最初の大きな報酬であり、ブラックストーンがM&A専門会社として名をあげるきっかけになった。

問題が解決したあと、ワトキンスは自分たちが支払った価格が適正かを証明するフェアネスオピニオンの作成をソロモン・ブラザーズに依頼するつもりだとわたしに言った。ハーマン・カーンにはじめてフェアネスオピニオンの任務をあたえられて以来、わたしはリーマンで数多くのフェアネスオピニオンを書いてきた。ソロモンにたのむ必要はないとワトキンスに伝えた。わたしたちでやれる。取引をまとめたばかりでシーランドのこともCSXのことも知っている。ワトキンスは同意した。わたしは手数料さえ請求しなかった。ブラックストーンは、ブティック型の主要なアドバイザリー会社としてはじめてフェアネスオピニオンを作成した。

＊＊＊＊

創立一周年が近づく一九八六年秋、そろそろプライベートエクイティ・ファンド（PEファンド）を立ちあげる時期だと判断した。投資家を相手に、わたしたちは金をあずかり、企業を買い、立てなおし、売り、そして数年後にかなりの利益を上乗せして金を返すことができると納得してもらわなければならない。ビジネス計画の第二段階だ。アドバイスと取引サービスを提供するビジネスから、より複雑だが（願わくは）より耐久性があり、収益性の高い投資ビジネスへ移行する。ピートもわたしもそのようなファンドを運営したことはなく、ましてや資金集めをしたこともない。わたしたちはどんなことでも意見が合ったが、目標額をいくらにするかでは意見がわかれた。

わたしは最初のファンドのために一〇億ドル調達すべきだと考えた。これまでに設立された新規ファンドのなかで群を抜いて最大のものになる。それは夢物語だというのがピートの意見だった。「われわれはまだ一度もプライベートエクイティ案件を手がけていない」ピートは言った。「それに、自分たちのために投資資金を集めたこともないんだぞ」

「だからなんだというんです？」わたしは言った。「そういう仕事をする連中のことはよく知っています。リーマンではその責任者でしたからね。ずっと目の前で見てきた」。彼らにできるのだからわたしたちにもできるとピートに請けあった。

「一度も手がけたことがないのは気にならないのか？」

「ええ、ちっとも」

「わたしは気になる。五〇〇〇万ドルのファンドからはじめるべきだと思う。自信をもてるようになってから、もっと大きいことをすればいい」

わたしはふたつの理由で同意できないと答えた。第一に、投資家はファンドに資金を投入するとき、投資するのが自分だけではないことをたしかめたがる。そのため、五〇〇〇万ドルの資金を調達する場合、五〇〇万から一〇〇〇万ドル単位で投資を募る必要がある。五〇〇〇万から一〇〇〇万ドルの投資を募るためにどうせ歩きまわって苦労するなら、いっそ五〇〇〇万から一億ドルの投資を求めたほうがいい。第二に、投資家はわたしたちが多様なポートフォリオを構築することを期待する。運用資金が五〇〇〇万ドルしかなければ、そのためには小さな案件をいくつもこなさなければならない。大企業との仕事を専門に経験を積んできたわたしたちが小さい案件を扱うのは理屈に合わない。

ピートはまだ不安げだった。「どうしてなにひとつなしとげていないわたしたちに金を出してくれる人がいるというんだ?」

「わたしたちだからですよ。それにいまが絶好のタイミングなんです」

社会に出て働きはじめたころ、わたしは野心に満ちたほかの若者と同じように、このまままっすぐに進んでいけば成功できるものと信じていた。第二次世界大戦後のベビーブーム世代のひとりとして、成長と機会だけを見て育った。成功は当然のことと思っていた。しかし、一九七〇年代から一九八〇年代初頭にかけての経済の浮き沈みを経て、成功とはめったにないチャンスをうまく利用することだと理解するに至った。その瞬間がいつおとずれるかは予測できないが、大きな変化に目を光らせ心を開いていればいつかやってくる。

LBOファンドに対する投資家の需要は高まりつつあったが、供給のほうはかぎられ、それを遂行できる人材はさらにかぎられていた。独自のスキルをもつふたりの起業家にとって完璧な筋書きだ。この数年前、リーマンでは取締役会にLBOへの関心をもたせることはかなわなかった。取締役会の型にはまった考えの先をいっていたからだ。今度ばかりはこれ以上待てば手遅れになる危険がある。

ＬＢＯ案件に投資する手だてを熱心に探っている資金がほかの人のところに集まってしまうだろう。「いまこそ資金を調達するまたとない機会です。これを逃したら二度とチャンスは来ないかもしれない」わたしはピートに訴えた。「打ってでるべきです」

営業マンとして学んだことがある。一度売りこんだだけで解決することなどない。自分がなにかを信じているからといって、ほかの人が信じてくれる保証はない。自分の構想をくり返し売りこまなければならない。ほとんどの人は変化を好まないため、こちらの主張とちょっとした魅力で相手を圧倒する必要がある。売りこもうとしているものに自信があり、それでも相手がノーと言うのなら、まだよく理解してもらえていないのだととらえて、さらに口説くほかない。何度も議論を重ねたすえ、ピートはピートらしい形で承知した。

「きみがそこまで主張するなら支持するよ」

第八章　新しい地平を開く

わたしたちは事業計画をまとめ、目論見書を作成した。投資の条件、リスク、目的を説明する法律文書だ。これを年金基金、保険会社、大学基金、銀行をはじめとする金融機関、資産家など、五〇〇近くの投資家候補に送付した。電話をかけ、再度の依頼状を書いた。今回も電話は静まりかえったままだった。わたしたちは、自分がもっともよく知るもっとも有望な候補を相手に中途半端な売りこみの効果をためしてみるというミスを犯してしまったのだ。投資家たちは寛大には見てくれず、むしろいとも簡単に投資を見送った。会いたいという返事はふたつしかなかった。メットライフが五〇〇〇万ドル、ニューヨークライフ・インシュアランスが二五〇〇万ドルを確約してくれたが、それぞれファンドの一〇パーセントと五パーセントを超えないかぎりという条件付きだった。少なくとも五億ドルを調達するまで、二社の約束はなんの値打ちもない。

ピートは、フォローアップの電話をするのを数週間控えて、やりかたを見なおそうと提案した。今度はピートの忠告にしたがうことにした。おかげで二度目の売りこみではもっとコツがつかめ、一八の投資家候補と会う約束をとりつけた。

エクイタブル・インシュアランスは一〇日の間隔をおいてわたしたちを二度呼びいれた。二度目に呼ばれたとき、あとは契約してもらうだけだと希望をいだいた。ところが二度目の面会では一〇日前に会ったはずの担当者はわたしたちが何者かさえ気づかなかった。「ブラックストーン？」担当者はこちらのことをすっかり忘れていた。スケジュールのミスでさえなかった。わたしたちは落胆し、わけのわからないまま立ち去った。わたしたちはだれなのか覚えてもらえないほどとるにたらない人間なのだろうか。

デルタ航空の年金基金は、こちらがアトランタ本社に出向けば会ってくれることになった。面会の約束は午前九時で、ピートはこの前日ホワイトハウスでの夕食会に出席していた。早朝にアトランタのハーツフィールド・ジャクソン空港でピートと落ちあい、タクシーで先方へ向かった。ピートは普段から巨大なブリーフケースをもち歩いていたが、このときは前夜からのタキシードケースもあった。タクシーをおりたのは、道路から奥まった本社ビルの数百メートル手前だった。恐ろしく蒸し暑い。ピートを手伝って荷物を運び、ようやくたどりついたときにはふたりともシャツまでびっしょり汗をかいていた。

秘書に案内されたのは上の役員階ではなく地下二階だった。コンクリートブロックの壁が趣味の悪い緑色に塗られている。ピートもわたしも汗まみれでよれよれだったが、なんとか体裁を整えようと努力した。小さな会議室に入るとコーヒーをすすめられた。ピートは断った。暑い日にホットコーヒーはあまりうれしくない。しかしここは南部だ。土地柄、礼儀を欠いてはいけない。そう考えてわたしはもらうことにした。担当者のひとりが保温プレートとステンレスのコーヒーポットを備えたゲームテーブルへ行き、茶色いカップホルダーに白いプラスチックのカップをセットしてコーヒーを出してくれた。「二五セントです」。わたしはポケットに手をつっこんで二五セント硬貨を探した。

わたしたちは一〇〇〇万ドルの投資を引きだしたいと考えていた。先方は事前に資料を読んだうえでわたしたちを招いたのだし、普段からこの種類のファンドに投資している。わたしたちはいつものように熱心にプレゼンし、自分たちの専門性、広い人脈、見いだした市場機会を力説した。最後に、コーヒーを注いでくれた幹部に尋ねた。「興味をもっていただけましたか?」

「ええ、なかなか興味深いお話でした。ですが、デルタ航空は一号ファンドには投資しないんです」

「一号ファンドだということはご存じでしたよね。だったらなぜアトランタまで呼びつけたんです?」

「おふたりは金融界の有名人ですから、お会いしておきたかったんです」

帰りは来たときより蒸し暑かった。荷物を引きずって道路へ向かう途中、ピートがじっとこちらを見て言った。「今度こんな目にあわせたら殺すからな」

断られつづけるのは不愉快で屈辱的だった。逆風は永遠にやみそうになかった。うそをつく人もいたし、遠路はるばる会いにいったのに約束をすっぽかす人もいた。権限をもつ立場にある旧知の人たちにも拒絶された。この悪戦苦闘のあいだずっとわたしたちは話し合いを重ねた。ピートは失敗をする人ではない。失敗をひどく嫌っていた。しかし同時に、六〇歳のピートはわたしとは異なる地点にいて、ものの見方も異なっていた。わたしに覇気があるとすれば、ピートには根気と冷静さがあった。ピートはわたしを励まし鼓舞しつづけた。自分のしていることに自信があるなら、打ちのめされていようがいまいが、どんなに絶望的な探求に思えるときも前進しつづけるしかないのだとわたしを力づけた。ほんとうに絶望的に思えた。

ピートは移民家族の出身だった。ギリシャからアメリカへわたった両親はネブラスカ州カーニーでレストランを開き、ピートはそこでボーイとして働いた。その後、大学、大学院へ進み、知性と能力を生かしてビジネスで成功をおさめた。ピートはわたしの旅路を理解し、わたしがこれをどうしてもなしとげなければならないこともわかってくれていた。これはピートの旅路でもあった。ふたりのペースがちがうというだけのことだ。

「この仕事はほんとうにきついな。もう限度を超えているよ」ピートは面会の前によくそうこぼしていた。しかしそれ以上の愚痴は飲みこんでわたしとともにつぎの投資家のもとへ出向き、またしても断られるという日々だった。

資金集めをはじめてから半年、会ってくれる投資家候補のほぼ全員に面会したが、当初のニューヨークライフとメットライフの約束以来一ドルも調達できていなかった。一八件あった候補のリストも終わりに近づき、プルデンシャルにあたってみることにした。プルデンシャルはLBOに対する最大の投資家で、代表的な存在だった。親しい知り合いがいなかったため会いにいくのを最後のほうまで残してあった。そのころにはわたしたちの売りこみにも磨きがかかっているだろうとの考えもあった。プルデンシャルの副会長で最高投資責任者のガーネット・キースがニュージャージー州ニューアークでの昼食に招いてくれた。

わたしが話しはじめると、ガーネットは白パンの三角ツナサンドをひと口かじった。わたしが話すあいだ、ガーネットはツナサンドをかじり、かみ、飲みこむばかりでひと言も発しなかった。あごが動き、のどぼとけが上下する。サンドイッチの四分の三がなくなるころには、こちらの言いたいことはすべて言いおえていた。ガーネットは最後の四分の一をおき、かむのをやめて口を開いた。「なるほど、そいつはいい。一億で参加しよう」

あまりに唐突で、あまりにあっさりしていた。その一億ドルのためなら違法でなければどんなことでもしただろう。プルデンシャルがわたしたちへの投資を得策だと考えるなら、あとにつづく人が出てくるはずだ。サンドイッチの最後の四分の一を奪いとって、ガーネットがのどをつまらせないようにしたいほどだった。

わたしたちは一歩を踏みだした。

＊＊＊＊

プルデンシャルの賛同を得たあと、ピートは日本の各界代表者が集まる日米関係民間会議（下田会議）で講演するために日本をおとずれることになった。ピートはこの機会に資金集めもしようと提案した。一九八七年には日本の企業がアメリカの資産を大量に購入していた。日本の証券会社もアメリカの資本市場での機会を求めてそれにつづくだろうというわけだ。

日本には野村、日興、大和、山一という四社の大手証券会社があった。わたしたちはどの会社ともつながりがなく、代理人が必要だった。わたしはファースト・ボストンを代表するふたりのバンカー、ブルース・ワッサースタインとジョセフ（ジョー）・ペレラをたずねた。ふたりとも日本ですばらしい関係をつくりあげていた。ジョーはハーバード・ビジネス・スクールで同級だったころからの友人だ。ブルースとはディールの場でたびたび顔を合わせ、別荘のあるハンプトンズで週末にテニスをすることもあった。ジョーとブルースは、日本市場にくわしいファースト・ボストンのバンカーと引きあわせてくれた。

しかしこちらの計画を説明すると、日本の証券会社はこの種のファンドに投資しないから話をもちかけても意味がないという返事だった。それでもためしてみてほしいとたのんだがきっぱり断られた。代理人契約を切ると脅して、ようやく野村證券と日興証券との面談を手配してもらった。ニューヨークに事務所を開設したばかりの日興では、日本人たちはほとんど英語を話さなかった。みんな当惑しているようすで、アメリカの企業や投資についてもまるで知識がなかった。アメリカでなにをしたいのかと尋ねると、できればM&Aをしたいということだった。わたしはできるかぎりの敬意を払いつつ、まっとうな英語を話さなければアメリカでM&Aに成功する見こみはないと伝えた。しかし、その場である考えがひらめいた。合弁事業をはじめたらどうだろう？　日興は日本の会社をアメリカへ進出させ、ブラックストーンは日興といっしょに仕事をする。日興がわたしたちの一号ファンドに投資してくれることを条件に、収益を五分五分にわけるのだ。

互いに求めているものを手に入れられる創意に富んだ方法だ。こちらはファンドのための資金を必要としているし、あちらはM&A事業を立ちあげる必要がある。困難な立場にある人は自分の問題にばかり集中しがちで、他者の問題にとり組むことに答えが隠れている可能性に気づかない。こちらの欲求ではなく日興の欲求に注目することで、どちらの問題も解決できそうな方法が見えてきた。

「現状では」とわたしは口を開いた。「みなさんはいっさい稼げないでしょう。このままでは失敗です。わたしが成功へのお手伝いをします。当社のファンドに投資してください。こちらの要望はそれだけです。みなさんはその投資で大きな利益をあげるでしょう。でもみなさんにとって重要なのはそこではありません。M&A事業の立ちあげをわたしがお手伝いするということです」。日興は大筋でこの考えを気に入り、日本での面談が決まった。

一週間後、わたしはピートとファースト・ボストンの代理人とともに日興の東京本社をおとずれ、国際金融部門を統括する神崎泰雄に面会した。神崎はブラックストーンが日興と提携し、買収を求めてアメリカへ来る日本の顧客にサービスを提供するという展望を歓迎した。「わたしも自社の人員だけでは決してアメリカで成功できないと考えていました」と神崎は言った。わたしは感謝を述べ、合弁事業に加えファンドへの投資もお願いしたいと伝えた。投資戦略を説明し、わたしの売りこみが尋常でないのは承知していると話した。

「わかりました。取締役会の同僚たちに話してみましょう。ひとつだけ要望があります。わたしたちが決断をくだすまで野村へは行かないでいただきたい」

野村證券は日興証券の最大の競争相手で、日本最大の証券会社だった。第二位の日興は大きく水をあけられていた。わたしたちは神崎の要望に同意した。翌日、ピートとわたしは残りの会合をこなすために朝はやく起きた。ふたりとも時差ぼけで睡魔に勝てず、車の後部座席で居眠りしてしまった。車が止まって目を覚まし窓の外を見ると、ビルの看板が目に入った。ＮＯＭＵＲＡ。

「いったいどういうことだ？」わたしはファースト・ボストンの代理人に言った。「きのう、野村には行けないときみに言わなかったか？」

「予定に組まれているんです」

「では、この状況にどう対処すればいいか教えてくれ。野村には会わないと日興側と約束した。約束をしておいてそれを破るわけにはいかないよ」

「しかし野村に対して非礼なことをするわけにはいきません。もっとも重要な証券会社ですからね。日興と同じように、国際金融部門を束ねる副社長と会うことになっています」

「板挟みだな」わたしは言った。「選択肢は？」

「キャンセルすることはできますが、それは失礼になります。あいさつのみの儀礼的な訪問をして、日興の耳に入らないことを祈る手もあります。プレゼンなどはせずに表敬訪問に来たということにするんです。あるいは、プレゼンをしてしまうか」

どれもあまりよさそうに思えない。ここは腹をくくるしかない。「日興側に電話をして状況を説明し助言をあおぎましょう。この国の習慣はわからないし、あちらの気分を害したくはない」とピートに言った。ピートは同意し電話をかけた。この車にはそのころ自動車電話と呼ばれた巨大な電話が搭載されていた。神崎泰雄の声を聞きのがすまいとふたりで受話器に耳を近づけ、ほとんどキスをするような格好になった。手ちがいで野村の本社ビルの前に駐車していることを説明すると、気に入らないことがあったときに日本人がよくするように、シーと歯のあいだから息をすいこむ音がした。

「いま野村にいるんですか？」

「手ちがいがあったんです」わたしは言った。「大変申しわけない。なかにはまだ入っていません。意見を聞かせてください。どうすればいいでしょう。約束をキャンセルしましょうか。表敬訪問だけしてきましょうか。あなたのお気を悪くするようなことだけはしたくないので」

「いいでしょう」神崎は言った。「日興は非常に関心をもっています。ファンドにいくら必要ですか？」

ピートが送話口をふさいでささやいた。「五〇〇〇万？」

「一億」わたしも小声で返した。「プルデンシャルと同額で」

「一億ドルと考えています」ピートが神崎に答えた。

「わかりました。問題ありません。一億ドル。交渉成立です。これで安心して野村へ表敬訪問に行ってください」

電話を切りながら、わたしはピートに耳打ちした。「一億五〇〇〇万ドルにしておけばよかったですね」

ピートはわたしの六〇歳の誕生日祝いにこのときのことを思い起こし、わたしの特徴について「目標があまりに強引で大胆だから、わたしでさえそうしようと言いがたいことがある」と語った。

野村ビルに入り、受付で国際金融部門の責任者と約束していると伝えた。しきりにささやきあう声と右往左往のあと、ようやく英語を話せる人が出てきた。「大変申しわけありません。こちらは野村證券の支店でございまして、本社はべつにございます」

遅刻が大変な失礼にあたる国で、わたしたちは望まない表敬訪問に三〇分遅れていた。急いで野村本社へ行き、訪問の約束があることを告げて謝罪した。

それから一五分待った。日本らしからぬことだ。ついにだれかがやってきた。「申しわけございません」とその人は言った。「本日、その者は東京におりません。お約束の際に手ちがいがあったものと思われます。わたしは統括部長です。かわりはつとまりませんが、ごあいさつをさせていただきます」

願ったりかなったりだ。あいさつを交わすだけの表敬訪問のあいだ、わたしたちの頭にあったのは日興からの一億ドルのことだった。

日興の確約はわたしたちの運命を変えた。日興は日本最大の財閥の流れをくむ三菱グループの投資銀行だった。日興がイエスと言えば、グループのほかの企業もみんなイエスと言ってくれる。どこで売りこみをしても快諾してもらえた。わたしは日本が大好きになった。何カ月も拒絶されつづけたあとだったから売りに売った。わたしたちはさらに三億一五〇〇万ドルの資金を手にして帰途についた。いっしょに幸運もついてきた。

わたしは何カ月も前から当時アメリカ最大だったゼネラルモーターズ（GM）の年金基金に売りこみをしていた。五回にわたり手を変え相手を変えて打診したが、返ってくる答えは決まっていた。実績がないために相手にしてもらえない。そうこうするうちに、ファースト・ボストンのパートナーのひとりが、教会を通じて知り合ったというGMの不動産部門のトマス（トム）・ドブロウスキを紹介してくれた。

はじめて会ったとき、トムは教会の日曜学校のメダルをつけていた。大人にしては珍しいと思った。しかし仲立ちをしてくれたファースト・ボストンの知り合いは正しかった。トムは才気のある人で、わたしたちはすぐに意気投合した。ピートとわたしのプレゼンが終わるとトムは言った。「じつに興味深いね。わかった、手を結ばせてもらおう」。GMは一億ドル出してくれることになった。

ものごとが順調に進みだした。まるで道中の信号がすべて赤から青に切りかわったようだった。わたしは旧友のジャック・ウェルチに電話した。いまやゼネラル・エレクトリック（GE）のCEOだ。

「きみらときたら、いったいなにをやっているんだ？」ジャックは言った。

「まあね。だが、ぼくらはこれまでどおりだ。なにも変わっちゃいない」

「いやあ、いやあ、いやあ。きみらは最高だよ。聞いてくれ。三五〇〇万ドル出そう。なぜかって？　きみらがふたりともすごい奴だからさ。よそからの資金調達にGEの名前を使ってくれていい。いずれいっしょに仕事をすることになるかもしれない。当然だな」

八億ドル近くに達したころ、そろそろ可能性がつきてきた。目標額は一〇億ドルだった。しかし最初の募集要項を送ってから一年がたっていた。つぎからつぎへと心臓が止まるような危機に遭遇する冒険活劇の主人公になったような一年だった。拒絶と失望と落胆を耐えしのんできた。

金融業界には「時間はどんな取引も傷つける」という格言がある。長く待てば待つほど予想外の手痛い事態に見舞われやすくなる。仕事はすみやかに片づけるのがよいとわたしは考えている。たとえ急ぎでなくとも、遅れによる不要なリスクを避けるためにも終わらせてしまったほうがいい。このファンドについてもそうするにこしたことはない。一九八七年九月には株式市場が記録的な高値をつけ、わたしは市場の反転に巻きこまれるのを恐れた。そこでできるだけ早くファンドの募集を締めきり、法的な手続きをすませることにした。

投資してくれる三三の投資家にはそれぞれ弁護士チームがいて、どの弁護士もすべてをきちんとやりたがった。三三の外国で三三の戦いを同時に進行させるようなものだ。それでもすべての手続きを一〇月一五日木曜日までに完了させることに全力を注ぎ、なんとかやりとげた。当時の唯一のアソシエイトでクロージング業務を担当したキャロライン・ジェームズは、このあとすぐに退職し臨床心理士になった。わたしとともにこのクロージングにとり組んだことで症例資料に一生困らないかもしれない。

週があけ、ファンドのクロージングが完了し資金調達が確定した状態で一〇月一九日月曜日の朝を迎えた。この日、ダウは五〇八ポイント下落し、一日の下げ幅は世界大恐慌の引き金となった一九二九年の大暴落を上まわり、株式市場の史上最大を記録した。ファンドのクロージングにあと一、二日余計にかかっていたら、ブラックマンデーの落ちこみに巻きこまれていただろう。金がするりと逃げていき努力がすべて無駄になっていたかもしれない。スピード感をもって進めたことが幸いした。こうして投資をはじめる準備が整った。

第九章　逃してはならないチャンスを逃さない

はじめてのレバレッジド・バイアウト（ＬＢＯ）は、規模が大きく複雑だがもうけの見こめる、求めていたタイプの案件だった。常識が通用せずに競争相手が間引かれ解決策が渇望されている状況だ。わが社はまだ業界最大でも業界最高でもなかったため、解決がもっとも困難でわたしたち以外に前へ進む方法を提案できない仕事を選ばなければならなかった。

ＵＳＸの前身であるＵＳスチールは、ジョン・モルガンがアンドリュー・カーネギーとその共同経営者ヘンリー・クレイ・フリックらからカーネギースチールを買収して一九〇一年に設立した製鉄会社だ。この買収は当時としては史上最大のＬＢＯだった。一九八七年の時点でＵＳスチールは七五年以上にわたりアメリカの象徴的な名前となっていた。しかし、鉄鋼生産はコモディティ価格の急激な上昇・下落や顧客からの需要変動に影響されやすい。ＵＳスチールはエネルギー分野へ参入し、マラソン・オイルを買収して社名をＵＳＸに変更した。それでも問題は増大しつづけた。労働者のストライキによって工場は麻痺し、ハロルド・シモンズと同類の乗っ取り屋カール・アイカーンが委任状闘争や敵対的買収をしかけようと株を買いしめた。アイカーンはＵＳＸに対し株価を引きあげるための措置をとるよう要求した。経営陣は言いなりになるより金を払ってアイカーンに出ていってもらうことに決めた。その資金を調達するために、USXは原料や製造した鉄鋼製品の輸送に使っていた鉄道や貨物船の事業を売却し別会社に分社化することを計画した。これこそわたしたちが買収を考えた会社だ。

ブラックストーンをはじめたときから敵対的な買収は絶対にしないとピートと決めていた。企業はそれぞれ敬意をもって扱われるべき人々でできあがっているという思いがあった。買収者としてすることがコストを削減して金を引きだし企業をつぶしてしまうことだとすれば、社員や家族、地域社会を苦しめることになる。買収者は評判を落とし、まともな投資家は逃げてしまう。しかし買収した会社を改善するために投資すれば、より強くなった会社で働くことで社員が利益を得るだけでなく、買収者は評判をあげ、長期にわたりはるかに高い収益を手にできる。『ウォール・ストリート・ジャーナル』の広告でわたしたちが打ちだした「敵対的な状況での友好的な取引」だ。USXはその試金石となる。

カール・アイカーンが現れていなければ、USXが自社の輸送事業を売却しようとすることもなかっただろう。USXは五大湖の貨物船に南部のバージ船、そのあいだを結ぶ鉄道という輸送網を利用して鉄鉱石、石炭、コークスを製鉄所に運びこみ、完成した鉄鋼製品を顧客に送りとどけていた。USXは輸送事業を売却して金を手に入れたがってはいたが、事業への支配力を失うことを恐れていた。

わたしたちにはこの輸送事業は大変な時期のただなかにある優良な資産に見えた。鉄鋼ストライキのために鉄道やバージ船は遊休状態で収入を生んでいなかった。しかし、ストライキはいずれ決着がつくはずだし、鉄道と船舶での輸送がふたたび大きな利益を生むようになると考えた。わたしたちならUSX側の懸案を軽んじないと信頼してもらうことができれば、この取引は双方にとってよいものになりうる。信頼が交渉の核心になる。

この取引をもたらしたのはブラックストーンの副会長に就任したばかりのロジャー・アルトマンだ。リーマンの投資銀行部門の共同責任者を経てカーター大統領のもとで財務省の次官補を務めた男で、のちにはクリントン大統領のもとで財務副長官を務める。ピート、ロジャー、わたしの三人でピッツバーグのＵＳＸ本社をおとずれたときのいちばんの目標は、互いによいパートナーとなれることを先方の経営陣に納得させることだった。自分たちがカール・アイカーンのような乗っ取り屋ではなく、友好的な買い手であることをわかってもらわなければならない。しかし、それを口で言うことと、契約の条件を通じてこちらの意志を示すことは別問題だ。

わたしたちはブラックストーンが輸送事業の五一パーセントを買収し、残りをＵＳＸが維持するというパートナーシップを提案した。五〇パーセント以上を売却すれば、ＵＳＸは事業の負債に対する責任から解放され、バランスシートを大幅に健全化し、株の価値を押しあげることになる。だからといって、肝心かなめの輸送網への支配力を失うような事態になることは決してないと納得してもらうために、双方から取締役をふたりずつ出し、もうひとり仲裁人を加えた五人の取締役会を提案した。仲裁人は双方の合意で選ばれ、すべての取締役会に出席して均衡を破る決定票を投じる役割を果たす。ＵＳＸはこちらの提示額を気に入った。六億五〇〇〇万ドルだ。

つぎはその金を見つけなければならない。わたしたちは八億五〇〇〇万ドルのファンドを調達したが、その資金でできるだけ多くの取引をすることを意図していた。それぞれの取引で使う自己資本が少ないほど、残りを銀行から借りることでより多くの取引を手がけることができる。八億五〇〇〇万ドルを使って借り入れをせずに八億五〇〇〇万ドルの資産をひとつ購入することもできるし、八五億ドル分の資産に対して一〇パーセントの頭金として八億五〇〇〇万ドルを使い、残りを借り入れでまかなうこともできる。節度をもって借り入れをするとすれば、ふたつ目の選択肢のほうが格段に高い収益を見こめる。リスクをおさえるためにも分散化は欠かせない。

わたしは当時LBOに融資していた銀行に電話をかけたが、返ってくるのは「鉄鋼はまずい。ストライキはまずい。鉄鋼業界の人間は最終的にみんな破産する。鉄鋼は勝ち目がない。だからだめだ」という答えだった。それはちがうとわたしは反論した。社内で詳細な機会分析をおこなっていたからだ。たしかに鉄鋼は原材料である鉄鉱石、石炭、ニッケルの相場変動や、市場の需給の影響をこうむりやすいコモディティだ。しかし鉄鋼の輸送費は輸送量で決まるうえ、運送料金は州際通商委員会が設定していた。一トンの輸送につき一定の金額が支払われる。鉄鋼業がふたたび稼働すればたとえ鉄鋼の価格が低くても輸送事業はもちなおすだろう。そこまで説明しても銀行はその区別に戸惑っていた。「だめだ。なんだろうと鉄鋼は鉄鋼だ」

鉄鋼が危険信号でストライキが危険信号なら、わたしたちの経験のなさもそうだった。わずかでも関心を示した銀行は二行、JPモルガンとケミカルバンクだけだった。わたしとしてはアメリカでもっとも格式ある商業銀行、JPモルガンがよかった。その知名度はわが社の地位を高め、ブラックストーンというブランドを確立するのに役立つ。加えて設立者ジョン・モルガンの時代にさかのぼればJPモルガンは鉄鋼をよく知っている。なにしろ鉄鋼で財をなしたくらいだ。わたしはJPモルガンが乗り気なことに舞いあがったが、それもあちらの条件を聞くまでのことだった。JPモルガンは異常に高い金利を課したうえに、全額集まらなかった場合の引き受けはしないと言ってきた。銀行が企業に融資をする場合、たいていはほかの銀行からも融資のための資金を調達する。しかし同時に、その取引を引き受けることで、融資が集まらなかった場合に残額を補填することを約束する。銀行がリスクの引き受けをためらうのは、たいていその取引に対してなにか不安をいだいているということだ。

わたしはＪＰモルガンに異議を申したてた。あちらの言い分は、ＪＰモルガンが貸付人に名前を載せるということは、引き受けをしたも同然だということだった。もし引き受けをしたも同然なら、なぜ実際に引き受けてくれないのかとわたしは食いさがった。そうすればわが社への融資資金が保証される。ＪＰモルガンは心配無用だと言いはった。なにしろ自分たちはＪＰモルガンなのだからと。しかしあちらの説明はどうも腑に落ちない。明らかになにか不安材料があるのに口をつぐんでいる。わたしの追及に対してＪＰモルガンは言った。「では、われわれと仕事をしなければいい。こちらとしてはそれでかまわない。ＪＰモルガンがやりかたを変えることはない。それがわれわれの仕事のしかただ」

当初はケミカルバンクに行くつもりはなかった。わたしの頭にある一流の銀行ではなかったからだ。〝コミカルバンク〟とあだ名されていたケミカルバンクはアメリカで六番手か七番手の銀行で、たえず努力をしていたがなかなか大きな業績をあげられずにいた。とはいえＪＰモルガンがあれほどしゃくし定規で恩着せがましいことがはっきりしたいま、選択の余地はなかった。わたしたちと同じくケミカルバンクはＬＢＯの経験がなかった。そしてわたしたちと同じくＬＢＯ事業に進出したがっていた。ふたをあけてみると、ケミカルバンクはＪＰモルガンとは正反対だった。熱心で、起業家精神にあふれ、先入観をもたず、協力的だった。最初の会合で、ＣＥＯのウォルター（ウォルト）・シプリー、企業向け融資部門トップのウィリアム（ビル）・ハリソン、わたしと同い年のバンカー、ジェームズ（ジミー）・リーからそろって歓迎された。ケミカルはこちらの提案を注意深く読み、こちらの要望を検討し、すばらしい融資プランを用意していた。融資に対して課す金利は鉄鋼ストライキが終わり輸送事業が好調になれば引き下げるという。なるほどと思った。事業が健全になるほど貸し手から見てUSXのリスクは低くなり、わたしたちが払う金利もそれを反映して変化するというわけだ。さらにケミカルは融資のすべてを自分たちで引き受けると約束した。「うちが引き受けて金を用意する」

決心がつかないままピートのもとへもどった。わたしはケミカルバンクのチームを気に入った。独創性と活気があるのがいい。融資のすべてを引き受けるという約束は、契約した瞬間に必要な金がすべてわたしたちの手に入るということだ。リスクはまったくない。それでもわたしはまだJPモルガンにこだわっていた。JPモルガンにケミカルバンクと同じ条件での融資を検討するようもう一度もちかけた。遠慮しておくと言われ、わたしはシプリー、ハリソン、リーの〝コミカル〟な三人組のもとへもどった。そして三人と握手を交わした。

わたしたちはUSXから輸送部門を分離し、あらたにトランスターという会社を設立した。ブラックストーンはファンドから一三四〇万ドル出資し、USXはわたしたちに輸送部門をまかせるために金を貸す形（ベンダーファイナンス）で一億二五〇〇万ドル出資した。残りはケミカルが調達した。この取引はめざましい結果をもたらした。鉄鋼市場はわたしたちの思惑どおり回復した。輸送事業は復活し、投資によってトランスターのキャッシュフローは改善した。ほんの二年たらずで、わたしたちは出資した額の四倍近い利益を手にした。二〇〇三年に輸送事業の最後の持分を売却したときには、最初に投資した一三四〇万ドルの二六倍、年率にして一三〇パーセントの利益をあげていた。

このLBO案件のあと一五年にわたり、ほぼすべての案件でケミカルバンクから資金を調達した。ブラックストーンとケミカルバンクはいっしょに成長した。かつての〝コミカルバンク〟は、マニュファクチャラーズ・ハノーバー、バンク・ワン、チェース・マンハッタンを飲みこみ、やがてJPモルガンをも飲みこんで、JPモルガン・チェースになった。ウォルト・シプリーはチェースマンハッタン銀行のCEOに、ビル・ハリソンはJPモルガン・チェースのCEOになった。JPモルガン・

曽祖父のウィリアム・シュワルツマンは1883年、オーストリアからアメリカに移民した。
のちにペンシルベニア州フィラデルフィアでジェニー・ワートマンと結婚。
1925年ごろ

曽祖父母のウィリアムとジェニー、そして父ジョーゼフ。1925年ごろ

シュワルツマンズ・カーテン&リネンを創業した
祖父ジェイコブ・シュワルツマンと、父ジョーゼフ。
1921年ごろ

祖父母のジェイコブと
レベッカとともに、
ペンシルベニア州フィラデルフィア
にて。
1951年ごろ

第二次世界大戦中の
父ジョーゼフ・シュワルツマン。
1943年

母のアーリーン・シュワルツマン。
1943年ごろ

フィラデルフィアのオックスフォード・サークルのギラム・ストリート
1113番地にて、両親とともに。
のちに母の一存で郊外へ引っ越すことに。1947年

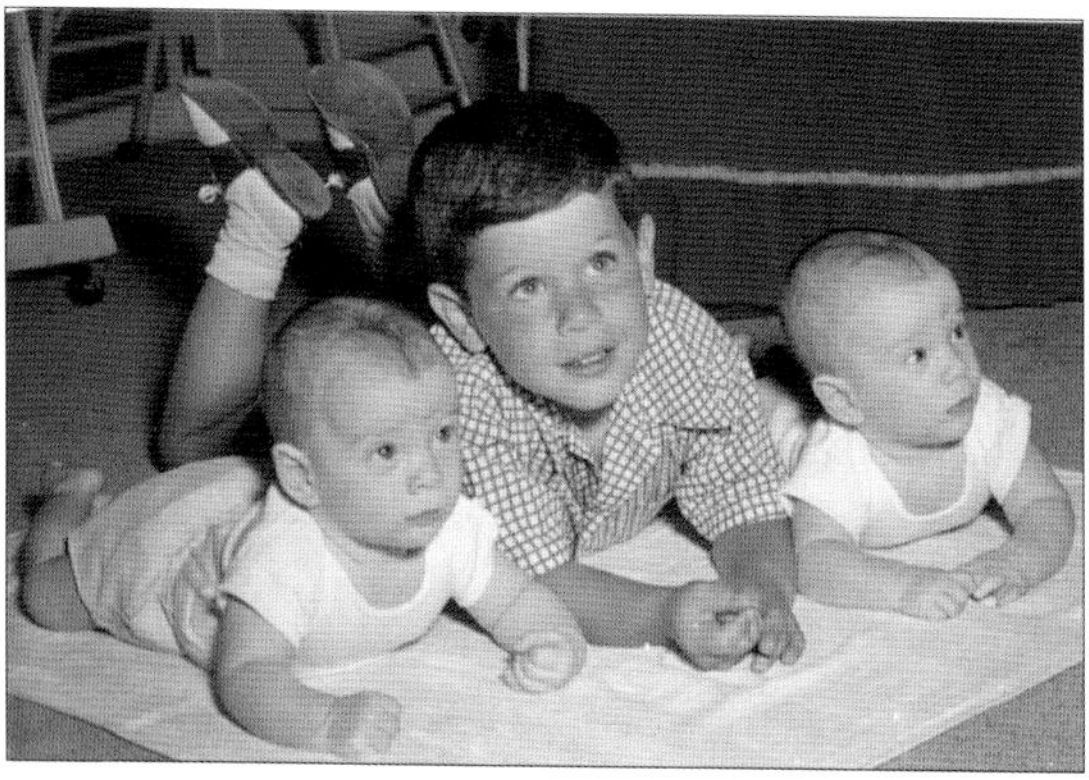

のちに芝刈りの“アルバイトスタッフ”となる双子の弟、
マークとウォーレンとともに。1950年ごろ

フィラデルフィアのフランクフォードで営んでいたシュワルツマンズ・カーテン&リネン。1960年ごろ

440ヤードのリレーの第一走者として。
1963年

1マイルリレーの勝者たち。左から：ビル・グラント、
ボビー・ブライアント、リチャード・ジョフニー、著者。1963年

R&Bのボーカルグループ、リトル・アンソニー&ジ・インペリアルズ。
1964年ごろ
Photo by Michael Ochs Archive/Getty Images

The Oldest College Daily — Yale Daily News — Founded January 28, 1878

NEW HAVEN, CONNECTICUT, TUESDAY, OCTOBER 24, 1967 — Price Fifteen Cents — Copyright 1967

Bladder Classic In Peril

By JOHN B. WOOD

Knifed!

FBI Interviews Draft Resisters

Schwarzman's Initiative

Poll Votes Down Parietals

By REED HUNDT

Co-op, University, Discuss Shoplifting

Vassar Board Shelves Final Yale Decision

寮に異性を泊めることを禁じた風紀規則の撤廃は、
イェール大学の学生に贈った最初のプレゼントだった。
1967年 Yale archives

イェール大学4年生のときのイヤーブックより。
1969年 Yale archives

進路相談をお願いした
アヴェレル・ハリマンからの返事。
同氏の励ましのおかげで、
ウォール街での仕事、
のちの慈善活動、
そして世界の首脳を支援するという
道に進むことができた。
1969年

3038 N STREET
WASHINGTON, D. C. 20007

September 26, 1969

Dear Steve:

Thanks for your letter of September 19th. I am now living in Washington but come to New York occasionally. I find that I will be in New York on Thursday, October 16th and will be glad to see you at 3:00 p.m. ~~if that is convenient~~, at my home at 16 East 81st Street. Let me know if that is convenient for you.

I am not sure that I can be of much help to you in making your decision but will be glad to discuss it.

Looking forward to seeing you.

Yours in 322,

Averell

W. Averell Harriman

Mr. Stephen A. Schwarzman, bsc
D-167
Donaldson, Lufkin & Jenrette, Inc.
140 Broadway
New York, New York 10005

ルイジアナ州フォートポーク基地にて、陸軍の訓練中。1970年

ハーバード・ビジネス・スクールにて論戦をくり広げる著者と、
当時のルームメイトでもっとも古い親友、そして現在は
ラザードの副会長であるジェフリー・ローゼン（メガネ姿）。
1971年

Stephen Schwarzman, Lehman's Merger Maker

By KAREN W. ARENSON

Felix Rohatyn of Lazard Frères, J. Ira Harris of Salomon Brothers, Robert Greenhill of Morgan Stanley and Stephen Friedman of Goldman Sachs may still be the reputed kings of the merger and acquisition world, but a new generation of younger investment bankers is coming up behind them.

Of the newcomers, probably none has been as hot recently as Stephen A. Schwarzman, a 33-year-old partner at Lehman Brothers Kuhn Loeb. In recent months he has played an instrumental role in the Bendix Corporation's winning bid for the Warner & Swasey Company, RCA's $1.35 billion acquistion of C.I.T. Financial, and ill-fated talks between Macmillan and ABC. Other deals that bear his mark include the Beneficial Corporation's $72 million purchase last month of the Southwestern Investment Company and the Beatrice Foods Company's $488 million acquisition of Tropicana Products Inc.

"Steve has a special instinct that puts him in the right place at the right time," says Martin Lipton of Wachtell Lipton Rosen & Katz, one of the most active lawyers in mergers and acquisitions. "It's a very special instinct that you find in a Rohatyn or a Harris, but not in very many other people."

Being in the right place at the right time is as important a trait for a successful investment banker as knowing how to structure a securities transaction. The Wall Street wizards who facilitate the concentration and diversification trends that shape American industry are a cross between the ancient matchmaker and the modern financial expert. It is the investment bankers with the right clients and contacts who do the big business, who know what deals can get put together and who get called in when a deal starts to jell. One thing that separates the junior bankers from the big players is the size of their networks of contacts.

And Mr. Schwarzman's circle clearly has been growing quickly. His two phones rang constantly on a recent morning in his maroon-walled second floor corner office overlooking Hanover Square: An executive interested in acquiring a company he represented. A potential new client setting up a lunch meeting. A client pledging money for Lincoln Center, for which Mr. Schwarzman has been helping to raise funds. An arbitrageur congratulating him on his latest deal. An associate checking the details on an assignment.

Mr. Schwarzman fielded each call with rapt attentiveness, eyebrows arching for emphasis, walking back and forth behind his desk in excitement.

According to those who have worked

Continued on Page 13

Schwarzman of Lehman Brothers: "I'm an implementer."

The New York Times / Fred R. Conrad

33歳ではじめて新聞にとりあげられたニューヨーク・タイムズの記事。1980年

息子のテディと娘ズィビーとともに。
どんなに仕事で忙しくても、
家族との時間をつくるように
つとめてきた。
1987年

パークアベニューのオフィスにて、ブラックストーンのパートナー陣とともに。
左から：ジェームズ・R・バール、ラリー・フィンク、著者、ピート・ピーターソン、
デイビッド・A・ストックマン、ロジャー・C・アルトマン。1988年
James Hamilton

両親のアーリーンとジョーゼフ。1990年ごろ

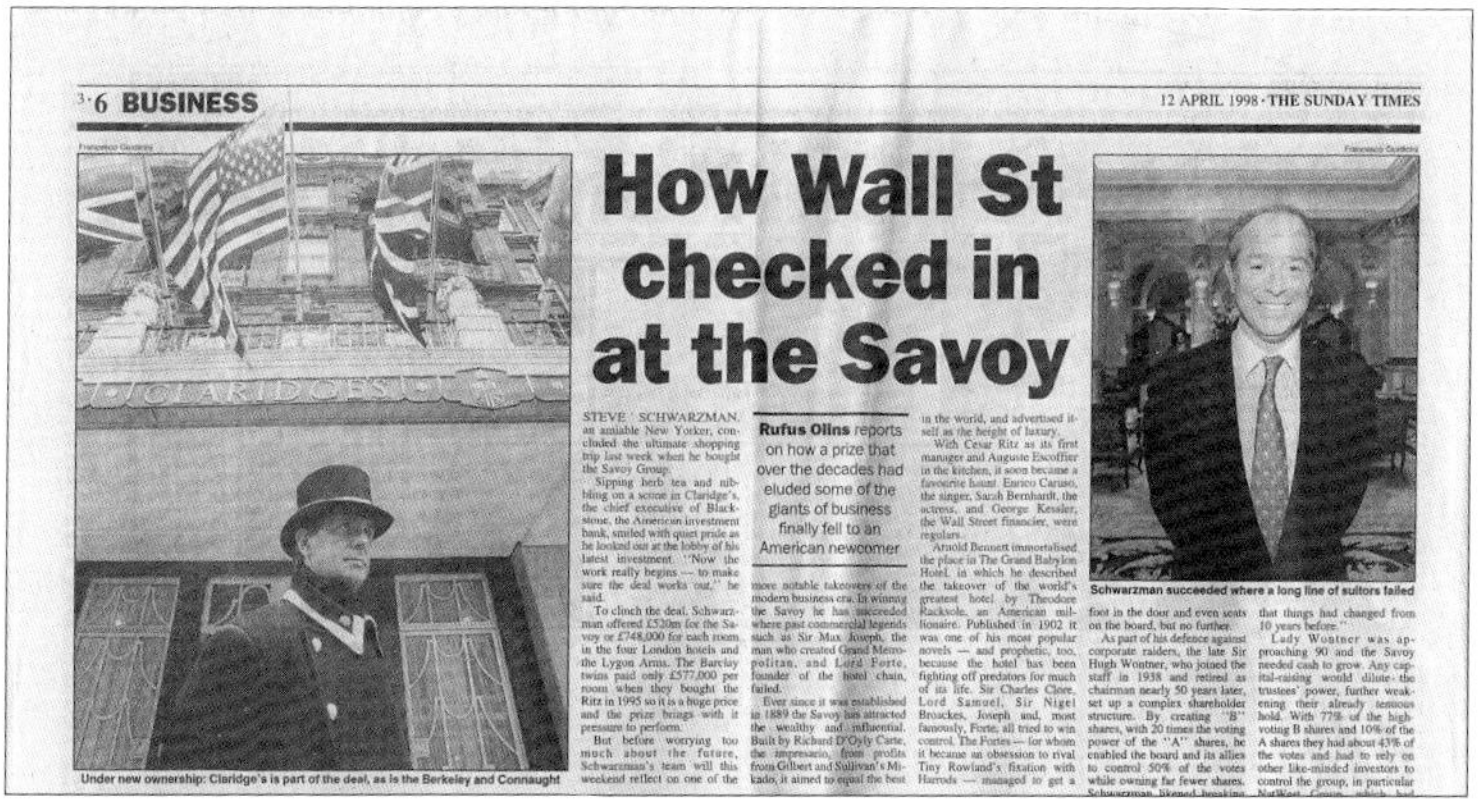

3·6 BUSINESS

12 APRIL 1998 · THE SUNDAY TIMES

How Wall St checked in at the Savoy

Rufus Olins reports on how a prize that over the decades had eluded some of the giants of business finally fell to an American newcomer

STEVE SCHWARZMAN, an amiable New Yorker, concluded the ultimate shopping trip last week when he bought the Savoy Group.

Sipping herb tea and nibbling on a scone in Claridge's, the chief executive of Blackstone, the American investment bank, smiled with quiet pride as he looked out at the lobby of his latest investment. "Now the work really begins — to make sure the deal works out," he said.

To clinch the deal, Schwarzman offered £520m for the Savoy or £748,000 for each room in the four London hotels and the Lygon Arms. The Barclay twins paid only £577,000 per room when they bought the Ritz in 1995 so it is a huge price and the prize brings with it pressure to perform.

But before worrying too much about the future, Schwarzman's team will this weekend reflect on one of the more notable takeovers of the modern business era. In winning the Savoy he has succeeded where past commercial legends such as Sir Max Joseph, the man who created Grand Metropolitan, and Lord Forte, founder of the hotel chain, failed.

Ever since it was established in 1889 the Savoy has attracted the wealthy and influential. Built by Richard D'Oyly Carte, the impresario, from profits from Gilbert and Sullivan's Mikado, it aimed to equal the best in the world, and advertised itself as the height of luxury.

With Cesar Ritz as its first manager and Auguste Escoffier in the kitchen, it soon became a favourite haunt. Enrico Caruso, the singer, Sarah Bernhardt, the actress, and George Kessler, the Wall Street financier, were regulars.

Arnold Bennett immortalised the place in The Grand Babylon Hotel, in which he described the takeover of the world's greatest hotel by Theodore Racksole, an American millionaire. Published in 1902 it was one of his most popular novels — and prophetic, too, because the hotel has been fighting off predators for much of its life. Sir Charles Clore, Lord Samuel, Sir Nigel Broackes, Joseph and, most famously, Forte, all tried to win control. The Fortes — for whom it became an obsession to rival Tiny Rowland's fixation with Harrods — managed to get a foot in the door and even seats on the board, but no further.

As part of his defence against corporate raiders, the late Sir Hugh Wontner, who joined the staff in 1938 and retired as chairman nearly 50 years later, set up a complex shareholder structure. By creating "B" shares, with 20 times the voting power of the "A" shares, he enabled the board and its allies to control 50% of the votes while owning far fewer shares.

that things had changed from 10 years before."

Lady Wontner was approaching 90 and the Savoy needed cash to grow. Any capital-raising would dilute the trustees' power, further weakening their already tenuous hold. With 77% of the high-voting B shares and 10% of the A shares they had about 43% of the votes and had to rely on other like-minded investors to control the group, in particular

Under new ownership: Claridge's is part of the deal, as is the Berkeley and Connaught

Schwarzman succeeded where a long line of suitors failed

ブラックストーン初のヨーロッパへの投資を報じたサンデー・タイムズ。
サヴォイ、クラリッジス、バークレー、ザ・コノートをふくむサヴォイ・グループのホテルを買収した。
1998年
The Sunday Times/News Licensing

ニューヨークで開催されるチャリティ晩餐会のアル・スミス・ディナーにて。
左から：エドワード・イーガン枢機卿、ジョージ・H・W・ブッシュ元大統領、著者、
マイケル・ブルームバーグ市長（当時）。2004年

2005年にケネディ・センター名誉賞を受賞したティナ・ターナーとともに。
奥にオプラ・ウィンフリーとキャロライン・ケネディの姿も
Margot Schulman

ブラックストーン創業20周年記念にて、
共同創業者のピート・ピーターソンとともに。
ブラックストーンは思い描いた以上の
存在になっていたが、
本格的な成長はまだこれからだった。
2005年

ブラックストーン創業20周年を祝うトニー・ジェームズと著者。
トニーはブラックストーンの経営が安定するように組織化し、
現在の形に育てあげた。2005年

フォーチュン誌の表紙。2007年

ジョージ・W・ブッシュ大統領（当時）とともに、ニューヨークの自宅にて。
ジョージとはイェール時代から知り合いだが、
ふたりの道は不思議な形で交差しつづけている。2007年
Reflections Photography/Washington DC

2008年ケネディ・センター・ガラにて。左から：著者、妻クリスティーン、ケイティ・ホームズ、トム・クルーズ、ケネディ・センター名誉賞受賞者のスティーブン・スピルバーグ（2006年）とマーティン・スコセッシ（2007年）、ケネディ・センターのマイケル・カイザー所長（当時）
Carol Pratt

ビル・クリントン元大統領とともに、ホワイトハウスにて。2009年 Margot Schulman

テッド・ケネディ議員とともに、ケネディ・センターにて。
テッドの人柄と友情に接し、その支援を受けられたのは、
ケネディ・センターで会長を務めてもっともよかったことのひとつだ。2009年

チェースの投資銀行部門トップになったジミー・リーは、わたしの最高の仕事仲間にもなった。長年におよぶ協働関係のなかで、いっしょに仕事をして損をすることは一度もなかった。ピートは満足していたし、わたしも満足していたし、〝コミカル〟な三人組も満足していた。すべりだしは上々だった。あとはこれを継続すればいい。

＊＊＊＊

一九八八年の春、ファースト・ボストンの花形バンカーだったローレンス（ラリー）・フィンクが退職したことを新聞で知った。ラリーはまだ二〇代のころ、数人のトレーダーとともにモーゲージ（おもに住宅ローン）債権を証券にパッケージし、株式や債券のように売買する方法を編みだした。モーゲージは米国債に次ぐ世界第二位の巨大な資産クラスだった。ファースト・ボストンのラリーとソロモン・ブラザーズのルイス（ルー）・ラニエリは、急成長をとげるモーゲージ証券市場の約九〇パーセントをおさえていた。ラリーはこの成功によってファースト・ボストンの経営委員会に参加し、いずれはCEOの座につくと目されていた。まだ三五歳という若さだ。共通の友人であるブルース・ワッサースタインを通して一度会ったことがあるが、はっきりものを言う聡明で精力的な男だった。

ラリーがファースト・ボストンを去ったというニュースを知ってまもなく、リーマンで小規模なモーゲージ事業を率いていたラルフ・シュロスタインから電話があった。ラリーと共同で事業をおこす予定で、あいさつがてらたずねていいかということだった。翌日にはそろってブラックストーンの会議室にいた。ラリーはショックを受けているようだった。

「なにがあったんだ？」わたしはラリーに言った。「きみほどの天才がどうした？」

ラリーの話では、二年前に金利があがると踏んだそうだ。だが金利はさがってしまった。住宅ローンの借り手が低い金利で借り換えをしようとローンを返済したため、ラリーのポートフォリオの評価額は影響を受けた。どちらに転んでもいいようにヘッジポジションを構築していたため、たとえ金利があがらずにさがってしまっても損は防げるはずだった。ところがラリーのコンピュータモデルを操作していた事務処理部門の担当者がミスを犯したため、ヘッジそのものが誤っていた。ラリーはまちがった数字をもとに計算していたのだ。その四半期だけで担当部門は一億ドルの損失を出した。ラリーのせいではない。事務処理部門の管理はラリーの仕事ではない。しかしラリーは責任をとってファースト・ボストンを去った。

わたしは耳を疑った。ラリーはファースト・ボストンの稼ぎ頭のひとりだったからだ。

「これからどうするつもりだい？」わたしが尋ねると、ラリーは証券をパッケージ化したりそれを売買したりするのはもうあきたと言った。自分が立ちあげに大いに貢献してきたモーゲージ証券市場に投資したがっていた。ラリーほどくわしい人はほかにいない。

「いい考えじゃないか」わたしは言った。「事業計画をもってきてくれ。必要なものを聞かせてくれないか？」

数日後、ラリーとラルフがふたたびやってきた。

計画書には売買したい資産のリスト、必要な人材、得られる利益が書かれていた。ふたりは元手として五〇〇万ドルを求めた。

「それだけか？」と尋ねた。

「それだけだ。ファースト・ボストンのモーゲージ部門の出身者を五人入れたいから、給料を払う必要がある。わたしは無給でかまわない」。新事業の自分の持ち株からの利益がラリーの金銭的な報酬になる。

そのころブラックストーンは手元の現金に余裕がなく、もちろん何百万ドルもの余裕はなかった。PEファンドは投資家のためにLBOに投資するための資金で、新事業のためのものではない。しかし、はじめての新事業のチャンスがいきなり目の前に現れ、しかもあらゆる要件を満たしている。絶好のタイミング、巨大な資産クラス、その市場を制するふたりのうちのひとり――またとない機会だった。予期せぬ事態に立ちむかう心の準備はしてきたし、今回がその事態だ。みすみす逃す手はない。ピートとわたしは、ブラックストーンにそれぞれ二五〇〇万ドルずつあらたに出資し、ラリーの新しい事業に資金を提供することにした。ブラックストーンはこの新会社ブラックストーン・フィナンシャル・マネジメントの株式の半分をもち、あとの半分をラリーたち新会社の経営陣がもつことになった。

ラリーのチームが加わってまもなく、わたしたちはアドバイザリー事業の株式の二〇パーセントを一億ドルで日興に売却することを決めた。この事業の収益はわずか一二〇〇万ドルだったが、事業価値は五億ドルと評価した。すでに日興は日本企業によるM&A取引の際のパートナーであり、わが社の最初のファンドにも投資していた。両社には良好な信頼関係があった。出資してもらった一億ドルは七年で返還すればいい。それまでにこの資金で雇用や組織づくりをより迅速に進めることができるだろう。この契約は、わたしたちが築いてきたものがまちがっていなかったことを証明し、成長を揺るぎないものにしてくれた。

****

一九九一年には最初のPEファンドのほとんどを投資しおえ、二号ファンドの立ちあげに動きはじめた。当時アメリカ経済は景気の後退によって勢いを失っていた。うろたえた規制当局は、最初のファンドの中心的な投資家だった保険会社への規制を強化し、株式への投資を制限した。プルデンシャルの最高投資責任者で、最初のファンドに一億ドル出資してくれたガーネット・キースから電話があり、投資したいのはやまやまだが、規制が厳しくなり出資できなくなったと言われた。ガーネットは支援の気持ちを示すために一〇〇万ドルなら融通できるかもしれないと言ってくれた。わたしは無理をしてプルデンシャルを批判にさらす必要はないと伝えた。

新しい資金源を見つけなければならない。最初の標的は中東だ。わたしは同僚のケネス（ケン）・ホイットニーとともに現地へ出発した。ケンは財務担当者で、投資家対応も担当していた。ロンドンに一日滞在したあと、乗り継ぎ便に乗るためにあたふたとホテルを飛びだしたところで、ライバル会社フォーストマン・リトルの設立者であるセオドア（テディ）・フォーストマンと美しいデート相手に出くわした。ふたりともカシミヤのセーターを肩にかけ、ウィンブルドンへ向かっているところだった。空港へ向かう車中でわたしはなにがあってもテディと入れかわろうとは思わないとケンに話した。働いていたい、この会社をつくりあげていきたいと思った。

中東での打ち合わせはほとんど失敗に終わった。六月下旬から七月上旬は中東をおとずれるには最悪の時季だった。クウェートでは気温五〇度の暑さのなかエアコンのないタクシーに乗り、訪問先についたときにはたったいま海から出てきたのかというくらいびっしょりぬれていた。上層部の人たちは心得たものでみんなもう夏季休暇に入っていたし、対応してくれた下級スタッフはわたしたちがやっている仕事を理解していなかった。ある会合では、一時間プレゼンをしたあと、クウェートの若者からわたしたちに投資するのと米国債を買うのはどんなちがいがあるのかと質問された。それでも小口の投資確約をいくつかとりつけることができた。クウェートはアメリカを中心とする多国籍軍の介入によって、数カ月前にイラクの占領から解放されたばかりだった。建物の弾痕が目についた。

つぎにサウジアラビアへ向かった。一日六回のプレゼンを五日間つづけたが、ひとつの出資確約ももらえなかった。ダーランでの最終日、疲れはて、ホテルのプールでフロートに乗って漂いながら、わたしはケンにこれからわたしたちは成功するぞと宣言し、くわしく語って聞かせた。成功するには、本来なら身をおく資格のない状況や場所に身をおかなければならない。おのれの愚かさに首を振り、そこから学べばいい。しかし世間が根負けするまで自分の意志をつらぬきとおせば、望むものをあたえてもらえる。金は必ずどこかにある。サウジアラビアで起きたことは忘れよう。もうすんだことだし、無駄だった。わたしたちは成功する。大成功するぞ。

節度と分別のあるケンはさすがに怪訝な顔をしていた。数年後、ケンは気を悪くしないでほしいと前置きして、あのときはわたしがおかしくなってしまったのかと思ったと明かした。

保険会社がだめで中東が失敗ならさらに探しつづけるしかない。つぎに標的とすべきは年金基金だ。おもに州や従業員組合が管理する潤沢な資金で、退職年金を生みだすために投資先を必要としていた。年金基金はたいてい保守的で、まだオルタナティブ資産への投資をはじめていなかった。年金基金に携わっている人には会ったことがなかった。わたしにとっては日本と同じくらいかけはなれた存在だ。今回もドアのなかに入れてくれる人が必要だ。

ファンドの募集代理をおこなう大手プレースメント・エージェント数社が投資家の紹介を請けあったが、手数料が高いうえ、ぜひ依頼したいというエージェントはなかった。それでももう抜きさしならないところまできていたのでどこか一社と契約しようと考えていたやさき、ケンが募集業をはじめたばかりの人間をふたりばかり連れてきた。そのうちのひとり、ジェームズ（ジム）・ジョージは、スーツ姿でニューヨークのミッドタウンのオフィスにとどまっているより、ジーンズとネルシャツで西部にいるほうがずっといいというタイプに見えた。ジムはこれまでこの手の仕事はしてこなかったと言った。控えめでもの言いが穏やかだった。ここへ来た理由を聞き出すのもひと苦労だった。ジムは長年、オレゴン州の最高投資責任者としてわたしたちとは逆の立場にいた。州公的年金による初のプライベートエクイティへの投資も監督した。数年前のKKRへの投資だ。

「あれはうまくいきました」ジムは言った。「あれから、よその州の年金基金がこの資産クラスを検討しようというときは電話がかかってきたし、わざわざたずねてくるようにもなりましたよ。わたしは自分たちがやっていることを説明しました。まあ、そんな感じです」

ジムが部屋を出るやいなや、わたしはケンにつかみかかり、ジムこそわたしたちが求めていた人間だと力説した。これまで見てきた口先のうまいプレースメント・エージェントとは正反対だった。わたしたちが必要としていたものにぴったりだ。この仕事に不慣れなことは気にならなかった。ジム・ジョージはわたしたちを約束の地に導いてくれる。まちがいない。これも逃してはならないチャンスだった。さっそくオファーをまとめた。

数日後、わたしはジムのパートナーに電話をし、二度目の会合のためにふたりでニューヨークへ出向いてくれないかと話した。わたしは勢いこんで椅子から立ちあがり、もし手数料について合意できればすぐにでも仕事にとりかかってもらう用意があると伝えた。しかしあいにくジムは町を離れていた。パートナーは連絡をとってみると言ったが、その後、謝りの電話をかけてきた。ジムは翌日の打ち合わせにはこられないという。

「きみたちのキャリアにとって最大の出来事になるかもしれないことだぞ。ジムはどうしてもこられないのか?」

「ジムはちょうどフォートローダーデール港でディズニー・クルーズを下船したところで、スーツをもっていないと言うんです」

「スーツがあるかどうかなんてかまうものか」わたしは言った。「そのまま飛行機に乗ってニューヨークへ来るようジムに言ってくれ」

「わたしもそう言ったんですが耳を貸そうとしないんです。とにかくスーツで行きたいらしくて」

「たのむからジムにスーツを買って、ここまで連れてきてくれ」

ジムはなによりも尊厳を大切にする男だった。だからこそ人々に信頼されていた。ジムには独自のルールがあり、商談にスーツを着ていくのもそのひとつだ。会合にやってきたジムにこちらがいくら支払う心づもりか伝えると、ジムは仰天した。オレゴン州政府の給料から一足飛びに増えることになるからだ。

「きみにはそれだけの価値がある」わたしは言った。「きみはオレゴン州にも国内のいくつもの年金基金にも多大な貢献をしてきた。わたしたちはこれから州の年金基金をしらみつぶしにあたる。そして全部かっさらってやるんだ」。ジムは協力を約束してくれた。

ジムは大手プレースメント・エージェントの名刺よりはるかに重要なものをもっていた。信用とこの仕事に必要な人柄だ。ジムといっしょに年金基金を訪問するのは、日興からの投資を得たあと日本をまわるようなものだった。年金担当者は、規模がごく小さい年金基金であれ最大のカリフォルニア州職員退職年金基金（カルパース）であれ、ジムを見ると自分たちの仲間のひとりと見なした。カルパースはその後ずっとブラックストーンに投資してくれている。ジムの先導のおかげで、わが社の二号ファンドは当時ＰＥファンドとして最大の一二億七〇〇〇万ドルを調達した。

二号PEファンドの調達と同じころ、べつの新しい機会も模索しはじめていた。不動産だ。一九八〇年代後半から一九九〇年代前半にかけて、アメリカの不動産市場は崩壊した。まず、貯蓄貸付組合（S&L）が多額の不良債権をかかえて大量に破綻した。アメリカ全土に散らばるこの小規模金融機関は能力を超える貸付をおこない、全米規模の建設ブームをあおっていた。一九八九年にS&Lの問題の大きさが表面化すると、連邦政府は整理信託公社（RTC）を設立し、資産、モーゲージ、およびこれらのローンで建設された建物を清算した。しかし、一九九〇年に国が不況に陥ると、新しく建設されたオフィスや住宅の価値が暴落した。RTCはどんな価格でもいいからこの資産を処分することを迫られ、大量の不動産を市場に出さざるをえなくなった。

****

一九九〇年にわたしが不動産について知っていたことは、住宅所有者としての個人的な経験から得たことだけだった。ブラックストーンのパートナーのひとりにすすめられ、ワシントンの不動産起業家で資金調達を考えているジョセフ（ジョー）・ロバートに会ってみることにした。市場が凍結し、買い手がみんな逃げだしていることは新聞で読んでいた。しかしジョーの見方はちがった。ジョーはワシントンに不動産管理会社を設立し、政府と密接な関係を築いていた。担保として接収された不動産をRTCが処分できずに苦闘しているのを見て、民間部門の運用会社や不動産専門家を巻きこんでRTCを助けるよう懸命に働きかけた。一九九〇年にその努力が実り、一九八〇年代に破綻したS&Lから取得した二四億ドル分の不動産を自分が売却する契約をRTCと結んだ。

「医者や歯科医に五〇〇万ドルから一〇〇〇万ドルの建物を売っているんだ」ジョーは言った。「みんな貯蓄もあるし、銀行からいくらでも必要なだけ借りられるくらい地域で信用を築いているからね」

ジョーがブラックストーンに求めているのは自分自身のために物件を買う資金だった。仲介手数料で十分に成果をあげていたが、今度は所有者兼開発業者としてさらに大もうけするチャンスを見いだしていたからだ。わたしたちの資金とジョーの専門知識は完璧な組みあわせのように思われた。ジョーは数週間後に予定されているつぎのRTCの競売で組まないかと提案した。「まじめな話、いま国はひどいことになっている。入札する人は多くないはずだ」

RTCが発表した競売情報には、アーカンソーと東テキサスにある築三年ほどで居住率八〇パーセントの庭付きアパートのパッケージがふくまれていた。投資という点では、こうした物件ほどわたしが普段扱い慣れている取引とかけはなれたものはなかっただろう。多額の資金は必要でなく、リスクもそれほど大きくなさそうだ。不動産業を学び、将来の大きなチャンスを探るすばらしい方法だと思った。

わたしは、当時ゴールドマン・サックスのCEOでいずれ財務長官になるロバート（ボブ）・ルービンに電話して協力をもちかけた。ゴールドマンはわたしたちよりはるかに不動産の経験を積んでいる。ゴールドマンは承諾した。

しかし、ジョーといっしょにゴールドマンの不動産チームのところへ行ってみると、この案件のリスクについて異なる見解をもっていることがわかった。ゴールドマンはできるだけ安く入札して高値づかみを避けたがった。わたしにとって最大のリスクは、十分な額を出さないせいでまたとない機会を逃すことだ。バンカース・トラストの予想入札額を確実に上まわるようにしたかった。タイプの異なる投資家にはこのようなちがいがよく見られる。支払う額をできるだけ安くおさえることにこそ価値があるという人もいる。このタイプの投資家は、取引そのものや、取引の文言をこねくりまわすことや、交渉の場で相手を打ち負かすことに夢中になる。わたしにはこれは目先にとらわれた考えかたに思える。資産を所有したあとに実現できるすべての価値を無視しているからだ。資産を改善することもできるし、借り換えをしてもたらされる収益を高めることもできるし、売却するタイミングを見はからって上昇する市場を最大限に生かすこともできる。できるかぎり低い購入価格をひたすら追いもとめてエネルギーや友好的な関係をすり減らし、最終的にもっと高い価格を提示した買い手に資産を奪われることになれば、こうした将来の価値はすべて失われてしまう。支払う必要のある金額を支払い、そののち所有者としてできることに集中するのが最善の場合もある。所有者として成果をあげてもたらされる収益は、価格をめぐる一回かぎりの戦いに勝つことで得られる収益よりはるかに高いことが少なくない。

わたしの計算によれば、わたしが提案した価格で年率一六パーセントの利回りが得られる。毎年購入価格の一六パーセントを賃貸収入から得られるということだ。しかもこれはまだ序の口にすぎない。これらのアパートは安定したキャッシュフローを生みだす。ほとんど新品だから改修に多額の費用をかける必要もない。購入に借り入れを併用すれば、投資収益率を年二三パーセントに引きあげることができる。住宅ローンを組んだことのある人にとってはなじみのある話だろう。たとえば一〇万ドルの家を買うのに四〇パーセントを現金で、六〇パーセントを借り入れで払ったとする。この家をすぐに一二万ドルで売れば利益は二万ドルだ。最初に出した現金四万ドルの五〇パーセントに相当する。いっぽう、同じ家を買うのに出す現金は二万ドルだけにして、残りの八万ドルは借り入れで払ったとする。これを一二万ドルで売ると、最初に出した現金二万ドルの投資に対して、利益率は先ほどの二倍、一〇〇パーセントになる。返済が可能なら、借り入れをすることで自己資本利益率を大幅に向上させることができる。

加えて、わたしたちは不動産が底値に近いと考えていた。一九九一年には不動産が底を打ったという感覚があった。景気が回復するにつれて空いている二〇パーセントのマンションが埋まっていき、二三パーセントの利益が四五パーセントになるだろう。そのうち家賃が上昇し、四五パーセントが五五パーセントになる。この不動産を買うだけで五五パーセントの複利利益率を手にできるのであれば、競売で可能なかぎり安く手に入れることに頭を悩ませることはない。わたしはゴールドマンに「年率五五パーセントで満足だ。六〇パーセントは必要ない」と伝えた。ゴールドマン側もしぶしぶ承知し、わたしたちは庭付きアパートを落札した。将来的にこの最初の投資は想像を超える年率六二パーセントもの利益をもたらした。この競売のあと、こういう物件があとどれくらいあるのかジョーに尋ねた。「全国にごろごろある」とジョーは言った。

わたしたちは不動産投資ゲームでは新顔だったが、それが強みとなった。不良物件もなく元本割れしたローンもない手ぶらでの参入だったからだ。信じられない思いだった。国中に価値があふれていて競争もないとは。しかしつぎの競売の準備をしていたとき、ジョーにゴールドマン・サックスから一〇億ドル投資する機会を用意すると提案があったと聞かされた。ジョーはすでにわたしたちと契約していたが、ゴールドマンの提案を受けたがっていた。

「そもそもきみをゴールドマン・サックスに引きあわせたのはわたしじゃないか」わたしはジョーに言った。「どうしてそんなことができるんだ」

ジョーは申しわけなく思っていると言ったが、ゴールドマンはジョーが求めているものを差しだしていた。それでも、翌月中にこちらが同じ規模の資金を用意できれば考えなおしてくれることになった。

ブラックストーンPEファンドの契約条件では、資金を不動産に使えることになっていた。しかしこの新しい戦略に多額の資金を投入する前に、投資家の同意を得ておきたかった。自分たちのしていることを説明する義務があると感じたからだ。わたしは投資家がこの機会に飛びつくことを期待して年次総会で計画を説明した。ところが驚いたことに、ゼネラルモーターズをのぞくすべての投資家がこれを却下した。投資家たちは口ぐちに「きみが正しいことはわかっている。だが、われわれは不良不動産取引にあっぷあっぷしているんだ」と言った。いまは価格が低くいずれ必ず上昇するという見方には全員が賛成だったが、それでも実行はできないということだった。目の前に大きなチャンスがころがっているのに、そのための金がなかった。ジョーにわたしたちと仕事をつづける約束を守らせることもできたが、ほかに負けない足場をこちらが用意できなかったのだからジョーを解放するのが正しいことだと判断した。

たとえジョーがいなくなってもあきらめるつもりはなかった。どの運用者にも人生に数回はとんでもないチャンスがおとずれるものだ。わたしはケン・ホイットニーに、不動産事業に乗りだすためにべつの人を探してくれとたのんだ。優れた新事業を立ちあげるには一〇点の人材が必要だ。名前の並んだリストにじっくり目を通し、人材を推薦してくれる人としてケンがあげていたシカゴのジョン・シュライバーという男に連絡をとった。ジョンが推薦しているはずの候補者について少し話を聞かせてもらった（ジョンは心から推薦しているわけではなかったが、遠慮してそうは言わなかった）。話しこむうちにジョン本人に興味がわいた。一九八〇年代、ジョンはシカゴの不動産投資会社ＪＭＢで働いていた。ＪＭＢは積極的に不動産を買いあさっていた。ここ一〇年間、ジョンはアメリカでだれよりも多くの不動産を買っていたが、暴落が迫ってくるのを予見してＪＭＢにすべてを売りはらうよう進言した。ＪＭＢはばかげていると言ってジョンに退職金を出した。そこにあの「一〇〇〇年に一度の激震」が起こり、ジョンの正しさが証明された。

「ちなみに、うちに来ていっしょに仕事をしないか？」わたしは言った。ジョンは、一九八〇年代には躍起になって働いたが、子どもが八人いるし家族はもっと自分とすごしたがっていると答えた。

「アメリカ最大の不動産会社を築いたうえに、子どもが八人だって？　よくそんな時間があったな」

「まあそれなりにね」ジョンは言った。

わたしはしつこく懇願しつづけ、ついにジョンから週に二〇時間ならと約束をとりつけた。ジョンは自分より若い人をふたりほど雇って自分は指導役に徹し、あとはコネを生かして機会を探ってみると言った。それでようすを見ることになった。まもなく二〇時間は七〇時間になった。ジョンにとっては一九八〇年代の再来だ。夫人がどう感じていたかはなんとも言えないが、わたしたちはジョンが加わってくれて大喜びだった。ジョンはシカゴにとどまって自宅で働いたため、知らない人にとっては陰の実力者だった。しかしその働きはたんに若い人をふたりほど雇って監督する域をはるかに超えていた。ジョンはわたしたちが購入を検討している物件をすべて自分の目で直接たしかめにいった。ブラックストーンのパートナー陣が個人の金を投資し、しかもどれも信じられないほどいい取引だった。しかし何カ月たってもファンドがないままでは本格的な不動産投資はできない。気が変になりそうだった。

不動産市場は回復しはじめていたが、投資家たちは暴落で負ったやけどをまだ忘れていなかった。投資家の恐怖心をやわらげ、リスクに対する誤解を考えなおす気にさせるような「甘味料」を考えだす必要があった。そこで、ＣＳＸの新聞社を売却するときに使った封印入札や、ハロルド・シモンズに圧力をかけるために使った課税されるが永遠に現金化できない株のように、特定の心理状態に対処するための新しい構造を考案した。わたしたちがこの機会を確信していることを伝え、投資家が不安を感じているなら「安全弁」を用意する必要がある。投資家が表明した不動産ファンドへの投資について、三ドルにつき二ドルは投資する側の自由裁量を認めることにした。投資を表明した投資家は、こちらが提示する特定の取引が気に入らなければその三分の二を保留できる。

最初に関心を示した投資家は、ジム・ジョージの友人スティーブ・マイヤーズだ。スティーブはサウスダコタ州の公的年金基金を運用していた。ジムによると明敏で勇気ある投資家だ。ジム、ピート、ジョン・シュライバーとともにサウスダコタ州スーフォールズまで会いにいった。わたしたちがやろうとしていることを説明すると、スティーブは顔を輝かせた。不動産は底を打ち、市場が上昇していた。参入する好機だ。スティーブは取締役会を説得して一億五〇〇〇万ドルの出資を確約してくれた。

わたしは金を受けとることに生まれてはじめて緊張した。これはサウスダコタ州の四〇億ドルという年金基金にとって高額の小切手であり、投じられるのが多くの人の退職基金であることを考えると大金だ。わたしはスティーブに本気かと念を押した。スティーブは、契約条件によれば表明した金額のうち投資を確約したのは五〇〇〇万ドルということになると答えた。残りの一億ドルは、取引が気に入れば投資するし、気に入らなければ保留できるからだ。このような可能性を秘めた機会をものにするためなら、これくらいのリスクはとれるという。スティーブの決断のおかげで、わたしたちは不動産という第二の新事業を手に入れた。そして不動産はやがてブラックストーンの最大の事業になる。

コラム　景気の波を見きわめる方法

投資が成功するかどうかは、景気サイクルのどこで投資をおこなうかに大きく左右される。景気は、事業の成長軌道、評価、そしてもちろんどれだけ収益をあげられるかに大きな影響をあたえる。わたしたちは投資決定プロセスの一環として日常的に景気サイクルについて議論している。以下は、わたしが市場の天井と底を見きわめるときの簡単なルールだ。

1　市場の天井は比較的見わけやすい。買い手はたいてい自信過剰になり、ほとんどの場合「今回はちがう」と考える。通常それはまちがっている。

2　好況な市場では常に買収や投資の資金を融通する比較的安価な借入資本が余剰となる。場合によっては、貸し手が利払いを求めないこともあり、貸し手は通常の融資制限を緩和したり一時停止したりすることも多い。レバレッジの水準は過去の平均とくらべて上昇し、借入額が自己資本金額の一〇倍以上にも達することがある。買い手は楽観的すぎる会計上の調整や財務予測を受け入れはじめ、高水準の負債をかかえることを正当化するようになる。あいにく、こうした予測のほとんどは経済の減速や下降がはじまるとまず実現しない。

3

市場が天井を打っていることを示すもうひとつの指標は、何人の知り合いが金持ちになりはじめたかだ。アウトパフォームしている（平均指数を上まわっている）と主張する投資家の数は、過熱市場とともに増加する。ゆるい信用環境や上昇市場に乗じるだけで、特別な戦略やプロセスをもたない個人が「偶然に」金を稼ぎやすくなる。しかし、好調な市場での金もうけは長つづきしないことがある。賢明な投資家は、自制心と健全なリスク評価を組みあわせることで市況が反転しても業績をあげる。

投資家はみんな、市場は循環するものだと言うが、多くはそれを知らないかのようにふるまう。わたしも、一九七三年、一九七五年、一九八二年、一九八七年、一九九〇年〜一九九二年、二〇〇一年、二〇〇八年〜二〇一〇年と、大きな市場の下落や景気後退を七度経験した。景気後退は起きる。市場が下落し経済が低迷するなかで市場の底を見きわめるのはむずかしい。ほとんどの公的投資家や民間投資家は早すぎるタイミングで買い、景気後退の深刻さを過小評価する。あまり急いで反応しないことが大切だ。ほとんどの投資家には完全に景気の底を打つまで待つ自信や自制心がない。これでは、もっとあとに実行していれば利益を最大化できたのにと悔やむことになる。

景気の底のタイミングをとらえるのは容易ではないし、どのみちとらえようとするのはあまりよい考えではない。というのも、景気後退から本格的に抜けだすには一、二年かかるのがふつうだからだ。相場が反転しはじめても、資産価値の回復には時間がかかる。つまり、底で投資をしてもしばらくのあいだ利益が出ない場合があるということだ。一九八三年に原油価格が下落し相場が底を打ったあと、ヒューストンのオフィスビルを購入しはじめた投資家はこれを経験した。一〇年後の一九九三年になっても依然として価格は回復していなかった。

このような状況を避ける方法は、価値が最低水準から少なくとも一〇パーセント回復するのを待ってから投資することだ。資産価値は経済が勢いを増すにつれて上昇する傾向がある。安全策をとって市場回復の最初の一〇から一五パーセントをあきらめ、確実に適切なタイミングで買うほうがいい。

ほとんどの投資家が利益をあげたいと口では言うが、ほんとうに欲しいのは精神的なやすらぎだ。報酬を最大化するむずかしい決断をくだすより、たとえ群れが損失を出していても群れのなかにいるほうを選ぶ。ほかと同じことをすれば非難をかわせると思っている。このような投資家は、市場の底近くで積極的に投資するのではなく、ほとんど意味のない市場の天井で投資する傾向がある。資産が上昇するのを見るとやすらぎと安心を感じるからだ。価格が高くなればなるほど、投資家たちはまだまだ上昇しつづけると確信を深めていく。この現象は、景気の底近くでIPOに踏みきるのが不可能に近い理由にもあてはまる。景気が成熟するにつれ、IPOの数、規模、評価は爆発的に増える。

突きつめれば景気の波をつくるのは需要と供給だ。これを理解し定量化すれば、市場の天井や底にどれだけ近づいているかを特定するうえで有利になる。たとえば不動産では、既存の建物の価値が再調達価格より大幅に高く評価されている場合、開発業者は新しい建物を建設すればそれにかかった費用より高く売却できると心得ているため、建設ブームが刺激される。これは建物がひとつしか建設されていない場合なら優れた戦略だ。しかし、ほとんどすべての開発業者がこれを簡単にできる金もうけの機会ととらえる。大勢が同時に建物をつくりはじめれば、供給が需要を大幅に上まわり、その市場における建物の価値が低下すること、それもおそらく急落することは容易に予想できる。

アメリカ連邦準備制度理事会（ＦＲＢ）の元議長がだれもバブルを見ぬくことはできないと表明したことがあるが、断じてそれはちがう。

第一〇章　勇敢では生きのこれない

ブラックストーンの事業拡大にともない、ドレクセル・バーナム・ランバートのコーポレートファイナンス部門から若いバンカーをパートナーとして採用した。才気にあふれる野心家で、一九八九年に入社してすぐにある案件を提案した。フィラデルフィアを拠点とするエッジコムの買収だ。エッジコムは粗鋼を買って圧延成形し、自動車、トラック、航空機メーカー向けの鋼材をつくっていた。この若いパートナーはドレクセルにいたころエッジコムの案件をいくつか手がけていたので会社のことを知っていたし、同社の幹部にも知られていた。そのエッジコムが売りに出され、わたしたちは先行して独占的に購入を検討することができた。

独占というのはどんな場合も注意が必要だが、この買収は有望に見えた。エッジコムはかなりの利益を出していた。顧客基盤は拡大していたし、事業も拡大していきそうなようすだった。エッジコム側は約三億三〇〇〇万ドルを要求してきたが、こちらの分析からも妥当な価格に思われた。わたしは買収申しこみをするつもりになっていた。しかし申しこみをする前に、べつの新しいパートナー、デイビッド・ストックマンがわたしのオフィスにやってきて悲観的なことをまくしたてた。デイビッドはワシントンとウォール街を知る変わり種で、レーガン大統領のもとで行政管理予算局の局長を務めていた。ブラックストーンへ来てまだ一年たっていなかったが、鋭い知性をもち、案件を逐一分析して遠慮なく意見を述べた。

「エッジコム案件は悲惨なことになる」デイビッドは言った。「絶対にやるべきじゃない」

「発案者はすばらしい案件だと断言しているぞ」わたしは言った。

「すばらしいものか。最悪だ。あの会社はガラクタ同然だし経営もうまくいっていない。利益が出ているのは鉄鋼の価格があがっているからだ。そんな利益は一時的だし、基本の事業の収益性なんて幻想にすぎない。結局つぶれるのがおちだ。このまま予定どおりレバレッジを使って買収すれば、われわれも倒産する。とりかえしのつかないことになるぞ」

　わたしはエッジコムの擁護者と批判の先鋒をオフィスに呼び、面と向かってとことん議論をさせた。わたしはそこにすわり、ソロモン王のように両者の話に耳をかたむけた。若いほうの言うことに分があると思った。何年もエッジコムを相手に仕事をしてきただけあって、内情に明るく、こちらの質問にすらすらと答える。いっぽうデイビッドは部外者の立場でこの案件を分析していた。説得力のある主張をしたが、もっている情報量に差があった。わたしたちはUSXから買った輸送事業のトランスターで成功していたため、鉄鋼についてはわかっているつもりだった。そしてどういうわけか自分たちがコモディティ価格の変動を予測できるようになったと思ってしまった。わたしは実行を決めた。買収申しこみをし、投資家から資金を集め、契約を結んだ。

　契約を結んだわずか数カ月後、見はからったかのように鉄鋼価格が急落しはじめた。エッジコムは仕入れ価格より安くなってしまった在庫品をかかえ、その価格さえ日に日にさがっていった。借入費用の支払いにあてるはずだった利益は現実のものにならなかった。債務も返済できなかった。デイビッド・ストックマンが予言したとおり、エッジコムは破綻しかけていた。

ファンドに投資したプレジデンシャル・ライフの最高投資責任者から電話で呼びつけられた。わたしはタクシーに乗り、ニューヨーク州ハドソン川沿いの町ナイアックにあるオフィスへ急いだ。彼はわたしをすわらせ、怒鳴りつけた。きみはまったくの無能かただの大ばかか？　なんの価値もないものにわたしの金を浪費するとはいったいどこまで愚かなんだ？　なんだってきみのようなまぬけにほんのわずかでも金を出してしまったんだろう？　わたしはこの制裁に耐えながら、そのとおりだと感じていた。わたしたちの分析に不備があったせいで投資家たちの金が失われていた。決断をくだしたのはわたしだ。これほど恥じいったことはあとにも先にもないと思う。リーマンでアソシエイト一年生だったとき、エリック・グリーチャーのプレゼン資料の数字をまちがえてしまったことでさえ、これとは比較にならない。わたしには能力がなかった。不適格だった。ぶざまだった。

人に怒鳴られるのにも慣れていなかった。父も母も声を荒らげる人ではなかった。わたしたち兄弟がなにかまちがったことをすればいけないことだと指摘はしたが、決して怒鳴ったり怒ったりはしなかった。涙がこみあげ、顔が赤くほてっているのがわかった。泣くまいと必死にこらえた。わたしは、わかりました、これからはもっとよい結果を出してみせますと答えた。駐車場へ向かいながら、もう二度と、絶対にこんなことになってたまるかと心に誓った。

オフィスにもどるとわたしは鬼のように働いた。エッジコム案件でブラックストーンと投資家が金を失うことになるとしても、債権者すなわち買収資金を調達するために融資してくれた銀行には小銭一枚たりとも損をさせてはならない。エッジコムはひとつのファンドのなかのひとつの取引にすぎない。そのファンドの資金でほかにも取引をして、全体として投資家が損をしないようにつとめればいい。しかし債権者からの資金融資は取引ごとにとりつける。一度でも返済が滞ることがあれば信用を損なうおそれがある。銀行が融資を減らし条件を厳しくすれば、ビジネスは苦しくなる。

その後、社内の意思決定プロセスを検討した。起業家としての強み、やる気、野心、スキル、労働意欲はあったものの、わたしたちはまだブラックストーンを一流の組織につくりあげていなかった。どんな組織でも失敗は最高の教師であることが多い。失敗をほうむり去るのではなく、包みかくさずに話してなにがうまくいかなかったのかを分析し、意思決定の新しいルールを身につけなければならない。失敗は大きな贈りものになりうる。組織の進路を変え、将来の成功へ導く促進剤となってくれる。エッジコム案件の失敗は、なによりもまず、わたしのいつもの投資手法と投資対象候補の評価手法を変えるところからはじめなければならないことを浮き彫りにした。

＊＊＊＊

わたしは多くの組織に共通する罠にはまっていた。人はアイデアを売りこむとき、テーブルの端にすわっている偉い人に話しかけがちだ。アイデアがよくなければ偉い人が却下する。提案の良し悪しに関係なく、提案者はうなだれてゆっくりと部屋を出る。数週間後、提案者は新しい提案をもってくる。前回とまったく同じことがくり返され、前回以上に未練がましそうにゆっくりと部屋を出る。三度目は歯を食いしばりながら出ていく。四度目になると、テーブルの端にすわっている人のほうが申しわけないような気分になる。提案者はひどい社員というわけではなく、ただそこまで優秀ではないというだけだ。もしこの四つ目のアイデアがほぼＯＫなら、上司はみんなを満足させておくためだけにゴーサインを出してしまうだろう。

わたしは新しいパートナーにエッジコム案件をまかせてチャンスをあたえたいと思うあまり、自分自身も会社も無防備にしてしまった。うまい売りこみに乗ってしまった。あとになって、この新しいパートナーのチームにいたアナリストのひとりが案件に反対していたことを知った。アナリストはうまくいかないと見ていたが、新しいパートナーはその疑念をだれにも話さないよう指示していた。

わたしは自分の感情をもっと警戒し、事実をもっと綿密に吟味すべきだった。取引は数値演算がすべてではない。しかし考慮すべき客観的な基準はたくさんあり、それぞれの意見を主張するふたりにはさまれて決断をくだすのではなく、ひとり落ちついてじっくり時間をかけて検討する必要があった。

金融は、図表を使いこなし、こちらがついていけないほど能弁に足早にプレゼンをする魅力的な人であふれている。だからこそそのショーに待ったをかける必要がある。意思決定は個々人を通じておこなうより、事業や組織を守るように設計されたシステムを通じておこなうほうがはるかによい。投資決定プロセスから私情を排除するルールが必要だ。ひとりの人間の能力や感情や弱点に左右されることが二度とあってはならない。プロセスを見なおし、強化する必要があった。

わたしはもともと損失を出さないことに病的なほどこだわりがあったが、エッジコムの一件以来それがさらに強くなった。わたしは投資を、ショットの時間制限なしにバスケットボールをするようなものと考えはじめた。ボールをもっているかぎり、勝つために必要なのはパスをつづけて確実にショットを決められるまで待つことだ。ほかのチームはエッジコム案件でわたしたちがやったように、しびれを切らし、スリーポイントラインの向こうから体勢を崩した確率の低いショットを打つかもしれない。ブラックストーンでは、ゴール下に立っている二メートル超えのセンターにボールがわたるまでは、動きつづけパスをまわしつづけることに決めた。あらゆる投資対象候補について、逃してはならない案件だと確信するまではマイナス面を懸念しつづけるということだ。

わたしたちは、すべてのシニアパートナーを投資についての討議に参加させることにした。ひとりの人間に単独でゴーサインを出させることはもうない。キャリアを通じて、わたしはあやまちを犯すことより的確におこなうことのほうが多かったが、エッジコム案件はわたしがまちがいのない人間とはほど遠いことを明白にした。同僚たちは何十年もの経験を積んでいた。みんなで協力し、議論し、英知を集結して投資のリスクを評価すれば、投資案件をもっと客観的に検討できるはずだ。

つぎに、提案のある者は綿密な社内文書を作成して会議の少なくとも二日前に回覧し、ほかの人が前もってじっくり論理的に評価できるようにすることとした。二日あれば文書を読んで書きこみをしたり、欠点を見つけたり、質問を練ったりできる。回覧後に重要な進展があった場合をのぞき、会議の場で文書に追加することはできない。会議中に追加の資料をまわしたくはない。

シニアパートナーはテーブルの片側にすわり、案件をプレゼンする社内の投資チームは反対側にすわる。まわりにはほかのチームの若手たちが陣どり、見て学び意見を述べる。

この討議にはふたつ基本的なルールを設けた。一、すべての投資決定が集合的におこなわれるように全員が発言しなければならない。二、投資対象候補のマイナス面に注目する。それぞれがまだ指摘されていない問題点をなにか見つけなければならない。いくら建設的な議論とはいえ真正面からぶつかりあうのはプレゼンをする側にとってはつらい試練にもなりうるため、決して個人攻撃にならないようにした。「批判のみ」を言うルールのおかげで、だれかの感情を傷つける心配をすることなく互いの提案を批判しやすくなる。

投資対象候補のプラス面も検討するべきだろうが、わたしたちの初期の投資委員会ではそれは議論の焦点ではなかった。

このグループでの詳細な分析が終わると、案件提案者の手元には対処すべき問題と回答すべき質問のリストが残る。もし不景気になったら、買収を提案している会社はどうなるか。利益はゆるやかに減少するのか、急激に減少するのか。優秀な経営者たちが買収後も残る可能性はあるか。競合他社がどんな反応をするか可能性があるか十分に検討したか。エッジコムを買った直後のようにコモディティ価格が下落した場合、収益性にどんな影響があるか検討したか。提案者チームの財務モデルはこれらすべての不測の事態を考慮に入れていたか。チームはもどって質問に対する答えを見つけ、そうするなかで修正を加え、マイナス面への対処法を見いだすことができる。これまで気づかなかった新しいリスクや損失の可能性を発見することもある。そしてチームはふたたび討議に臨む。期待どおりなら三度目の討議までには予想外の厄介な問題がもうこれ以上潜んでいない状態になっている。

また、わたしはどの投資対象候補についても、筆頭パートナーとだけ話すのはやめようと決めた。くわしい質問をしたいときは、いちばん若手で、つまり表計算を操作しているもっとも数字に近い人間に電話する。エッジコム案件でそうしていれば、案件に抵抗していたアナリストからなにか聞けたかもしれない。階層を突破することで、若手社員と知り合い、べつの解釈を聞くことができる。リスクは紙の上ではわからないかもしれないが、アナリストに「きみの視点からこの案件を説明してくれ」とたのんだとき、アナリストの口調を通して現れたりする。アナリストがいいと思っているのか不安を感じているのかを聞きとることができる。心理学は投資家としてのわたしの強みのひとつだ。分析の細かい数字を覚える必要はない。詳細を知っている人を観察すれば、態度や声の調子からどう思っているかがわかる。

投資決定プロセスから私情を排除しリスクを軽減するためにおこなった最後の変更は、共同責任の意識を高めることだ。投資委員会のすべてのパートナーは、提案された投資のリスク要因の評価に参加しなければならない。そうすることで、プレゼンをおこなう投資チームは、その場でいちばん偉い人間にねらいを定めたり可決してくれるよう働きかけたりできない。どんな決定がくだされても出席者全員が共同で責任を負う。わたしたちはすべての意思決定を同じ決まった方法でおこなった。

ブラックストーンは新事業を展開し、新しい市場に参入しているが、すべての投資判断にこれと同じプロセスを適用している。だれもが討論に加わる。リスクを体系的に分類し理解する。議論は活発に徹底的におこなわれる。互いをよく知っている同じような少人数のグループが、同じ厳格な基準を適用しながらそれぞれの投資を検討する。こうして統一された投資手法はブラックストーン流儀の主軸となっている。

＊＊＊＊

初期のブラックストーンでこうしたさまざまなことが起きているあいだ、それ以外のわたしの生活も止まっていたわけではない。エレンとわたしは一九九一年に離婚したが、娘のズィビーと息子のテディはふたりで育てつづけた。別れるのはつらい決断だった。離婚する前にかかりつけの内科専門医ハービー・クライン医師の診察を受けたことを覚えている。身体的には問題なかったが、診察の終わりに調子はどうかと尋ねられた。わたしは仕事でかなりストレスがたまっているうえ、結婚生活について決めかねていると打ちあけた。みじめな思いをしていたが、いざ離婚と思うと恐ろしかった。ハービーはある医師の電話番号をメモしてわたしてくれた。

バイラム・カラス医師は、ニューヨークのアルベルト・アインシュタイン医学校で二三年間部長を務めた精神科医だ。一九冊の著書があり、マンハッタンで小さなクリニックを開業し、ワシントンでもたびたび意見を求められている。はじめて診療室に足を踏みいれたとき、わたしはセラピーのために来たのではないことを宣言した。ただ離婚に踏みきる決心がつかないだけだった。バイラムはためらいの原因はなにかと尋ねた。わたしは四つの恐怖だと答えた。子どもとの関係を失うことへの恐怖、懸命に努力して得てきたものを半分ゆずりわたすだろうことへの恐怖、友人の半分を失うことへの恐怖、そしてまた相手探しをしなければならないことへの恐怖だ。

バイラムは、四つとももっともな不安だが、突きつめればすべて根拠がないと言った。子どもたちは、離婚が深い心の傷になりうる刷りこみの段階をとうにすぎている。わたしが子どもたちとよい関係をつづけたいと望み、そのように努力すれば、子どもたちも同じように思うだろう。金については、たしかに高額の小切手を切ることになるだろうが、それで人生の新しい章への道が開けるなら、きっとすぐに忘れてしまう。夫婦として知り合った友人は半分ずつにわけることになりそうだが、人生にはそういうこともあるものだ。それと、相手探し？　マンハッタンに住む裕福な独身男性なら引く手あまただろう。

バイラムは親切で思慮深く、洞察力と経験と説得力があった。助言をもらって、わたしの人生は非常によい方向へ進みはじめた。それ以来、週に一、二回バイラムに会っておもに仕事の話をするようになった。バイラムはいつも最初に出会ったときと変わらぬ客観的な明快さで考える。わたしが世界を経験し反応するのと同じ密度でわたしの頭のなかを理解している。わたしが自分の直感をたよりに、真実をあいまいにする心理的、社会的、感情的、知的なフィルターをはぎとるのを助けてくれる。

離婚によって私生活の新しい章への道が開かれるという点でもバイラムは正しかった。友人たちは親切にもわたしのためにデートのお膳立てをしてくれ、そのひとりが離婚してまもない弁護士のクリスティーン・ハーストだった。クリスティーンはすでにカリフォルニア州パロアルトでの仕事が決まっていて、引っ越しの荷づくりもすんでいた。幸先がいいとはとても言えない。ふたりとも多忙だったし、クリスティーンはすでに西海岸での新生活に思いをはせていた。それでも友人たちからしつこくすすめられ、わたしは会ってみると約束した。

最初のデートはうまくいったとわたしは思った。奇妙なデートだったというのがクリスティーンの意見だ。クリスティーンはわたしが家まで迎えにいくと思っていたのだが、わたしは仕事で遅くなり職場から近いパーティへ行くことになっていたので、かわりに彼女の家に車を迎えにやった。その車にようやくわたしが乗りこんだとき、クリスティーンは驚いたようすだった。わたしはちらりと見て「スティーブだ。よろしく」とあいさつした。それからサンバイザーミラーをおろし、電気シェーバーを顔にあてた。わたしたちはロックフェラー・センターでブックパーティに参加したあと、マディソンアベニューの新しいソニープラザビルでジョージ・マイケルのパフォーマンスを見てから、友人たちとの夕食会へ行った。翌朝、ふたりを引きあわせた共通の友人デビー・バンクロフトから電話があり、デートはどうだったかと聞かれた。

「とてもよかったよ」とわたしは答えた。クリスティーンのことは気に入ったし、ふたりであれこれ楽しい体験をしたと報告した。クリスティーンは社交的だが、内気なところがある。デビーの話では、クリスティーンはわたしにあちこち連れまわされ、わたしにとっては知人だが彼女にとってはそうでない多くの人と交流し、まるで自分が付属品のような気分だったそうだ。みじめな思いをしたし、デートはせわしなく、ふたりでちゃんと話す機会もなかったと打ちあけたという。デビーは、クリスティーンに電話をして昨晩のことを謝り、もう一度デートに誘って、レストランで食事をしながらほんとうにお互いが知り合えるような落ちついた晩をすごすべきだとわたしを諭した。デビーのことばにしたがい、つぎのデートは一番街のイタリアンレストランでゆっくりとディナーを楽しんだ。とてもすばらしい時間をすごしたので、ディナーの終わるころにはたのみのスケジュール帳をとりだしていた。つぎつぎに日にちをあげて今度はいつ会えるか決めようとするわたしにクリスティーンは驚いたようだった。わたしほど几帳面な金融関係者には慣れていなかったからだ。

「こういうことは速く進めることもじっくり時間をかけることもできる」わたしは言った。「わたしは速いほうがいい」

ありがたいことに、クリスティーンに疎ましがられることはなかった。つきあいはじめてクリスティーンが真っ先にやったことは、わたしの独身生活にいくらか秩序をもたらすことだった。わたしは五番街九五〇番地のアパートで息子のテディと暮らし、チャンという料理人を雇っていた。毎夜毎夜、よくある父と一〇代の息子の夕食どきの会話をした。「学校はどうだ?」。「まあまあ」

クリスティーンははじめてうちへ来たとき、キッチンへ行き冷蔵庫をあけた。わたしはそこまでしたことはなかった。冷蔵庫にはストーファーズの冷凍ディナーの箱がぎっしりつまっていた。二年間というもの、料理人のチャンはこれを電子レンジで温めてわたしと息子に食べさせていたのに、わたしたちは気づきもしなかったのだ。

数年後、クリスティーンと結婚したあと、わたしは料理人を雇おうと思った。クリスティーンには得意なことがたくさんあるが、食事のしたくはふくまれていない。そしてわたしを知る人ならみんな知っていることだが、わたしは一日の長い仕事のあと、ちゃんとした夕食をとりたいと思っている。そこで広告を出したところ、ハイミーという料理人の履歴書にとくに心を動かされた。その料理人を面接に呼んだが、ドアをあけた瞬間にクリスティーンがその顔に気づいた。なんとチャンだった。チャンは名前だけを変え、わたしたちが冷凍ディナーのひどい二年間を忘れていればいいがと思ってやってきたのだ。そう、これがニューヨークだ。

コラム　決して損失を出すな！　ブラックストーン流投資決定プロセス

わたしの投資の鉄則を聞くとにやりとする人が多い。決して、損失を、出すな。なぜ薄笑いをするのかわたしには理解できない。というのもじつに単純なことだからだ。ブラックストーンではこの基本概念を実現するための投資決定プロセスを確立し時代とともに改良している。非常に信頼性の高いリスク評価の枠組みを構築することができた。専門家を訓練し、個々の投資機会から投資案件の成功を規定し価値を生みだす二、三の主要な変数を抽出している。ブラックストーンでは、統制のとれた私情をまじえない確実なリスク評価にもとづいて投資の意思決定がなされる。これはプロセスであるだけでなく、会社の文化に不可欠な理念でもある。

わたしたちのやりかたを紹介しよう。

投資委員会という発想は、ウォール街をはじめ多くの業界であたりまえになっている。企業の少数の上級幹部が投資チームを招いて新しい機会についてのプレゼンを聞く。通常は社内文書の形ですでに概要は伝えられている。投資チームはこれが重要な取引である理由をすべてあげ、収益の可能性を定量化して委員会に投資対象候補をアピールする。委員会のメンバーが話の内容を気に入れば取引は承認され、プレゼンをしたチームは取引を進められると知って安堵する。承認が得られない場合、それが失点のように感じられ、投資チームはたいてい敗北感を味わいながら、社内文書を手におそらくぶつぶつつぶやきながらこそこそと部屋を出ていく。ブラックストーンではちがう。

わたしたちの投資決定プロセスは、意思決定を民主化し、投資チームも投資委員会のメンバーも関係者全員が知性をもちよることをうながすようにつくられている。「こっち側」も「あっち側」も存在せず、年長者のグループからの承認を求めることもない。そのかわりにあるのは、共同の責任感だ。取引の決定的な要因を特定し、その要因がさまざまなシナリオにおいて投資案件のリターンにどの程度影響するかを分析する責任を全員が負っている。

いちばんの若手から最上級の幹部まで、テーブルのまわりにいる全員が意見をもち、議論に加わることが求められる。だれかひとりや一部の人が会話を支配したり承認の権限をにぎったりすることはない。常にチームプレーだ。全員が変数について議論して合意し、起こりうる結果の範囲をはっきりさせなければならない。変数が明らかな場合もあれば、変数がなんなのかを見きわめるために徹底した討論や議論を数回おこなう場合もある。しかし合意なしに先へ進むことはない。

目立たないことだが、この手法は投資家の正しい判断力に影響をおよぼしやすいさまざまな雑音や感情を排除する働きもある。また、個人のリスクをなくし、最終的な結果を読みあやまってはならないという投資チームのプレッシャーをとりのぞく。何十億ドルも投資するという話をしているとき、このプレッシャーがほんの数人に集中してしまうと、心理的な負担はとてつもなく大きなものになりうる。ひとつの投資の失敗で会社や評判をだいなしにしかねない。

ブラックストーンでは、投資委員会の目的は取引の承認を得ることではなく、議論して発見することだ。先へ進むかどうかの決定は全員でおこなうので、自分がアイデアをもってきたからといって、だれも取引をアピールするプレッシャーを感じることはない。同様に、取引のソーシングや分析のために懸命に働いた投資チームの労に報いるために最適とはいえない取引を承認する圧力もない。投資をして失敗した場合、わたしたち全員が読みちがえたのであり、わたしたち全員が修正の責任を負う。投資がうまくいった場合——その場合のほうが多いのだが——わたしたち全員で収益を共有する。

わたしたちの投資決定プロセスでは、年功には関係なくだれもが会社の所有者のように、あたかも投資家の資本が自分自身の金であるかのようにふるまわざるをえない。これはインセンティブを一致させる非常に強力なしくみでもあり、すべての投資評価を教育の場に変えるしくみでもある。このプロセスがうまくいっていること自体がそれを物語っている。

第一一章　卓越と誠実

ピートとわたしは一〇点満点の人材を雇うことに決めていた。現在、ブラックストーンは最高に優秀な大卒の若者のなかから選ぶことができる。二〇一八年期生のジュニア投資アナリストには、八六人の求人に対して一万四九〇六件の応募があった。採用率は約〇・六パーセントで、世界トップクラスの超難関大学の合格率よりはるかに低い。もしわたしが現在のわが社に応募しなければならないとしたら、採用してもらえないのではないかと本気で思う。

しかし、ここまでたどりつくには長年におよぶ試行錯誤が必要だった。当初、わたしたちが望む人材を見つけ維持するのは大きな課題だった。第一の問題はわたしたちの落ち度ではない。わたしがリーマンを去る条件では、以前の同僚を雇うことができなかった。わたしたちがもっともよく知り、信頼を寄せ、馬が合う人たちだ。新しい挑戦の理想的なパートナーになったことだろう。第二の問題は、当時のウォール街の大企業が企業というより部族のようなものだったことだ。だれかがゴールドマン・サックスを離れてモルガン・スタンレーに入ることは、コマンチ族の人が部族を去ってモホーク族に加わるようなものだった。しかも当時のブラックストーンは部族はおろか狩猟隊がやっとの人員しかいなかった。リーマン時代は会社の規模と制度のおかげで、ウォール街の人材プールをあさる必要はほとんどなかった。しかし、金融は自己欺瞞を助長する産業であるという真実からわたしを守ってくれていた官僚的な層はもうない。金融の人間は自分を一流だと思っているし、自分は一流だと口にする。前職で失敗したなどとは決して言わず、「さらなる機会」を求めての転職だと話す。雇ってみるが、その人たちは失敗が多い。それでしかたなく解雇し、さらに候補者を探すことになる。この第二グループにも同じように対処し、ようやく第三グループで望むような人材が入ってくる。すると、第一グループや第二グループだった人がいかに働くのが大変な職場かをあちこちで吹聴し、採用をさらにむずかしくする。

第三の問題はわたしだった。わたしは資金調達と取引業務を得意とし、がむしゃらに会社への資金の流れを維持していたが、人材の採用と管理に関してはまるでだめで最初の五年間は話にならなかった。ピートはやってもらう仕事がないうちから友人を採用していた。やる仕事にありついたパートナーは自分ひとりで取引をこなし、会社のほかの人たちがなにをしているかまったく知らずにいた。わたしのもとへは情報が届いていたが、必ずほかの人たちに伝えていたわけではない。わたしたちはチームというより個人の集まりだった。わたしは、競争の激しいつらい仕事をしている自分たちに他人の感情を気にかけている余裕はないと、自分に言いわけしていた。だがまちがっていた。

＊＊＊＊

一九九一年にMBA卒業生の一期生を採用したとき、これは採用と研修の最適化をはかる機会だと思った。この瞬間、わたしはブラックストーンが成功することを確信した。キャリアをあずけてくれたこの有望な若者たちはブラックストーンの将来だ。かわりに、わたしたちにはこの若者たちが野心を実現できる文化を用意する責任がある。

わたしが育ってきたウォール街の文化ではだめだ。リーマンでは社員はしたたかで頭が切れ、大金を稼ぎだしていたが、互いの関係は複雑だった。暴言を吐くこともあった。初期のブラックストーンの文化はわたしたちみんなの古巣を色濃く反映していた。新しいタイプの会社をつくろうとつとめていたが、並はずれてスタッフに厳しい中堅社員もまだ少しいた。彼らはスタッフにたびたび罵声をあびせ、ののしり、横柄にふるまった。金曜日の最後の最後になってから仕事をあたえ、わざと部下の週末をだいなしにした。ある若いアナリストはやり場のない不満をコピー機にぶつけ、蹴とばして壊してしまった。この話を聞いて、このままではいけないと思った。

とんでもない非道行為を社内から一掃するため、リスペクト・アット・ワーク（職場での敬意）という団体に依頼することにした。リスペクト・アット・ワークは、事態を把握するために社内全体に聞きとりをおこなった。また、自分のふるまいがまわりにはどんなふうに見えるのかを伝えるため、社員を小さなグループにわけてシナリオを演じさせた。社員はいじめ役やいじめられ役になって寸劇をする。わたしはすべての寸劇を見にいき、最前列で見学した。この役者たちがわたしの同僚を演じているのを見るのはショックだったしどうかしていると思ったが、嫌でも認めざるをえなかった。自分たちの欠点を直視するのは、こうした行為を根絶する第一歩だ。わたしたちは今後またこうした行為があれば、加害者を解雇することを打ちだした。自分が正しいと思うことをことばにし、そのことばに責任をもって会社のすべての人に真剣さを示せるかどうかはわたししだいだ。

エッジコムの件をきっかけに社内の投資決定プロセスを再考したように、わたしたちはブラックストーンに入社する若者の立場になって彼らが会社になにを望んでいるかを考えた。ＤＬＪでは一度も適切な研修を受けられなかった。わたしはオフィスで縮みあがり、だれにも気づかれないことを祈りながら自分の無知や無能ぶりが見ぬかれるのをひたすら恐れていた。マンハッタンのイーストサイドでだれよりも制汗剤をたくさん買う人間だったにちがいない。リーマンでは自分自身の失敗から学ばなければならなかった。そうした環境で学ぶのは不確実で時間もかかり、その結果、燃えつきたり疲弊したりする割合が高くなる。そこでブラックストーンでは、徹底した研修プログラムに力を入れ、新入社員が自分のするべきことを理解できてから仕事をさせるようにした。新入社員にはできるだけ早く積極的で有能な人材になってもらいたいと思った。金融や取引の基礎をそつなくこなし、会社の文化に敏感で、自分の無知を隠すためにこそこそしなくてすむようになってもらいたい。効率がよく効果のあがる研修プログラムにかかるコストなど、わたしたちの最大の資源である入社したての新人が自分には知識も自信も価値もあり働く準備はできていると感じることのメリットにくらべればなんでもない。

わたしたちは期待する項目を明確にし、新人アナリストの歓迎スピーチではっきりと伝えた。それはふたつのことばに集約できる。卓越（Excellence）と誠実（Integrity）だ。投資家のために卓越した業績を達成し、清廉潔白な評判を保てば、わたしたちは成長し、いっそう興味深く実りある仕事を追求することができる。が、まずい投資をしたり誠実さを損なったりすれば失敗する。

メッセージを確実に理解してもらうために、卓越の意味をわかりやすく具体的に示した。あらゆることにおいて一〇〇パーセントということだ。ミスをしないこと。九五パーセントでAがとれる学校や大学とはちがう。ブラックストーンでは、五パーセントの不足が投資家に大きな損失をもたらしかねない。プレッシャーは大きいが、それをやわらげる方法をふたつ提案した。

ひとつは一点集中だ。もし仕事でいっぱいいっぱいになったら仕事の一部をほかの人に引き継げばいい。気が進まないかもしれない。成績が優秀な人はより多くの責任を進んで担おうとしがちで、引き受けたものを手放したがらない。しかし、会社の上層部が気にかけているのは、仕事がうまく遂行されることだけだ。多くを引き受けすぎてそれをだいなしにしてしまうのは、勇敢なことでも称賛すべきことでもない。自分ができることに集中してそれをうまく遂行し、残りは分担するほうがずっといい。

卓越を達成するためのふたつ目の方法は、必要に応じて助けを求めることだ。ブラックストーンはたくさんの取引を手がけたことのある人たちであふれている。夜どおし問題解決にとり組んでいるなら、もっとずっと短い時間で解決できる経験豊富な人が社内のどこかすぐそばにいる可能性が高い。車輪を一からつくりなおそうと時間を無駄にすることはない。まわりにはすでにできあがった車輪がいくらでも用意されていて、もっと速く、もっと遠くへ、新しい方向に回転してもらうのを待っている。

誠実については、評判と関連づけて話すのがいちばん説明しやすい。よい評判を得るには長い目でものごとを見ることだ。わたしはフィラデルフィア郊外で育ったころから、正直、勤勉、他者への敬意、有言実行という中産階級の価値観を守り、自分の評判を築いてきた。この価値観が単純に聞こえるとすれば、実際に単純だからだ。これより複雑なものはどれも仕事の罠や誘惑のただなかで見失ってしまう可能性がある。だから新しいアナリストへのわたしのメッセージは単純だ。わたしたちの価値観を守り、わたしたちの評判を危険にさらさないこと。

キャリアのなかで、わたしはウォール街の最悪の部分に触れてきた。誠実さをなくした人が自分自身や会社や家族に悲惨な結果をもたらすのを見てきた。一九八〇年代初頭にリーマンでM&A部門を率いていたとき、となりはデニス・レヴィーンのオフィスだった。デニスはバンカーで、子どもがいて、わたしたちみんなとなにも変わらないように見えたが、一九八六年にインサイダー取引、証券詐欺、偽証の容疑を認めた。デニスは計画中の企業買収に関する機密情報を入手し、標的会社の株を購入していた。買収が公表されると株が上昇し、デニスは多額の違法な利益を得た。もっとも有名な共謀者は三つぞろいのスーツのトレーダー、アイヴァン・ボウスキーだ。ボウスキーはウォール街の中心にすわったまま数百万ドルを荒稼ぎした。だれもがボウスキーと面識があり、話したことがあった。

一九八〇年代初頭のある日、わたしはボウスキーに四四丁目のハーバード・クラブで一杯やろうと誘われた。ボウスキーはリーマンの居心地はどうかと聞いてきた。わたしは仕事も取引の規模も気に入っていると答えた。するとボウスキーは「もっと金を稼ぐ気はないか？」と言いだした。わたしは十分に稼いでいるし、これからもっと稼ぐようになると答えた。「だが、もっとずっと早く手にしたくないか？」とボウスキーはたたみかけた。わたしは仕事の誘いだと思ったから、いまの職場に満足していると答えた。それでもボウスキーはこの気味の悪い不明瞭な提案をつづけた。「もっとたくさん稼ごうとは思わないか？」

とうとうわたしは、ほかに話したいことがあるかと尋ねた。ボウスキーはなにも言わずわたしを家まで送った。とくになんとも思っていなかったが、一九八六年にレヴィーンの証言によってボウスキーが逮捕されてぎょっとした。『ウォール・ストリート・ジャーナル』には、ボウスキーがべつの共謀者であるキダー・ピーボディ証券のM&A責任者マーティン・シーゲルをハーバード・クラブに誘いだし、例の奇妙なことばで誘ったという記事が出ていた。もっと早くもっと金を稼ぐ気はないか？

ボウスキー、シーゲル、レヴィーンに加え、もっと若手のバンカー、アイラ・ソコロウは全員服役した。しかしニュースを読んで、レヴィーンは内部情報の一部をわたしの机から直接得ていたにちがいないと気づいた。わたしのオフィスに入りこみ、情報をもちだし、ボウスキーにわたしていたにちがいない。

わたしはブラックストーンの一年目アソシエイトに警告としてこの話をする。ボウスキー、レヴィーン、ソコロウ、シーゲルは、わたしたちみんなとなにも変わらないように見えた。わたしたちのように歩き、話し、行動した。それでもこの四人はインサイダー取引で刑務所へ行った。彼らがやったことをブラックストーンでやる者がいれば、わたしがみずから刑務所へ連れていく、と警告することにしている。脅そうというのではない。この話をするのは役立ててもらうため、疑念の余地をなくし決断を容易にするためだ。

一九九一年期生を採用したとき、ピートとわたしは何十年も先を見越していた。この一期生がいつの日か会社をゆだねられる人材になるようにと願った。わたしたちが退いたあともブラックストーンを長く繁栄させてくれることだろう。一期生はわたしたちの未来を担っている。優秀なプレイヤーに育てるだけでなく、二期生、三期生とあとにつづく人たちの指導をまかせられるコーチに育ててあげようと考えた。情報体制の構築、新しい事業部門の立ちあげ、大幅な規模の拡大についてのわたしたちの持説は、この二〇代の若者たちがわたしたちの希望どおりの成果をあげてくれるかどうかにすべてかかっている。この賭けが正しかったかどうかは、時間だけが教えてくれるはずだ。

そして、この賭けが正しかったことが判明した。一期生やそのすぐあとにつづいて入社した社員の多くが長年ブラックストーンにとどまり、運用者や幹部として業界でも最大級の成功をおさめている。

Part 3
まがり角の先を見通す

SEEING AROUND CORNERS

第一二章　事業拡大

一九九四年にはラリー・フィンクはブラックストーン・フィナンシャル・マネジメントのために大きなファンドをふたつ設立し、約二〇〇億ドルのモーゲージ資産を運用していた。しかし、ＦＲＢが短期金利を予想以上に引きあげはじめたことで長期金利も急上昇し、多くの債券投資家が足をすくわれた。のちに「債券大虐殺」と呼ばれる市場危機で債券価格が暴落し、ラリーのファンドの価値が下落した。

ラリーは事業を売却しようと考えた。ファンドのひとつがまもなく満期を迎えるため、業績が下向いていることを考えると、投資家が再投資したがらないのではないかと懸念したからだ。わたしはラリーの説得を試みた。たしかにわたしたちは市場のほかの参加者と同様に厳しい状況にあったが、ラリーたちのチームは業界でほかをしのいでいるし、成長をつづけたいと話した。しばらくは業績が落ち投資家が償還に動いても、モーゲージ資産はいずれ回復すると確信していた。焦らずゆっくりやるようラリーに言った。時期が合えば資産や事業を売却するのは問題ないが、その時期ではなかった。手放さずにいればこの事業は巨大になる可能性があった。

しかしラリーを説きふせることはできなかった。「きみ自身よりわたしのほうがきみを信用しているのはどういうわけだ？」とラリーに尋ねた。ラリーは、自分にとってこの事業は自分の純資産の一〇〇パーセントを意味するがわたしにとっては一〇パーセントにすぎないため、リスク志向が異なるのだと言った。わたしたちは何カ月も行きつもどりつした。

もうひとつの意見の相違は、この事業の株に関するものだ。当初の契約では、ブラックストーン・フィナンシャル・マネジメントの株の半分をブラックストーンが保有し、残りをラリーたちのチームが保有していた。その後、それぞれの持分を四〇パーセントに引き下げ、残りの二〇パーセントを株として社員にわけあたえることに合意した。もしこれ以後さらに社員にわけあたえる必要があれば、ラリーたちの持分から出す、という取り決めになっていた。ところがまもなく、ラリーたちはブラックストーンにもっと持分をゆずるよう求めた。わたしはきっぱり断った。ラリーたちはすべての仕事をやっているのは自分たちなのにと激怒した。わたしはいったん契約を結んだらそれに忠実であるべきだと信じていたが、いまにして思えば、契約は脇においてラリーの要求に応じるべきだった。

ブラックストーン、ラリー、そしてラリーのチームは、ブラックストーン・フィナンシャル・マネジメント株の持分をピッツバーグの中規模銀行ＰＮＣに売却した。ひとつだけ笑えるのは、ＰＮＣに売却されるにあたって社名を変更することになったときのことだ。もう「ブラックストーン」を名乗るわけにはいかない。ラリーは新しい名前でなんらかの組織的なつながりを示す方法があると考え、「ブラックペブル（小石）」か「ブラックロック（岩）」はどうかと提案した。ブラックペブルは貧弱な感じがした。それでブラックロックに決まった。

この事業を売却したのは大いなる失敗だったし、責任はわたしにある。低迷していたラリーのファンドは一九九四年の最低水準から回復し、ＰＮＣはこの投資で巨額を儲けた。ラリーはわたしが常々彼ならやるだろうと想像していたことをなしとげ、業績のよい巨大な会社を築きあげた。世界最大の伝統的資産運用会社だ。ラリーとはよく顔を合わせるが、ほんとうに幸せそうだ。ブラックストーンとブラックロックがどう変わったかを考えると驚かずにはいられない。両社はもともと同じオフィスの少数の人間からはじまり、マンハッタンのミッドタウンで呼べば聞こえるような距離にある。いまもいっしょだったらどうなっていただろうとよく想像する。

もし一九九四年当時と同じ状況になったら、ブラックストーン・フィナンシャル・マネジメントを売却しない方法を見つけるだろう。ラリーは一〇点満点中一一点の人材だったし、ラリーの事業はまさにブラックストーンで構築したいと思っていた種類のものだった。収益性の高い巨大な事業になる可能性があっただけでなく、わたしたちがおこなっているあらゆることに情報をあたえ強化するような知的資本を生みだしていた。さらに、ラリーのスキルはわたしのスキルを補完するもので、ラリーは並はずれた人材であり経営者だった。わたしは非流動資産を専門とし、ラリーは流動性の高い証券にくわしかった。わたしたちは同じ会社で両方をやれたはずだ。

しかしわたしは経験の浅いCEOが犯すまちがいを犯した。互いのちがいを醸成させてしまったのだ。当初の取引条件を尊重することは道徳原則だと考えて、株式の希薄化に対して立場を変えなかった。しかしそうではなく、状況が変わりビジネスが非常にうまくいっているときには、臨機応変に対応しなければならないこともあると気づくべきだった。

＊＊＊

はじめてブラックストーンに事業部門を増やそうと考えたとき、どんな分野でもいいから参入しようとは思わなかった。事業それ自体が優れているだけでなく、その事業によって会社全体がもっと賢くなるようなものにしたいと思った。さまざまな事業部門からいろいろ学ぶほど、あらゆることがもっとうまくできるようになる。これは、ハーバード・ビジネス・スクールで教えているたったひとつのこと、ビジネスではあらゆるものがつながっているということでもあった。わたしたちは他社とはちがう独特な見方でチャンスや市場を見ることになる。視野が広がり深まる。会社に流れこむ人力が増えるほどわたしたちは知識を深め賢くなり、より優れた人材がいっしょに仕事をしたいと思うようになる。

一九九八年、わたしたちはヨーロッパで最初の大きな取引をおこない、イギリスのサヴォイ・グループを買収した。ロンドンの四つの高級ホテル、サヴォイ、クラリッジス、バークレー、ザ・コノートの所有者だ。当時ロンドンには社員を常駐させていなかったし、所有者たちが長年争っていたため扱いづらい取引だった。そういうわけで契約のためにわたしがロンドンへ飛んだ。契約のあとメイフェアにあるクラリッジスへ行ってみた。ソファに腰をおろすと、ソファが沈みすぎて膝が耳のあたりまで来た。これはどうしても全面改修が必要だ。

そんなことをするのはいったいどこのどいつだ？　イギリスのマスコミは国宝をめちゃくちゃにする野蛮なアメリカ人としてわたしたちを迎えた。故エリザベス皇太后お気に入りでロンドンでも指折りの壮麗な伝統あるホテル、クラリッジスをどう改装するかによって、ロンドンでの評価が決まることはわかっていた。みごとな仕事をしてみせれば、ロンドンでの未来は格段に安泰になるだろう。どんな広告よりも効果がある。これは非常に重要なことだと思ったので、再生と改装を監督する仕事を買ってでた。美しいものの創造にかかわるのは嫌いではない。

イギリス人を満足させるいちばんよい方法は、ホテルの改装にイギリス人の室内装飾家を雇うことだと思った。わたしはアナベルズやハリーズ・バーといったロンドンで人気のおしゃれなクラブやレストランをつぎつぎに生みだしたマーク・バーリーに電話をかけ、クラリッジスにクラブを開かないかともちかけた。バーリーは「わたしは恐ろしく理不尽だから」と警告してあきらめさせようとした。ロンドンのハリーズ・バーを手がけたとき、ある業者がメインダイニングルーム用の壁灯をまちがえて注文とはちがうものを送ってきたそうだ。プロジェクトはすでに予定より数カ月遅れていて、バーリーの家族も共同事業者もとにかく完成を急いでいた。だれもがとりあえずなにかかわりのものをつけるよう催促し、たかが壁灯のためにオープンを遅らせるなと言った。しかしバーリーは頑として動かなかった。すべてが完璧になるまでオープンするわけにはいかなかった。「大赤字を出したよ」バーリーはわたしに言った。「だが金のことなどどうでもいい。わたしがこだわるのは完璧さだ。そのせいでものの見方があやうくなる」。わたしは楽に生きるより卓越性をとる選択は理解できると伝えた。

そこで今度はイギリスの一流室内装飾家五人の名前を調べ、センスの良し悪しを知っていそうな社交界の女性審査員団の前でプレゼンテーションをしてもらうことにした。室内装飾家と審査員団を一堂に集めるのに九カ月かかった。プレゼンテーションの日の最後に、わたしは審査員団に投票で決めようと提案した。審査員のひとりが手をあげ、だれかひとりに必ず投票しなければだめかと言った。これが満場一致の意見だった。審査員たちはどのプレゼンテーションにも不満だった。

翌日、審査員のひとりでわたしの友人でもあるドリット・ムサイエフから電話があった。わたしに必要なのはそもそもイギリス人ではないと彼女は言った。その人はフランス人でニューヨークに住んでいるという。ロンドンのイギリス的なホテルにとって理想の出自ではないと思ったが、わたしは行きづまっていた。

数日後、ティエリー・デポンがわたしのオフィスへやってきた。一分の隙もない服装でうっとりするほどのフランス人ぶりだった。ティエリーは自分のデザインの本を二冊差しだして言った。「ティエリーはオーディションを受けない。採用したいのならただ採用しなさい。それとわたしは商業的な仕事はしないから、このプロジェクトはふさわしくない」

　当然ながら興味をそそられた。普段とはまったくちがう種類の交渉になりそうだったので、この手ごわいファサードをくぐりぬける方法を見つけようと探りを入れはじめた。商業的な仕事をしないのなら、ティエリーはなにをするのかと尋ねた。

「大きい邸宅を手がけている。いまやっている邸宅の書斎はゼ、・クラリッジ・ホテルのロビーより広い」ティエリーはさらに力説した。「わたしは予算なしで働く」

「それは楽しそうですね」

「とても楽しいよ」

「ちょっと聞きたいんですが、商業的な仕事をしたことは？」

「ある。友人のラルフ・ローレンのためにね」。ラルフはニュー・ボンド・ストリートの店舗を改装したとき、ザ・コノートの吹き抜け階段を模倣するようティエリーに依頼していた。「わたしはラルフに、ゼ・コンノートの吹き抜け階段を模倣することはできないが、吹き抜け階段のエッセンスをとり入れることならできるかもしれないと話した」。そのエッセンスづくりのためにニューヨークとロンドンをたびたび行き来し、一七回にわたって「ゼ、・クラリッジ」に滞在したそうだ。そこはジョージ王朝様式とビクトリア朝様式が混在する「ごちゃごちゃしたホテル」で一体感に欠けていた。ティエリーは頭のなかでホテルを全面改装したという。「それがわたしの考えかただからね。どこかに滞在すると、どう改良すべきかをいつも考える」

　知らない人との会話では、共通の土俵に立てる場所が見つかるまで常に辛抱強く質問しつづける必要がある。ティエリーが頻繁にクラリッジスに滞在しただけでなく、そのデザインについても考えていたと聞いて、商業的な仕事はしないと最初にくぎをさしてきたのがほんとうでも、今回の状況にはあてはまらないのではないかと気づいた。世論の冷たい反発にあう可能性もあるクラリッジスの改修を手がけるのに必要な自信がティエリーには備わっていた。こうなったらティエリーを説得するしかない。

「商業的な仕事はしないということですが、これは仕事でさえないかもしれませんよ」とわたしは言った。「だって、あなたの頭のなかにはもう改装のデザインができあがっているんだから」。そればかりか、これは室内装飾家にとって最高の宣伝になるはずだ。建築家や室内装飾家は大勢知っていたが、ティエリーのことはそれまで聞いたことがなかった。ひとつのプロジェクトでティエリーの評判は一変するかもしれない。「ロンドンをおとずれる裕福な人たちはみんなあなたがクラリッジスを手がけたことを知るでしょうし、気に入ればあなたを雇いたがるでしょう」

「考えてみよう。また連絡する」

二週間後、ティエリーはふたたびオフィスへやってきて言った。「きみが言ったことを考えてみた。やるのはむずかしくないと思う。いいプロジェクトかもしれない」。わたしはストーリーボードかスケッチがあれば見せてほしいとたのんだ。「ティエリーはそういうやりかたはしない。ルールはこうだ。色やコンセプトについてきみと相談して、わたしの考えを見てもらう。わたしが説明をするから気に入ったかどうか教えてほしい。協力して進めよう。だめなことには反対してくれていい。べつの解決策を考えてくる」

ここでわたしは不意打ちを食らわせた。ホテルの買収にどれだけ大金をつぎこむことになったかを考えると、報酬の高い室内装飾家に支払うだけの余裕はもうほとんどなかった。わたしたちはこの買収からなんとか利益を引きだそうとしていたので、わたしたちにとってこの金は重要だが、ティエリーにとってはそこまで重要ではない。このホテルはティエリーにとってとてつもない宣伝になるはずだ。どちらにとっても公平で最適な結論だ。

「きみはだれにでもそんなふうなのか？」ティエリーが言った。

「この状況にかぎってはこれが現実なんです」

「出すべき唯一の答えはノーだ。だがイエスと言うよ」

ティエリーはみごとにしあげてくれた。改装からまもなく、ロンドンに住む亡命中のギリシャ国王から手紙が届いた。わたしたちがクラリッジスを買った直後、ギリシャ国王はイギリスの新聞のひとつに投書し、この粗野なアメリカ人が自分のお気に入りのホテルをだいなしにするだろうと憂えていた。今回、わたしたちとフランス人室内装飾家が完成させたものを見て、自分がまちがっていたと伝えるためにわざわざ手紙を書いてくれたのだ。

＊＊＊＊

ロンドンでのホテル買収の成功は、はじめての国外支社をロンドンにおくことに決めた理由のひとつだ。一九九〇年代後半には、多くの競合他社が国際支社を開設しはじめた。世界的に事業を拡大するいちばんの根拠は、より多くの投資機会への道が開かれることだ。新しいファンドを立ちあげ、投資家に報いる新しい方法を見つけられる。アメリカが不況に陥っても、ヨーロッパなどの先進国市場やアジア、ラテンアメリカ、アフリカなどの新興市場に目を向けることができる。しかし、サヴォイ・グループの買収など国外でいくつか取引をはじめてはいたものの、ふたつの理由から国外進出を加速させることには慎重だった。

第一の理由は、わたしたちのもっとも重要な投資ルール、損失を出さないことだ。扱うべき取引が豊富にあるアメリカにいるのは居心地がよかった。リスクを理解していたし、リスクを最小限におさえる方法も知っていた。新しい市場では、ゼロからはじめて多くのことを学ばなければならない。

第二に、国外進出はエッジコムの買収後につくりあげた投資決定プロセスをあやうくするおそれがあった。投資決定プロセスの成功は、同じ人たちが一堂に会して何十件もの取引を時間をかけて精査し、互いの確信の度合いを読みとることにかかっている。わたしは結論を出す前に、取引について本人から直接説明を聞く必要があった。声の微妙な調子を聞きボディランゲージを見れば、その人がことばにしていることと同じくらい多くを読みとることができる。世界中に散らばった支社からの電話で話をするだけでは、投資決定プロセスの厳格さを保てない。わたしの考えを変えたのはテレビ会議技術の進歩だ。二〇〇一年には何千キロも離れた人とリアルタイムで対話できるようになった。その年、ロンドンに支社を開設した。

イギリスは、プライベートエクイティの最初の外国拠点として当然の選択だった。欧州連合でもっとも活発な取引をおこなう国でもあったし、わたしたちもチームを派遣せずにサヴォイ・グループなど何件かの取引をすでにおこなっていた。言語、法制度、ビジネスをする全般的な環境のおかげで、アメリカ企業は進出しやすかった。とはいえなにか自分たちを際立たせるものが必要だと考えた。イギリスにいるアメリカの取引交渉人を見ると、みんなオーダースーツと靴でイギリス人になりすましていた。ヨーロッパ人はといえば、何世紀にもわたる敵意を燃やしていた。そこでわたしたちは平然とアメリカ人でいること、平然とブラックストーンであることが自分たちの強みだと判断した。ビジネスをするために現地にいる紛れもないアメリカ人だ。文化的な固定観念なしにアメリカの金やアメリカのビジネスのノウハウへの橋わたしをする。

ほとんどの企業は新しい事業をはじめるとき、貫禄があり経験豊富な上位の役職者を責任者にすえる。わたしたちは成長への野心と企業文化を維持する必要性とを天秤にかけ、企業文化を体現する人材を派遣するほうがはるかに重要だと判断した。わたしたちが全幅の信頼をおける人物、ブラックストーン内で独自の事業を立ちあげたがっている人物だ。

デイビッド・ブリッツァーは一九九一年にウォートン・スクールを卒業してすぐに入社したＭＢＡ卒業組一期生のひとりだ。わたしが投資案件についてくわしく知りたいとき電話をかけて驚かせていた若手アナリストのひとりでもある。コカ・コーラ、ハンバーガー、ニューヨーク・ヤンキースが大好きで、オーダースーツは決して着ない。感じがよく社交的で、頭が切れ、起業家精神に富んでいる。

唯一の問題はデイビッドに行く気がないことだった。デイビッドと妻のアリソンは新婚でまだ子どもがいなかったので、イギリスの医療事情を心配していた。そこでクリスティーンとともにセントラルパーク・サウスのフランス料理店へふたりを連れていった。わたしはデイビッドとアリソンに、ふたりが望むどんな医療も一時帰国してアメリカで受けられるようにするし、子どもが生まれるときは一カ月前にふたりを呼びもどすと約束した。当時の会社にとっては多額の費用だったが、どうしてもデイビッドに赴任してもらいたかった。わたしはふたりに、ロンドンへ引っ越したことのある知り合いはみんなロンドンを気に入っていると請けあった。そしてふたりは旅立っていった。

デイビッドは同行する同僚にジョセフ（ジョー）・バラッタを選んだ。ジョーもモルガン・スタンレーで働いたあと二〇代でブラックストーンに入社した若手だ。ジョーは起業家精神が強く、金融だけでなくビジネスにも魅力を感じていた。非道なパートナーのもとで鬼のように働かされた社員のひとりだ。しかしそれを乗りこえよい評判を築きつつあった。デイビッドと同じようにジョーもわたしたちの投資決定プロセスと文化を直感的に理解していた。

ロンドンに到着したデイビッドとジョーは、資本はあってもオフィスがなく、KKRから又借りした窮屈なスペースで仕事をはじめた。ふたりはプライベートエクイティと不動産の両分野にわたるブラックストーンのユニークな専門知識を足がかりに、つぎつぎに取引を手がけた。パブ、ホテル、テーマパークを購入し、ヨーロッパのほかの地域にも進出した。創造的に精力的にとり組み、会社の歴史のなかでもとくに成功した取引をいくつか手がけ、会社の柱である文化と規律を犠牲にすることなく、最初の国際拠点を築いた。結局、デイビッドとアリソンはロンドンで五人の子どもをもうけた。

同じころ、ニューヨークでも事業拡大が進んでいた。わたしは陸軍予備軍時代からの知り合いでリーマンでもいっしょに働いたJ・トミルソン（トム）・ヒルに指示して新しいヘッジファンド事業であるブラックストーン・オルタナティブ・アセット・マネジメント（BAAM）を立ちあげた。トムはこの分野に進出しつつあったわたしたちの業務を引き継ぎ、世界のヘッジファンド業界最大の投資一任会社に育てあげた。当初一〇億ドルに満たなかった運用資産は、トムが引退した二〇一八年には七五〇億ドル以上になっていた。

＊＊＊＊

デイビッドとジョーがロンドンに到着してから一年のうちにロンドンの共有オフィスは手狭になってしまった。市場に参入すると、採用する人材から借りるオフィスにいたるまで、なにかを選ぶたびにシグナルを発することになる。そのシグナルはブランドの重要な要素だ。新しいヨーロッパ本部はわが社の価値観——卓越と誠実、そしてわたしたちが雇用する人たちやわたしたちに出資してくれる人たち、すべての関係者への配慮——が感じられるものにしようと決めていた。

休暇でフランスにいたとき、本部オフィスを探すために雇った不動産業者から電話があり、見てもらいたい物件がロンドンに五件あると言ってきた。わたしはジーンズとポロシャツのままロンドンへ飛び、物件を見てまわった。五件とも薄暗くてみすぼらしく、天井は低いし窓も小さかった。わたしはどれもひどすぎると文句を言った。不動産業者は、シティ以外で探すとなるとロンドンにはこれ以上の物件はないと言った。いまでも覚えているが、オールバックで、細身の青いチョークストライプのスーツに身を包み、ウィングチップの革靴についている金具が歩くたびに音を立てていた。

しかし、車でセントラル・ロンドンのメイフェアを走っていたとき、バークレー・スクエア沿いの建設現場が目についた。一等地だ。

「あれはどうかな？」わたしは不動産業者に尋ねた。

「あそこはだめですね」と不動産業者は言った。地面には穴があいていた。所有者は建物が完成するまで賃貸契約を結ぶのを拒否しているという。それでもぜひ見てみたいとわたしは主張した。

車を止めて建設現場の事務所へ行ってみると、現場責任者がいた。わたしは現場責任者にものすごいプロジェクトにとり組んでいるようですねと話しかけた。現場責任者はみんな誇りをもって働いていると答えた。わたしは所有者について尋ねてみた。保険会社なのか、数人の才気ある起業家なのか知りたかった。所有者は保険会社だという。

当時、ロンドンの不動産価格は下落しているようだった。賃貸料は一平方フィート（〇・一平方メートル弱）あたり六〇ポンドまでさがっていた。おそらく所有者は一平方フィートあたり七〇ポンドの賃貸料を見こんで着手したのだろう。このまま相場がさがりつづければ、このビルはすぐに赤字プロジェクトになる。わたしは建物の少なくとも半分を一平方フィートあたり八〇ポンドで借りうけたいと所有者に伝えてくれるよう現場責任者にたのみこんだ。わたしが半分に八〇ポンド払えば、世界が崩壊でもしないかぎり所有者は残りの半分を六〇ポンドで貸しだしても、全体として一平方フィートあたり七〇ポンドを得ることができる。

「自分がまともなビジネスマンに見えないことは承知している」わたしは現場責任者に言った。「だが、わたしには相談すべき上司はいない。わたしが八〇ポンド払うと言えば、それで決まる。まちがいなく払う。だから所有者に伝えてほしい。もし半分以上のスペースを借りたほうがよければ、そうするつもりだ」

車にもどる途中で不動産業者がわたしのマナーを非難しはじめた。所有者にはまだ賃貸契約を結ぶ気がないのだという自分の話を無視して時間を無駄にしただけでなく、この建物にオフィスを開設するチャンスまでだいなしにしたと責めた。幸いなことに、不動産業者はどちらについてもまちがっていた。翌日、所有者からわたしの提案が気に入ったと連絡が入った。わたしたちは半分のスペースを確保できることになった。現在、ひとつの階をのぞいてあとは全部わたしたちが使っている。

わたしは完璧といえないオフィスは絶対に選ばないと決めていた。最高の人材をひきつけ、わたしたちの実力に対する顧客の確信が深まるような美しい空間をもつことは、契約を結ぶために少しばかり余分にかかる費用をはるかにしのぐ価値がある。そして、欲しいものを手に入れる最良の方法は、それをあたえることのできる立場の人がなにを考えているか理解することだ。家賃がさがっていくという開発業者の不安に対処することで、欲しかったスペースを確保できた。

最初は社内の施設部門に室内装飾をまかせた。施設部門は設計会社を雇い、その会社がニューヨークまでプレゼンテーションをしにやってきた。巨大な天然木材をロビーにおくという案だ。それではまるでアウトドア用品を扱うティンバーランドの店舗だ。

「うちは靴屋じゃないんだぞ」とわたしは言った。「ぜんぜんだめだ」

「どこがだめですか？」

「全部だよ」

「やりなおします」

「いや、無理だ。このデザインを出してきたということは、やりなおせないということだ。コンセプトが完全にまちがっている。やりなおす必要はない。中途半端になおすことはできるかもしれない。だがここでけりをつけて、つぎに進むべきだと思う」

オフィスの優れた特徴のひとつは広さと大きな窓だ。わたしはニューヨークに住む知り合いの室内装飾家スティーブン・ミラー・シーゲルをロンドンに送りこんだ。今日も世界中のわたしたちのオフィスは彼が提案した美しいデザインで統一されている。ウォールナットのパネルにステンレスの細い帯が走っている。ロンドンとニューヨークの唯一のちがいは明かりだ。明かりに合わせてカーペットをわずかに変え、見た目には同じに見えるようにしている。これほどきれいな内装は金融業界ではまずお目にかかれない。当時は目を見張るものだった。

リーマン時代、自宅にいる時間よりオフィスにいる時間のほうが長いことに気づき、美しい環境にしたいと思った。美しい環境は気分を明るくしてくれた。ブラックストーンの全員にも同じものを用意したいと考えた。ぬくもり、気品、簡素さ、調和、そして大きな窓から差しこむ自然光。ブラックストーンのオフィスに出勤する人や会議のために来社する人が、わたしと同じくらいこの体験に心を震わせてくれればうれしい。

＊＊＊＊

二〇〇四年のある夜、わたしはフランス東部を旅していた。運転手は英語が話せず、わたしはヨーロッパ旅行で疲れていた。携帯電話が鳴り、人材スカウトだという女性がワシントンにあるケネディ・センターの会長職に興味はないかとたずねてきた。

これには驚いた。当時わたしは、ケネディ・センターがなにをしているのかさえ知らなかった。人材スカウトの話では、ニューヨークの総合芸術施設リンカーン・センターのワシントン版だという。パートタイムの役職だった。舞台芸術はとても好きだが、ブラックストーンの経営というフルタイムの仕事があるからと断った。しかしとにかく情報を送るからと食いさがられた。

数日後、ロナルド・レーガンの大統領首席補佐官だったケネス（ケン）・デュバースタインから電話がかかってきた。ケネディ・センターはジョン・F・ケネディ大統領に敬意を表して名づけられた場所で、ワシントンでさまざまな人に出会えるすごいところだという。役員には閣僚もいるし、大統領が来たときには会うこともできる。ロビー活動は認められていないのでセンターは超党派的だ。ワシントンの社会の中心でもある。会長の役割は、ワシントンのさまざまな世界――政治、ビジネス、法律、文化の世界――をつなぎ、アメリカや世界の最良のものをこの中心に連れてくることだ。

わたしは常に政治に魅せられてきた。高校時代に生徒会選挙に立候補したときも、アヴェレル・ハリマンに助言を求めたときも、リーマンを辞める準備中にホワイトハウスで面接を受けたときもそうだ。ブラックストーンの視点から言えば、ますます増える規制や課税をめぐる問題に直面していた。投資家のなかに州や国や国際的な投資基金もふくまれるようになり、あらゆるレベルの政治がますます業務に深くかかわるようになった。ワシントンに役職をもてば、新しい人たちと出会いもっと学ぶことができる。ワシントンに住む古い友人であり劇作家で小説家のジェーン・ヒッチコックに電話をして意見を求めた。「スティービー」とジェーンは言った。「ぜひともやりなさい」

ケンが評議委員会との会合を手配してくれた。わたしは評議委員にセンターの目的、課題、会長に求められることなどを尋ねた。その後ケンから電話があり、評議委員会が驚いていたと聞かされた。自分たちが面接する側で質問するものと思っていたのに、反対にわたしのほうが質問したからだ。わたしは学ぶことが目的だったとケンに話した。自分がその仕事に適しているとアピールしたかったわけではない。ブラックストーンで面接するときと同じことだ。双方が互いに気負わず心を開き率直であれば、ぴったりくるかどうか自然にわかる。評議委員会との会合ではぴったりくるものがあるように思った。

つぎにケンは、エドワード（テッド）・ケネディ上院議員に会えと言った。テッドはケネディ家を代表して新しい会長を承認する役目を担っていて、ニューヨークまでわたしに会いにきてくれた。一九六〇年代に兄のジョンとロバートが暗殺されたあと、ケネディ家は一家のもつ公共の遺産を分割したそうだ。テッドがケネディ・センターを管理し、ジョンの娘のキャロラインがボストンにあるジョン・F・ケネディ図書館を管理していた。

「ケネディ・センターについてひとつ決めていることがある」とテッドは言った。「わたしはきみをサポートし、きみが必要な資金を議会から確実に得られるようにする。たとえきみが失敗してもサポートする。ワシントンでなにか必要なものがあれば連絡してくれ。わたしがなんとかする」。わたしはもっとややこしい政治的ななにかがあるものと想像していた。テッドの約束はわたしの背中を少し押してくれた。

もうひとつお願いが、とわたしはテッドに言った。キャロラインを巻きこみたいと思った。キャロラインは次世代のケネディ家を代表していたが、ケネディ・センターには決して顔を出さなかった。テッドはキャロラインに話してみると約束した。数日後、キャロラインから電話があり会うことになった。わたしはケネディ・センターの変化とあらたな息吹の象徴になってほしいとたのんだ。キャロラインがみずからやりたがることではないとわかっていたが、ケネディ・センターのためになることだった。キャロラインなしではこの話は飲めないと思った。うれしいことにキャロラインは同意し、ケネディ・センター名誉賞の式典を毎年放送するテレビ番組に母親の有名なダイアモンドのイヤリングをつけて登場するようになった。

また、ケネディ・センターのおかげでイェール大学でひとつ上の学年にいたジョージ・W・ブッシュとも旧交を温めることができた。一九六七年のペアレンツデー（父母参観会）で、四一代目大統領になったジョージの父親に会ったこともあった。わたしの会長就任を記念して、大統領夫人のローラ・ブッシュがホワイトハウスの居住区で昼食会を開き、昼食会の最後にケネディ・センターを模したケーキを出してくれた。建物の部分はチョコレートでコーティングされ、舞台はシャーベット、オーケストラの団員は桃のスライス、観客はラズベリーでできていた。べつのおりにホワイトハウスをおとずれたとき、催しがはじまるのを待つあいだジョージとふたりきりで話す機会があった。

「どうやってここに来た？」わたしは尋ねた。

「え？」

「どうやってここに来たんだ？」

「わたしは大統領だ。だからここにいる」

「いやそうじゃなく、いったいどうやって大統領になったんだ？」

ジョージは笑って同意した。もしだれかが一九六〇年代後半にイェール大学でふたりのどちらかに会っていたら、何十年かたってわたしやジョージがエスタブリッシュメントの柱としてホワイトハウスにいるのを見てさぞ驚いたことだろう。この再会は思わず頬をつねりたくなる瞬間だったし、人生の早い時期に偶然出会った人にひょっこり出くわす驚きを改めて感じた。

定期的にワシントンですごすのは、想像していた以上に充実していた。最高裁判事から連邦議会の指導者や行政府の関係者にいたるまで、政府のほとんどすべての重要人物に会う機会に恵まれた。

会長の役割はわたしのなかのプロデューサー魂を満足させた。ケネディ・センターにいるときはいつも、舞台にあがって公演を紹介しなければならなかった。授賞式では受賞者を迎えもてなした。在任中の受賞者にはドリー・パートン、バーブラ・ストライサンド、エルトン・ジョンなどがいる。しかしわたしにとっての山場は、二〇〇五年にティナ・ターナーにケネディ・センター名誉賞を授与できたことだ。大学時代からティナの音楽が大好きだった。そのティナともう四人の受賞者を週末を通しておこなわれる式典の主催者としてもてなすことができた。ティナは親友のオプラ・ウィンフリーを同行し、オプラは国務省でのイベントでティナへの乾杯の音頭をとった。一行でホワイトハウスを見学してまわるあいだ、ティナは思いのほか小さな声で「まさかわたしがホワイトハウスにまでたどりつくなんて」と言いつづけていた。ケネディ・センターでおこなわれた祝賀公演では、ティナとアイケッツの衣装として有名になった短いドレスを着たビヨンセとバックコーラスグループが「プラウド・メアリー」を歌った。ほかの受賞者や大統領といっしょにバルコニー席で見ていたティナの目には涙が浮かんでいた。

その夜から数年後、ニューヨークの四二丁目にあるチプリアーニのチャリティイベントで、近くのテーブルからだれかが手を振っているのに気づいた。照明のせいでだれなのかよくわからなかったが、妻に言われてあいさつをしにいった。ビヨンセと夫のジェイ・Zだった。数分だったが二〇〇五年の祝賀公演の思い出話に花が咲いた。ビヨンセにとってもわたしと同じくらい記憶に残る特別な夜だったという。わたしは信じられない思いで首を振りながらテーブルにもどった。わたしはなんてすばらしい人生を生きさせてもらっているのだろう。

たとえ自分の行動指針に完全に合致することでなくても新しい経験には常に心を開いておくことが大切だ。わたしはケネディ・センターの会長を引き受けたおかげで、組織の運営、資金の調達、人材の採用といった自分の経験を生かし、重要なアメリカの文化施設に還元することができた。その見返りとして、ワシントンについてもっと学び、コメディ、演劇、音楽、映画、テレビ、オペラ、ダンスなど、エンターテインメント業界のほぼすべての分野で、あらたにおもしろい関係を築くこともできた。さまざまな芸術形式のスター、監督、振付師、音楽家、作家に出会えたのもそのひとつだ。金融業界の人間にとって、ケネディ・センターの会長を務めることは一生に一度のよい機会だった。当時は知らなかったが、ここで築いたつながりはやがてわたしにとってとてつもなく重要なものとなり、将来この分野の施設を立ちあげる機会にもつながっていく。

第一三章　必要なときは助けを求める

会社が急速に成長するにつれ、無欠陥（ZD）を目指す企業文化を維持し、事業拡大にうまく対処する負担が増大した。二〇〇〇年にはピートは七〇代後半になり、ほとんどの時間をワシントンでの外交問題評議会の運営と国内外の経済問題への対応に費やすようになっていた。ふたりで会社をはじめたとき、ピートは投資分野にかかわるつもりはないと宣言していた。かわりに資金調達を手伝い、アドバイザリー業務にかかわりつづけ、力になれることがあればなんでもすると言っていた。会社が大きくなってもなんでも自分でやろうとするわたしを見て、ピートはわたしに忠告した。「スティーブ、そのままでは命を落とすぞ。働きすぎだ」。ピートの言うとおりだった。日々の経営はわたしの強みではない。助けが必要だった。

ジミー・リーと知り合ったのは一九八〇年代後半だ。はじめてのLBO案件となったトランスターのための融資をたのんだのがジミーのいるケミカルバンクだった。それ以来、いっしょに多くの仕事をしてきた。ジミーは並はずれて精力的で、誠実さの見本であり、すばらしい友であり、わたしが信頼をおく男だ。資本市場、M&A、LBOにくわしく、優れたセールスマンでもあった。ジミーとならブラックストーンで多くのことをなしとげ、しかも楽しくやっていけると思った。

最初にこの件を話し合ったとき、ジミーは心ひかれる話だが同僚を残してJPモルガンを去るのはむずかしいと言った。わたしは考えてみてくれるようたのんだ。それからしばらくしてジミーがふたたびやってきた。「やらせてくれ。変化を起こしたい」

法的な取り決めについて交渉していたとき、JPモルガンのCEOでやはりすばらしい友人でもあるビル・ハリソンから電話があった。「きみとの話し合いのことでジミーがわたしのところへ来たよ。わかっていると思うが、ジミーを思いとどまらせるのがわたしの仕事だ」

「もちろんだ、ビル。わかっている」とわたしは言った。「ジミーは信じがたいほどきみたちに忠実だ。ジミーにはわたしのことは気にせずじっくり考えてくれと言ってある。自分が人生でほんとうにやりたいことはなにかという問題だからね。たんなる仕事の問題じゃない。ブラックストーンがわたしの人生であるように、JPモルガンはジミーの人生だ。ジミーが自分で答えを出すしかない」

「ジミーがどんな答えを出すにしても、きみもわたしも受け入れるしかない」ビルは言った。「ただ、ジミーと話をしたときみに伝えておこうと思ったんだ」

数日後、わたしはフロリダ州サラソタのザ・リッツ・カールトンにいた。ジミーとブラックストーンのあいだの法的取り決めと報道発表が最終的に決まった。翌日発表することになっていた。ベランダをぶらぶらしていたとき携帯電話が鳴った。

「スティーブ」ジミーが言った。「わたしにはできない」

「できないって、なにが？」

「わたしにはJPモルガンを辞めることはできない。期待を裏切ってほんとうにすまない。きみはわたしに必要なものをすべて用意してくれたし、わたしはやると答えた。でも、やはりどうしてもできないと気づいたんだ」

「ジミー、わたしたちは何カ月も話し合ってきたし、きみにやってもらいたいと心から思っている。だが、最初に言ったとおり、これはきみが決めることだし、きみの人生だ。感情的になる必要はない。来てくれるなら心から納得したうえで来てくれ。それが無理なら来るべきじゃない。わたしに申しわけないからという理由で来るのは絶対だめだ。もっと考える時間が必要ならもちろん待つよ」

「いや」ジミーは言った。「よく考えた。JPモルガンに残るよ」

挫折と失望は大きかった。しかしわたしはジミーの強さも弱さも知っていた。あらゆる意味でウォール街の支配者だったが、根は正義感の強い謙虚で義理がたいカトリックの少年だった。

べつの人材を探すエネルギーを奮いおこすのに一年かかった。人材スカウト会社から届いたリストには嫌になるほど見慣れた名前が並んでいた。二、三の新しい名前のうち、ひとつが目についた。一〇年ほど前、わたしたちはシカゴ・アンド・ノース・ウェスタン鉄道を一六億ドルで買収することに合意した。わたしの最初の雇用主だったDLJが購入価格の一部を支払うためにつなぎ融資をしてくれた。わたしたちはつなぎ融資を返済するために社債を発行することになっていた。しかし一九八〇年代後半に信用がひっ迫したせいで、市場が大暴落する前に取引を完了させるためだけに、社債に予想以上に高い金利をつけなければならなくなった。

ある暴風が吹き荒れる早朝、わたしは数時間後にロンドン行きの飛行機を控えていた。その前にピートとロジャー・アルトマンと三人でDLJのチームと向かいあってすわり、金利について議論した。DLJは無制限の変動金利を望んでいた。わたしは反対した。会社が苦境に陥った場合、理論上は利率が極端に高くなる可能性があるからだ。DLJはこれに対して、ウォール街の専門家が公正だと判断する水準にもとづいて変動金利の上限と下限を設定することを提案した。わたしは金利がさがることなど決してなく、上限いっぱいまであがるだけだとわかっていた。DLJはどうしても社債を売る必要があると主張した。わたしたちは確実に返済するために低い金利に固定したかった。いっこうに結論が出ないまま、飛行機の時間が――悪天候で変更にならなければ――迫っていた。

「一〇〇万ドル賭けてもいい。上限金利をいくら高く設定しても、結局そこへいきつくに決まっている。だれかこの賭けに応じる人はいるか？」わたしはだれも応じないことを百も承知で尋ねた。だれも手をあげない。

「五〇万ドルだったら？」

だれも応じない。DLJ側は、自分たちの提案している条件でこちらが犠牲になることをわたしが知らないと踏んでいた。上限を設けずに社債を売る自信がなかったのだ。

「一〇万ドルならどうだ？　いない？　一万ドルで乗る人は？」

ひとりが手をあげた。ハミルトン（トニー）・ジェームズだった。結論を言うと、わたしはDLJ側の望む条件に同意したが、案にたがわず社債はやがてリセットされ、金利は上限に達した。わたしはトニーに約束の一万ドルはニューヨーク・シティ・バレエ団に寄付してくれと伝えた。そして、トニーのことをたったひとり会社の立場を守る心がまえができていた人物として記憶にとどめた。

わたしは人材スカウト会社にトニーの資料をたのんだ。トニーはDLJでコーポレートファイナンス部門とM&A部門を率い、プライベートエクイティ部門を立ちあげていた。過去一〇年間、DLJは非常に高成績のPEファンドを運営していたが、トニーは引き金を引くかどうかの最終判断をくだす運用責任者を務めていた。わたしたちがブラックストーンでやってきたことをトニーはDLJでやっていた。多くの場合、トニーのほうがうまくやった。わたしはトニーを自宅へ夕食に招いた。

トニーは背が高く品がよく控えめだ。ボストンの裕福な郊外で育ち、ずっと一流の学校に通っていた。ほとんどの職業人生をDLJですごしていたが、DLJがクレディ・スイスに買収されて以来、不満をもつようになった。わたしもリーマンが売却されたとき同じような経験をしたので気持ちが理解できた。トニーは新しい階層制や官僚制を嫌った。ＤＬＪでの成績はめざましかったが、それを自慢することはなかった。自分がなぜ、いつ、なにをしたか、事実を明快に話した。

それから数週間にわたり打ち合わせと食事を重ねた。通常の採用過程をはるかに超えて互いを知り合うことができた。この判断はこれまでにおこなったどの採用判断より重要なものになると思った。わたしたちは興味深い取引について、複雑さや判断、なぜあちらでなくこちらを選んだのか、それは正しかったのかまちがっていたのかを話しつづけた。ふたりともかかわっていない取引について、それがどのように扱われたかを語りあった。トニーはどう思ったのか。わたしはどう思ったのか。どう扱うべきだったのか。わたしたちはほぼすべてのことで意見が一致した。

わたしはディック・ジェンレットをはじめＤＬＪの数人の旧友に電話した。みんな口裏を合わせたかのようだった。「トニーはきみにぴったりだ。まちがいない。ＤＬＪでいちばん頭の切れる男だ。仕事への熱意にあふれ忠実で勤勉。あんなに熱心に働く奴はいない。政治的なところはこれっぽっちもない。きみとは理想的な組みあわせだ。決してきみの足をすくうようなことはない。ほんとうにすばらしい相棒になるはずだ」。わたしは友人を信じ、トニーを信じ、自分を信じた。心は決まった。

話し合いがすんだとき、わたしはトニーに言った。「きみとはほとんどあらゆることで意見が合う。だが意見がわかれそうなことがひとつだけある。わたしは大きいことだけをやりたい。道からそれるのは好きじゃない。でかいチャンスをとらえて、それを実現させるのが好きなんだ。きみはちがう哲学をもっている。きみはうまくいく仕事をするのが好きだ。でかいことも小さいこともする。十分に練りあげられていて、自分が成功させられるものなら、規模なんて気にしない。きみは不満をもつだろう。大きな結果につながらない仕事、自分なら段取りをつけてもうけを出せるのにときみが思うような仕事をわたしがしたがらないからだ。なぜやらないのか不可解かもしれない。だがわたしは自分たちのもてる力をそれだけの価値があるものに投入したいんだ」

トニーは二〇〇二年に共同経営者兼最高執行責任者としてブラックストーンに加わった。予想していたとおり、それ以降、意見がわかれるのはこの種の問題だけだ。それ以外は、ブラックストーンを運営するあらゆる側面について――人事の問題についても、経営の問題についても、取引の決定についても、投資に関することでも、わたしたちがどこへ向かいどこへ向かわないかについても――話し合い、答えを見つけ、常に意見が一致する。得がたいパートナーシップだ。

＊＊＊＊

わたしは根っからの経営者ではないが、長い年月をかけて向上してきた。トニーは本人も認めるようにその逆で、すばらしい経営者だ。トニーには段階的にかかわってもらった。内情にくわしいと自負する社員が外部から連れてこられた人間に対して感じがちな敵意のようなものをパートナー陣にいだかせずに、トニーのやりかたや指示に慣れてもらうためだ。まずは最高執行責任者、その後、社長に就任してもらった。トニーを各事業の重要な役割にすえるのには一年かかった。しかしそれが終わるころには、だれもがトニーの能力を理解し、指導力を受け入れていた。そうこうするうちに、トニーは会社を運営し、投資を指揮し、成長しつづける組織の日々の経営課題を解決するようになった。

ブラックストーンに来た当初、トニーは企業文化を改める必要があると気づいた。エッジコムのあとに大改革をおこなってから一〇年以上がたっていた。わたしたちはインターネット・バブルのゆきすぎを回避したばかりだった。若手パートナーたちはＩＴ企業にもっと積極的に投資すべきだと強く訴えたがわたしは抵抗した。投資家たちは、ハイテク企業を評価するうえで論理をすべて放棄してしまったように見えた。わたしたちは投資規律のおかげで群れに加わらずにすんだ。

わが社の企業文化にはほかにも優れた点が多かった。たとえば、毎週月曜日の朝にはすべての投資チームが集まり、午前八時三〇分から午後の早い時間までかけて取引案件とその状況について話し合った。世界経済、政治、投資家との会話、メディア、ビジネスに影響をおよぼしうる問題について議論する。つぎに、進行中の案件をひとつずつ検討し、世界中でおこなっているさまざまな活動から得た知識や見識を共有する。だれでも参加できる。なにか意見があれば年齢や社内での地位にかかわらず自由に発言してよい。重要なのは思考の質だ。今日にいたるまで、月曜日の午前中は、透明性、平等性、知的誠実性に対するわたしたちの姿勢をもっとも明確に示す場でありつづけている。

しかし働く場としての評判は、離職率の影響でかんばしくなかった。パートナーの多くは現状に甘んじて金曜日に仕事をしなかったり、部下の教育や指導に十分な時間を割くのを嫌がったりもした。二〇〇〇年には、従来の一二人のパートナーに加え、三〇代前半の五人をパートナーに昇進させ、会社の活性化をはかった。人事から報酬にいたるまで会社のサポート機能の多くは本来の役割を果たせていなかったが、わたしは多忙すぎて修復できずにいた。

トニーは文字どおり壁を壊すことからはじめた。パートナーの個々のオフィスをまわりから隔てていた仕切りをガラス張りにした。アナリストや助手たちがすわっている場所に太陽光が差しこむようになった。トニーは自分の個室のドアをあけはなち、ほかの人にも同じようにすることを求めた。家族にも働きかけた。子どもたちをどんどん職場に連れてきて親が一日中なにをしているか見学できるようにした。三六〇度評価を導入し、会社のすべての人間を多面的に評価した。報奨制度を改革し、グループ単位の賞与プール、書面によるフィードバック、オープン評価にもとづく制度にした。

会社のしくみが正しく機能していること、トニーが背後についていてくれることを知ると、社員、とくに若手の社員はもっと自信をもって発言するようになった。月曜の朝会議に出席する人が増え、弁護士たちをひやひやさせた。あまりに多くの人があまりに多くを知っていることを心配したからだ。しかしトニーとわたしはやりかたを変えるのを拒んだ。もし人を排除しはじめたら、排除された人たちはどうやって投資決定プロセスを吸収できるだろう。金融業界のほかの人たちはほとんどが孤立していて、金融業界という狭い範囲で起きていることしか見ていない。月曜の朝会議は、ちがう部門の専門家がどう考えどう行動しているかを社内のあらゆる部門の人たちが知る機会でもある。わたしたちは一度も守秘義務の違反を起こしていない。

三六〇度評価を導入してから数年後、社内でも上位の人物が人を怒鳴りつけたり侮辱したりしていると聞かされた。何年も前に社内から一掃しようとした行為だ。この問題は人まかせにできないと思った。わたしはその人物ともっとも緊密に働く一五人ひとりひとりと個別に会い、話してくれたことは必ず秘密にすると約束した。この進めかたを信頼し率直に話すことで、組織全体が中心的価値観を再確認する助けになると知ってもらいたかった。わたしは問題の人物が不正直で執念深いことを知った。彼をオフィスに呼び、事情を説明した。いっしょに働いている人たちはみんな彼を恐れていた。彼の立場を考えると、わかっていても自分をおさえられないのだろうと思った。自分でもどうしようもないのだろう。一度だけチャンスをあたえようと思った。

「きみがいたたまれない気持ちなのはわかる」わたしは言った。「それがばれてしまったせいでも、自分自身のことに気づかされはじめているからでもかまわない。しかし今後そういった行為をわたしが見聞きすることがあれば、ここを辞めてもらう。辞めてほしくはないがそうするしかない」。彼は変わった。しかし一年ほどで昔の自分にもどってしまった。わたしは彼を辞めさせた。

わたしはなにがなんでも権力にしがみつくタイプではなかった。日々の経営負担が減ると、取引をしかけるという好きな仕事をする元気が出た。トニーはわたしたちに欠けていた規律と秩序を会社のそれぞれの機能にもたらした。トニーのような才能のある人を招き入れて権限をあたえたことで、会社が組織化され、ウォール街史上最大の取引を手がける優位性がもたらされると気づいた。

****

二〇〇六年、アンゲラ・メルケル首相からベルリンのドイツ連邦首相府へ招かれた。わたしたちはドイツの企業に多額の投資をしていたが、同国の副首相フランツ・ミュンテフェーリングは、プライベートエクイティ投資家のことを企業を食い荒らす「イナゴ」と呼んだ。これを受け、ドイツ国内では新聞の見出しやテレビのニュースを独占する議論が巻きおこった。

「報道を読んでもっと知りたいと思ったので」と首相は言い、ありがたいことに批判者の主張とは反対の意見も聞きたがった。

「あなたがたをイナゴと呼ぶ人たちがいますね」首相はそう言いながら、頭の上にもっていった指をイナゴの触角のように動かした。

「でもわたしはいいイナゴですよ」同じしぐさをしながらわたしは言った。

「なぜイナゴと呼ぶのでしょう？」

わたしはなにをしている会社なのかと尋ねてくる人にいつもする説明をした。わたしたちは買って修理して売る仕事をしている。わたしたちは投資家であると同時に、経営者であり所有者でもある。買った企業をよくし、成長を早める手助けをしようとつとめている。企業の成長が早ければ早いほど、ほかのだれかが高く買ってくれる。とりざたされている問題は、経営がうまくいっていない企業を買収し、よい人材を雇うためにもともといた人を解雇したり戦略を変えたりしなければならない場合に起きる。企業を改善し、成長させ、かつてないほど多くの人を雇ったとしても、解雇された人は腹の虫がおさまらずわたしたちを批判する傾向がある。

メルケルは東ドイツで育つあいだビジネスや金融についてはまったく学ばなかったと話した。父親は牧師で、本人は物理学者として働いていた。しかし飲みこみが早い人だった。メルケルは、なぜすべての企業がプライベートエクイティ所有の企業のように運営されていないのか尋ねてきた。わたしは、公開市場にしかない大きな資本プールを利用しなければ無理な企業もあると答えた。たとえば鉱業会社は、まず探鉱と採掘に巨額の投資をしなければキャッシュフローを得ることができない。ほかの企業は、たしかにプライベートエクイティ所有の企業のように運営するべきかもしれない。

メルケルの質問は、プライベートエクイティについてよくとりざたされ金融危機とともに激化するだろう議論に切りこんできた。プライベートエクイティのような投資家は経済の益になるのか害になるのか？　わたしたちを否定する意見は昔から変わらない。プライベートエクイティは、本物の仕事がなされている工場や商店やオフィスや研究所とはかけはなれた少数の人だけが実践しているたんなる金融工学にすぎないというものだ。こんなものはわたしたちではない。

わたしたちは混乱を見つけ市場に足を踏みいれる。優れた企業が苦境に陥り、それを乗りきるために資金調達と経営介入を必要としている。インフラ整備計画が資金を必要としている。企業がある部門を売却し、その資本をほかの場所に投入したいと考えている。優秀な起業家が事業拡大や競合の買収を考えているのに銀行が融資してくれない。わたしたちはこうした状況に参入して資金調達、事業変革のための戦略、プロの経営専門家を駆使し、状況を転換するのに必要な時間を投じる。

コラム　起業する前におこなうべき三つのテスト

以前、アメリカの一流大学で開かれた学生起業家の会議に出席したことがある。起業について研究している教授が、スタートアップが踏むべきすべての手順――人を雇い、資金を調達し、製品を開発し、市場に出すまでを図解したスライドを見せた。ビジネスがたどる道筋が予測可能な上向きの曲線で示され、さまざまな節目を達成していくように描かれていた。こんなに単純だったらどんなに楽だったことか、とわたしはひそかに思った。起業家としてのわたしの経験は、なめらかな上向きの曲線とはほど遠いものだった。ずいぶん苦しい思いをしたので、事業をつぎつぎ立ちあげる「連続起業家」になりたいという人の気が知れないほどだ。一度起業するだけでも十分大変だ。

教授の話が終わりマイクをわたされたとき、この学生たちに現実を知ってもらったほうがいいと考えた。わたしは、ビジネスをはじめるつもりなら、三つの基本テストに合格するビジネスを選ぶ必要があると思うと話した。

第一に、きみのアイデアは、自分の人生を捧げるのに見合うだけ大きくなければならない。大きくなる可能性があるものでなければだめだ。

第二に、独自のアイデアでなければならない。きみが提供するものを見た人が「うわっ、これ絶対欲しい。こんなのをずっと待っていたんだ。これすごくいいよ」と言うものにする。この「アハ！」がなければ、きみは時間を無駄にすることになる。

第三に、タイミングが正しくなければならない。世界は開拓者を好まないから、早すぎると失敗のリスクが高くなる。標的にする市場は、きみの成功を後押ししてくれるだけの勢いで上昇している必要がある。

この三つのテストに合格なら、大きくなる可能性があり、独自のものを提供し、ふさわしいタイミングで市場に参入するビジネスになるはずだ。そのうえで痛みに備える必要がある。痛みを予期したり望んだりする起業家はいないが、なにか新しいことをはじめるには痛みがともなう。これは避けられない。

現実の企業はひょっこり現れるわけではない。資金を調達し、優秀な人材をスカウトするのはほんとうに大変だ。しかし、たとえ規模が小さく資源の制約がもっとも厳しい時期でも、とにかくふさわしい人材を見つけることが重要だ。よそでもっとずっと高い報酬水準で働いている最高の人材には接触できないのがふつうだ。手に入る人材で間に合わせるしかない。つまり、少なくとも判断基準をつぎの簡単な質問にしぼらなければならないということだ。この人はこの仕事に自分と同じだけ熱心にとり組んでくれるだろうか？

フィル・ナイトはナイキをつくりあげるとき、長距離ランナーを雇っていっしょに仕事をした。仕事の知識でたりない部分があっても体力で補ってくれるとわかっていたからだ。長距離ランナーは決してあきらめない。困難があっても痛みを乗りこえレースを最後までやりとげる。

会社をはじめるときは、いっしょに旅をしてくれる優秀な人が見つかればうれしいものだ。しかし成長するにつれ、アメフトで言うと手が石でできたワイドレシーバーのような人が何人かいることに気づく。ボールを投げるとそのまま跳ね返ってきてしまう。いっぽうで、接着剤のような手をもつ人もいる。きみはまともな人間として、だめな人たちをなだめすかして、なんとかやっていくのが自分の役割だと考える。その人たちは社員として一〇点満点のうち六点か七点の人たちだ。雇いつづければ会社はやがて機能不全に陥り、きみは能力のある少数の人と徹夜ですべての仕事をすることになる。

選択肢はふたつ、どこにもいきつけない二流の会社を経営するか、自分がもたらした凡庸さを一掃して成長できるようにするかだ。きみに野心があるなら、会社を九点と一〇点の人材だけにして困難な仕事をあたえなければならない。

最後に、起業家として成功するには偏執的でなければならない。会社の規模にかかわらず、常に自分の会社は小さいと本気で思っている必要がある。会社が大きくなり成功しはじめたとたん、挑戦者が現れ、顧客を奪い、きみを打ち負かそうとあらゆる手を打ってくる。成功したと思った瞬間ほどあやういときはない。

創設者が率いる企業の多くは、寄せ集めのスタートアップから経営の良好な組織への転換をはかろうとしてつまずく。起業家はプロの経営者が使うもっと整然としたシステムより自分の本能を信じるほうを好むことがままある。会社を誕生させた本能やエネルギーになんらかの制限が課されることにもしばしば抵抗する。しかしゆくゆくはそうした制限が成長のつぎの段階の基礎を築くことになる。激動の創業期から、どこかの時点でほかの人たちが組織を前進させるのに手を貸せるようなシステムの実施に踏みきらなければならない。

第一四章　違和感を無視しない

二〇〇六年秋のある月曜日、わたしはニューヨーク本社の重役会議室に並べられた長い会議テーブルの席についた。すべての席ばかりか壁沿いの長いすまでも同僚で埋めつくされていた。壁につくりつけのビデオ画面には、ロンドン、ムンバイ、香港のチームが映しだされている。わたしたちは政治、マクロ経済、事業の動向について話した。マンハッタンの通りから四三階上でおこなわれるこの会議に出席していると、わたしはいつもミッションコントロールセンターに要員を配置して、すばやく変化する不確実な環境のなかでブラックストーンを操縦しているような感覚をいだく。この朝聞いたことにわたしは震えあがった。

議題はスペインに移っていた。わたしたちはそこで数棟の分譲マンションを購入しようとしていた。スペイン南部ではいま建設が盛んで、ドイツの大部分をそこに移してもまだあまるくらいだとだれかが発言した。開発業者が需要と供給の基本法則を無視していた。

ヨーロッパチームが懸念を表明すると、姿なき声が割ってはいった。「インドでも同じことが起きています。ここの更地は一八カ月で一〇倍に跳ねあがりました」。わたしはあやうくコーヒーにむせるところだった。

「いまのはだれだ?」部屋を見まわしながら言った。全員がモニターでつながっていると思っていたため、電話のスピーカーから聞こえてくる声だと気づくのに時間がかかった。

「こちらはツヒン・パリクです」と声が言った。「インドの不動産を検討するために最近入社しました」

インド事務所は一年前に開設したばかりで、まだ不動産投資に乗りだしていなかった。ツヒンから発言があったのは驚きだった。ときどき回線に雑音が入る。ツヒンの報告があまりに衝撃だったため、もう一度言ってくれとたのんだ。

「ええ、スティーブ。過去一八カ月間で、地価が一〇倍になっています。もともと高すぎだったんです。それがもうとんでもないことになっている」

インドは急成長している新興国だった。事務所を開設することにしたのもそのためだ。しかし、そのような爆発的な地価の上昇を説明できるほど急速に成長しているわけではなかった。一五年間の不動産投資のなかで、一八カ月で一〇倍になるものなど見たことがなかった。

さらに気がかりなのは、これがただの更地だということだ。土地を買うときには、その土地になにか価値のあるものを建てられると予想して買う。しかしそれには何年もかかる場合がある。政府から必要な認可が得られ、建設が順調に進み、なにを建てるにしても完成したときに需要があり、借入費用を上まわる利回りを得られるだけの好調な経済状況がつづくと見ているから購入する。一年半で地価が一〇倍も急騰したということは、投資家たちが明らかなリスクに目をつぶり、一種の狂乱に陥っていることがわかる。

わたしたちはすぐその場でスペインの不動産取引をしないことを決定した。テーブルのまわりには困惑した表情の者もいた。インドの地価がスペインのマンションとなんの関係があるのだろう?　経済のグローバル化が進むなか、一〇年、二〇年前には存在しなかったようなつながりを理解し、関連づけて考える力が欠かせなくなった。低利で簡単に利用できる融資はいまやほぼ国境がない状態で、機会を求めて世界中をめぐっていた。スペインとインドで不動産バブルが起きているなら、ほかの地域でも起きている可能性がある。過熱した市場で高価な不動産取引に手を出すときではなかった。

つぎの週末、わたしはフロリダ州パームビーチの別荘で朝食をとりながら、パームビーチの住宅価格が二五パーセント上昇したという新聞記事に目をとめた。パームビーチの人口増加は年間せいぜい一から二パーセントだ。ところが地方新聞が地域の不動産市場の異常な好調ぶりを記事にしている。スペインやインドと同じように、需要と供給の基本的な関係が破綻していた。

わたしは生まれてこのかたパターンに目をこらし耳を澄ましてきた。音楽のイントロクイズのようなものだ。知っている曲が多いほど、出だしの音をひとつかふたつ聞くだけでなんの曲かわかる可能性が高くなる。経験豊富な臨床医のように、すべての検査結果を見るずっと前に患者の悪いところがわかるようになる。週のはじめにあった不動産会議で首をもたげた疑いは、いまでは崩壊が間近に迫っているという明白な恐怖に育っていた。フロリダの日ざしを浴びながら、世界的な崩壊の危険性について大いなる懸念をいだきはじめた。

フロリダからもどったあとの月曜日、午前八時三〇分のプライベートエクイティ会議の冒頭でわたしは取引をおこなう環境について尋ねた。情勢は厳しかった。企業を買収するめぼしいチャンスもあったが価格が高すぎた。「数ドルの差で取引を失っているわけではないんです」とチームのひとりが言った。「われわれの最高評価額より一五から二〇パーセント高い価格をみんな提示しています。僅差でもなんでもない」

わたしたちはもう二〇年近くプライベートエクイティ取引をおこなっていた。わたしたちがなにかを見落としているか（わが社の経験と専門知識から考えるとありそうにない）、ほかの投資家がリスクをとりすぎているかのどちらかだ。

わたしはどんな取引を検討しているか尋ねた。二件の住宅建設会社の買収を打診されたと聞いて椅子から跳びあがりそうになった。

「住宅には手を出すな」わたしは言った。住宅建設会社が自社を売ろうとしているとすれば、おそらくわたしが見ているものと同じものを見ている。買収するには最悪の時期だ。

午前一〇時三〇分の不動産チームとの会議では、スペインのマンションだけでなく、アメリカ国内をふくむあらゆる場所で住宅関連のリスクを排除する必要があると話した。その後、クレジットのチームにも保有している可能性のある不動産ローンやモーゲージ証券の組み入れ比率を減らし、それ以上買わないように指示した。ヘッジファンドのチームにも同じ指示を出した。みんなわたしの警告に耳をかたむけ、グループの副会長でヘッジファンド投資事業のトップであるトム・ヒルは、サブプライム住宅ローン（信用度の低い借り手向けの住宅ローン）の価格がさがるほうに賭けた。トムの言うとおりサブプライム住宅ローンは下落し、わたしたちは投資家のために五億ドル以上を稼いだ。

もしその朝オフィスを出てレキシントンアベニューを歩いていたら、経済が全速力で活動しているのを目撃したことだろう。商店は繁盛し、株式市場は史上最高値を記録していた。人々は住宅の価値が上へ上へと一方向にしか変化しないことに慣れきっていた。わたしがいる業界でさえ、話題にのぼるのは際限のない成長だった。競合他社はわたしたちより高い買収価格を提示しつづけた。みんなが楽観的な未来を見ていた。

情報の変化に直面して自分の行動を変えるのはどんなときもむずかしい。とくにうまくいっているときは変えたくないと思ってしまう。聞こえているはずの不調和な音や違和感を無視する。悪いニュースにおびえ、予測ができず苦労を強いられる変化を恐れる。そのせいでもっとも能動的で柔軟であるべき瞬間に、受動的で融通がきかなくなる。

わたしはいつも心配というものを能動的に心を解放する働きととらえてきた。心配することで、どんな状況でもマイナス面を明確にし、それを避ける行動につなげることができる。ブラックストーンでは、大量の生データをとりこんで心配の種をあえて拾うしくみをつくってきた。異常やパターンに目をこらすことで知性を高めるためだ。最高の条件がそろえば、心配するというのはいつも頭の片隅を占めているおもしろみのある作業だ。

リスクを排除しようというわたしの懸念は、投資ポートフォリオ全体に波及した。わたしたちはスペインの住宅から手を引いただけでなく、スペインそのものから手を引いた。不動産チームが指摘したマンションの供給過剰は、経済全体を圧迫する信用バブルを示唆していた。いかに強固な会社でも全面的な崩壊に対抗することはできない。

それからほどなく、わたしは友人をたずねてマドリードへ行き、ピカソの「ゲルニカ」を見にいった。プロビデンス・エクイティ・パートナーズとKKRの二社と組んでアメリカのメディア会社クリア・チャンネル・コミュニケーションズを買収するという大型案件がまとまりかけているときだった。絵を見ながら、この取引はするべきではないと思ったのを覚えている。もしかしたら、たまたまスペインにいて、その経済に大きな不安をいだいていたからかもしれない。あるいは、スペイン内戦中におこなわれたゲルニカの町への爆撃というピカソのおぞましい題材のためかもしれない。胸騒ぎがした。ソフィア王妃芸術センターのエレベーターのなかで、胸騒ぎはますます強くなった。ホテルの部屋にもどったときには、取引から撤退することを決めていた。わたしはプロビデンスのジョナサン・ネルソンに電話をして、ただの神経質なんかじゃない、これは判断だと伝えた。わたしたちはみんな取引の熱に浮かされて、しきりになにかをなしとげたがっていた。しかしこの取引が失敗すれば、投資家や自社に深刻な打撃をあたえる可能性があった。

全社にわたり、二〇〇一年のインターネット・バブル崩壊後に買収し堅調な回復をとげるまで保有していた資産を売却した。すべて経済全体の健全性にもとづいて業績が上下する景気循環型の企業だ。二〇〇三年にはドイツの化学大手セラニーズを買収していた。セラニーズは複数の企業を買収したことで手に負えないほど巨大化し、非効率的になっていた。わたしたちはドイツ本社を閉鎖し、売り上げの九〇パーセントを占めていたアメリカに移転した。アメリカ企業にしただけでマルチプルが一変した。二〇〇七年五月にセラニーズの最後の株式を売却したときには、わたしたちは五倍近くの利益をあげていた。その時点までのブラックストーンの投資として最大の成功をおさめた。

二〇〇五年には、投資の七〇パーセントを景気循環型の企業に向けていた。翌年にはこの割合を三〇パーセントにまでさげた。プライベートエクイティ取引を事実上停止し、取引量を半分に減らした。わたしは仮に市場が崩壊したとしても、まずい取引の後始末で社員の手がふさがってしまうようなことにはしないと心に誓った。ところが、会社を閉鎖しようとしていたちょうどそのとき、もうひとつの投資原則を具現化する状況に直面した。逃してはならないチャンスを逃すな、という原則だ。

＊＊＊＊

問題に気づいていたのはわたしたちだけではない。二〇〇六年一〇月、ブラックストーンの最初の訪問者で旧友のサム・ゼルから、オフィス不動産事業の売却を考えていると聞かされた。殺風景なオフィスの床にすわって話をした日からサムとは連絡をとりあっていた。一九九四年にはサムから海洋建設会社グレート・レークス・ドレッジ・アンド・ドックを買い、とくに不動産チームはサムの動向を注意深く見守っていた。サムは真の起業家であり、決して現状に甘んじる人ではない。一九九〇年代初頭からずっと、一般の人が売買できる企業の株式のように、商業不動産ポートフォリオの株式も一般の人に開放するべきだと主張していた。サムは不動産投資信託（ＲＥＩＴ）会社、エクイティ・オフィス・プロパティーズ（ＥＯＰ）を設立した。ＥＯＰはＲＥＩＴではじめてＳ＆Ｐ５００指数に組み入れられた。わたしたちが評価したときには、アメリカ全土に一億平方フィート（九三〇万平方メートル）以上、六〇〇件近くの物件をもち、その多くが都市部の優良物件という世界最大のオフィス企業になっていた。これがまれな資産群であることを不動産業界で知らない人はいなかった。

サムは頂点で不動産業を整理したがっていた。サムが売却の時期が来たと感じているなら、なにか悪いことが近づいていると思ってまちがいない。この取引で利益をあげられそうな唯一の方法は、目前まで迫っていることがひしひしと感じられる危機が起きる前に会社を分割することだった。

＊＊＊＊

このころには不動産事業は原形をとどめないほど成長していた。アーカンソー州のアパートを買収した最初の取引以来、数十億ドルを調達し投資してきた。また、わたしたちの企業文化とはかなり異なる基準に慣れていた業界に、評判と誠実さに重点をおいた独自の企業文化を適用しなければならなかった。

不動産への投資を開始して数年後のことだ。生粋の不動産会社から招聘したチームリーダーとある資産の価格設定について会議をした。数字を教えてくれと求めると、リーダーは「どの数字がいりますか？」と言った。

「どういう意味だ？」わたしは聞き返した。

「数字といっても、銀行用の数字と、税金用の数字と、資金調達用の数字があります。それから適正だと思う数字も」

わたしはその男の顔をまじまじと見た。「四種類の数字があるということか？　きみは自分が正しいと思っていないことをほんとうにだれかに言うのか？　ブラックストーンでは数字は一種類だ。銀行に対しても、投資家に対しても、税金に対してもだ。わたしたちが適正だと思う数字だ。だれに対しても自分たちが正しいと信じる数字を伝える。信用詐欺ビジネスをやっているわけじゃないんだ。わたしたちは正しいことをする。出ていってくれ。チームを連れてもどってくるときは、正しいと信じる数字をもってこい。わたしが見たいのはそれだけだ」

男が出ていったあと、わたしは不動産部門を率いていたパートナーに言い放った。「いったいどこから来た男だ。きみが責任をもって教育しろ。さもなければ大砲につめて飛ばしてやる」

不動産でよく見るべつの慣行はリトレードだ。取引の終盤、条件に合意したあとや契約を締結するときでさえ、買い手は価格を引き下げなければ契約をキャンセルすると脅すことがある。この行為は売り手をひどく不利な立場に立たせる。売り手は交渉のテーブルにつくために、取引を一定の期限までに完了することを求める条件に同意し、取引費用に大金を費やし、ほかの買い手候補を断ることさえある。それなのに、すべてを一からやりなおすか、価格の引き下げに応じるかしかないのだ。

わたしがバンカーとしてそんなことをしていたら、キャリアなどなかっただろう。企業買収では、価格に同意したらなにか大きな変化がないかぎりあくまでその価格で通す。ふざけたまねをすれば、もう二度と信じてもらえなくなる。不動産の場合、ずっとその業界にいた人たちによると、取引を獲得するために高い値をつけ、契約を締結するときに引き下げるのがふつうだという。わたしにはぴんとこなかった。わたしたちはプライベートエクイティ事業に要求しているのと同じ基準、つまり同じ分析の厳密さ、同じ規律、同じ信頼レベルで不動産取引をおこなおうと思った。短期的には取引を失うかもしれない。しかし長い目で見れば、言ったとおりのことをやる会社という評判を維持できるはずだ。

ジョナサン（ジョン）・グレイは一九九二年にブラックストーンに入社した。二〇〇五年には、まだ三四歳の若さで不動産事業を率いていた。もともとはプライベートエクイティ部門にいた。しかし、一九九五年にマンハッタン八番街の一区画全体を占める複合施設ワールドワイド・プラザに入札したとき、不動産チームに助っ人が必要になった。そこでジョンを送りこんだところ、ジョンは取引の煩雑で複雑なあれこれにうまく対処し、首尾よく契約締結までもっていくのを助けた。ジョン・シュライバーとも親密な関係を築き、こうして不動産投資家としてのジョンの驚異的なキャリアがはじまった。

その後の数年間に、ジョンは不動産事業の成長を加速させるふたつの重要な洞察を引きだした。ひとつは、商業用モーゲージ証券（ＣＭＢＳ）を使ってもっと大規模な買収をおこなうことだ。ＣＭＢＳは新しい証券だった。商業不動産を購入するのにローンが必要な場合、従来は銀行などの大きな機関から借りた。ＣＭＢＳを使えば、貸し手はそのローンをほかの人のローンと合わせて取引可能な証券にパッケージし、それを投資家に売ることができる。ＣＭＢＳはローンをより流動的で取引可能な資産に変えた。ローンを売却しやすくなればなるほど、銀行はローン件数を増やし、借り手に課す金利をさげる。これはより低い金利でより多くの資金を借り、より大きい買収をおこなえるということだ。

ジョンのふたつ目の洞察は、多くの不動産を保有する上場企業の評価額は多くの場合、個々の不動産評価額の合計を下まわるということだ。不動産投資家は、知的資源や金融資源のない個人企業や小規模な家族企業が多い。何十年にもわたり、用途もさまざまなら補修状態もさまざまな建物をたくさん集めていたりする。全部をひっくるめてよい値段を適切なタイミングで提示すれば、売り手は人手や忍耐力の不足から、その価格で手を打つ可能性がある。ポートフォリオ全体をひとつひとつ調べ、それぞれの物件を精密に評価し、いちばん高く買ってくれそうな買い手を探すことはしたがらないのだ。わたしたちには、不動産の価値を評価し、修理し、人間関係のネットワークから最適な買い手を見つけられる専門家がいる。忍耐強くいるための資金調達も可能だ。ほかの所有者ができなかったりやらなかったりする仕事をすべてすることで、不動産の「市場価格」と厳格な分析を通して算出される「鑑定価格」との差額を得ることができる。これにより利益はあがりリスクはさがる。

グローバル不動産事業の共同責任者にジョンを任命したときも、わたしたちはやはり次世代に信頼をおいていた。ジョンは他社の同格の人たちにくらべて年数も経験もたりていなかったかもしれないが、企業文化を体現し自分でチャンスをつかんだ。二〇〇六年六月、ジョンは第五号となる不動産ファンドをクローズした。出資約束金額が五二億五〇〇〇万ドルというこれまでで最大のファンドだ。

サム・ゼルのＥＯＰ案件が進むにつれ、ジョンのリーダーシップ、独自の企業文化、資金調達の方法、取引のための嗅覚、そして最新のファンドのかなりの部分が必要となってくる。わたしたちは間近に迫った金融危機に向かって突き進んでいた。

第一五章　時間はどんな取引も傷つける

エクイティ・オフィス・プロパティーズ（ＥＯＰ）はこれまでに手がけた不動産取引の六倍から七倍の規模だった。あまりにも大きい取引で、計算を誤れば大惨事になるおそれがあった。売却できない建物や返済できない借金をかかえて身動きできなくなるリスクを負っていた。しかし正しくやればとてつもない額を稼げる可能性がある。ジョンはこの重圧を理解しすばやく動いた。競合他社より先にＥＯＰに入りこみこの会社を理解する必要がある。そのためには最初に真剣な金額を提案しなければならない。二〇〇六年一一月二日、わたしたちは市場価格に八・五パーセントのプレミアムを乗せた額を提示し、ＥＯＰから内部文書の閲覧を許された。不動産業界全体が盛りあがり、さまざまな投資家のコンソーシアム（投資家連合）が結成され、われわれを上まわろうとしていた。サムは望みのものを手に入れた。複数の入札者によるオークションだ。

通常このような取引では、買い手候補は売り手と違約金を取り決める。売り手は、この買い手候補でなくほかの買い手に売却することを決めた場合、買い手候補に対して買収提案のすべての経費――かけた時間、法律業務、会計業務、デューデリジェンス業務――を補償することに同意する。興味を示す企業が少なければ、売り手はリスクを嫌う買い手をひきつけるために高額の違約金を支払うことに同意することもある。興味を示す企業が多い場合、売り手は違約金を安くするよう主張できる。このような取引での違約金の相場は、取引総額の一から三パーセントだ。ＥＯＰの買収を真剣に考える企業が多かったため、サムは三分の一パーセントというわずかな違約金を主張できた。

買収合戦が進むなか、競争に勝ちのこりつづける方法を模索した。価格をあげればあげるほど、利益を出すためにもっと資源が必要になる。わたしたちはサムにＥＯＰの不動産を先行販売する許可を求めた。特定の物件の購入者をいまから確保できれば、六〇〇件近くある物件全体に対してもっと高い価格を支払うことに自信がもてる。サムは拒否した。ＥＯＰをそっくりそのまま処分し、数十年におよぶ仕事に対する一度きりの多額の小切手を手にすると決めていたからだ。売却の完了前に自分の会社が解体されるのを嫌がった。わたしたちは、違約金を買収額の三分の一パーセントにあたる一億ドルからもっと妥当な一と三分の一パーセント（約五億五〇〇〇万ドル）に引きあげるよう求めた。こちらが負担しているすべての費用をまかない、わたしたちの投資家に利益をもたらすためだ。サムはしぶしぶ承知した。わたしたちが買収価格をあげる大義名分を必要としていたように、サムはわたしたちをテーブルにとどめておく必要があった。

この規模の取引には、大手銀行からの多額の融資が必要だった。約三〇〇億ドルだ。これだけの金額をひとつの銀行から調達するのは無理だったため、いくつかの銀行にあたった。標準的な慣行どおり、わたしたちだけに独占的に融資させ、資源をほかに流用できないようにした。わたしたちへの融資に同意した銀行からほかの入札者が資金を調達できないと聞いたサムは、ウォルドルフ＝アストリアにジョンを呼びだし、わたしたちが銀行に制限をかけるなら、ジョンに対してどんな仕打ちが待っているかを生々しいことばで説明した。

結局、ほとんどの入札者が脱落した。あとはわたしたちと、サムの友人であるスティーブン・ロスが所有する大手の上場不動産会社ボルネードにしぼられた。わたしはジョン、トニー、ジョン・シュライバーを集め、五億五〇〇〇万ドルの違約金をもらって立ち去るべきか、買収合戦にとどまるべきか相談した。結局のところ、五億五〇〇〇万ドルはわたしたちの投資家にとって悪くない話だ。しかしEOPの買収を成功させることは、それよりはるかに大きな価値がある。わたしたちは一株あたりの買収価格を当初の価格より九パーセント高い五二ドルに引きあげることを決めた。「この取引は非常に危険だ」わたしはジョンたちのチームに言った。「すぐに半分の物件を売却して利益を確保し、残りの物件の価格を安くおさえられるようにしたい。契約が完了するその日に売却したい。翌日にもちこすことは許さない。買収するその日のうちに売りぬける必要がある」。テーブルにいた全員が凍りついた。そんなことをやる人などどこにいる？　やると考えることすら現実離れしている。だがわたしは本気だった。この取引は命取りになりかねない。

「そんなことどうやってできるんです？」という声があがった。「サムはわたしたちが事前に資産をあさることなど決して承知しませんよ。すでに物件の先行販売はさせないと言っているんですから」

サムのことは二〇年前から知っていたし、活躍ぶりも見てきた。サムが可能なかぎり高く売りぬけたがっているのは知っていた。いまや親しい者同士なのでサムも細かいことに難癖をつけてはこないだろう。以前サムがなにを言っていたとしても、それは原則ではなく戦術的なものだ。わたしたちがするような要請は、こちらにとっては不可欠であちらにとっては十分に受け入れ可能なはずだ。

「サムのところへ行って伝えてくれ」わたしは言った。「わたしたちに残ってほしいのなら、先行販売を認めてもらう必要がある。そもそも前売りしたところでそれがなんだ。もう少し金を出せばうんと言うさ」

サムはうんと言った。つぎの入札ではボルネードがわたしたちを上まわった。しかし先行販売の権利がすべてを変えた。ニューヨークの不動産王ハリー・マックロウからは、ニューヨークの主要なオフィス用超高層ビル七棟を七〇億ドルで購入するという提案があった。これはわたしたちが提示した買収価格のほぼ一八パーセントに相当する。シアトルからサンフランシスコ、シカゴにいたるまで、アメリカ各地から買い手がやってきて、サムの帝国の一部を欲しがった。わたしたちは市場がピークに達し、一〇〇〇年に一度の洪水が起きかけていると見ていたが、買い手たちの見方はちがった。EOPの分割は成功を誇示するトロフィー不動産を獲得できるめったにないチャンスだと見ていた。

ボルネードとの競争入札は、二月四日のスーパーボウル・サンデーまでさらに何ラウンドかつづいた。ボルネードの提示価格はわたしたちと同じだったが「甘味料」がついていた。わたしたちの提案を見なおす必要がある、とジョンに連絡が入ったのは試合開始の直後だった。ジョンはシカゴ郊外で育ち、生涯にわたるシカゴ・ベアーズのファンだ。ちょうどベアーズとインディアナポリス・コルツの試合がはじまり、オープニングキックからベアーズのデビン・ヘスターがリターンタッチダウンを決めたところだった。ジョンはなんとかテレビから身を引きはがし、仕事をはじめた。

月曜日の朝、ジョン、トニー、ジョン・シュライバー、わたしの四人は、入札開始時の市場価格よりも約二四パーセント高い一株五五・五〇ドルまであげることを決めた。わたしたちの最良かつ最終の提案はすべて現金で、負債をふくめたEOPの評価額を三九〇億ドルとした。ボルネードの提案は、一部を現金、一部を株式で支払うものだった。EOPを売却するサムの目的は不動産から手を引くことだ。べつの不動産会社の株式はサムがいちばん望んでいないものだった。ジョンはその午後わたしたちの提案を伝えた。ボルネードは手を引いた。わたしたちが勝ったのだ。

祝っている時間はなかった。

わたしは契約が完了したら夜明けがくる前にEOPが所有していた物件の大部分を売却しおえるこ

とを主張しつづけていた。不動産チームはひとりのこらず会議室につめこまれ、この瞬間を待っていた。すでに何日もそこに缶詰になって、買い手をそろえ、書類を準備していた。サムとの契約がすみ、いまこそ数十億ドル相当の不動産の売却契約を完了するときだ。終わるまでだれひとり帰らず、だれひとり眠らずに駆けぬける。

決して小さい取引ではなかった。ひとつひとつが大きく、それが合わさることで市場は揺れに揺れた。わたしたちは不動産史上最大の買収を完了し、その同じ日に、一連の大規模な売却を成功させようとしていた。会議室にはひどい臭いが立ちこめていた。みんな何日もシャワーを浴びていなかった。連絡係たちがあちこち走りまわり、エレベーターでのぼりおりした。

ハリー・マックロウとの契約が完了した。タイミング的には、ハリーがEOPから直接この不動産を購入し、ブラックストーンが実際に所有することはなかったことになる。また、シアトルとワシントンで一一〇〇万平方フィート（一〇二万平方メートル）を六三億五〇〇〇万ドルで売った。三〇億ドル近くに相当する物件をロサンゼルスとサンフランシスコでそれぞれ売った。さらに、ポートランド、デンバー、サンディエゴ、アトランタでそれぞれ一〇億ドル前後を売った。わたしたちは支払った金額の半分以上をすばやくとりもどし、社内でのもともとの評価額にくらべて非常に大きな利益を得た。

そのあと二日間休んだ。みんな家に帰り、体を洗い、眠った。しかしその二日間、わたしの心が安まることはなかった。

＊＊＊＊

ＥＵＰの案件を終えたつぎの週、わたしは六〇歳になった。友人の誕生日には、電話をかけて「ハッピーバースデー」を歌う。留守なら留守電に歌を残す。祖父が四〇代で亡くなったので、自分も早く死ぬだろうと思っていた。一〇代のころ、二度の交通事故にあってあやうく命を落としかけた。一九九二年には中東旅行で結核をわずらった。現代医学がなければ命を落としていただろう。一九九五年には静脈炎を起こした。祖父はこれで亡くなっていた。二〇〇一年には心臓の動脈が九五パーセント閉塞し、治療のために手術で二本のステントを入れた。以来毎日、抗凝固剤のワルファリンを飲み、そのおかげで生きている。誕生日がくるたびに、まだ生きていて健康であることがどんなにありがたいか再認識する。若死にするよりずっといいのはまちがいない。

クリスティーンはわたしの人生に大きな喜びをもたらしてくれた。家族や友人とのパーティや休暇の計画を立てるのが好きで、いつも率先してやってくれる。わたしたちは六〇回目の誕生日をニューヨークで祝い、思い出に残るものにしようと決めた。ケーキも祝杯もなかったが、わたしたちが大切に思っている六〇〇人の人たちが集まって祝ってくれた。ダンス好きのクリスティーンは歌手のパティ・ラベルを呼び、夫婦そろって大好きな歌手、ロッド・スチュワートを口説きおとしてパフォーマンスを披露してもらった。わたしの両親、子どもたち、弟たちとその家族、高校や大学、ニューヨークの友人たちがみんな着飾ってやってきた。メディアの報道はかんばしくなく、このパーティについていくつかの論争が巻きおこったものの、ほんとうにすばらしい夜だった。

クリスティーンは、家族や友人の思い出を一冊の本にまとめてプレゼントしてくれた。娘のズィビーの思い出は、七年生のときに学校で『共産党宣言』を読む宿題が出たときのことだった。わたしは自分の思想的な疑念を脇におき、娘といっしょに一行ずつ最後まで読みとおした。息子のテディにとっての思い出は、わたしがおやすみを言いに部屋へ行き、シーツにしっかりくるんでからよくベッドごと三〇秒ばかり揺らしてやったことだ。わたしたちは「ミルクシェーク」と呼んでいた。テディが学校でスポーツをしていたときは、テディによると弱小チームばかりだったが、わたしはそれでも試合を見にいき、ビーチチェアにすわってひっきりなしに電話で話していた。

親は、成功するために必要なだけ仕事をすることと、家族のためにそばにいてやることのバランスをとろうと懸命に努力する。その最中は、自分がちゃんとやれているかどうかわからない。審判を受けるのは何年もあとだ。六〇歳の誕生日の夜、いちばん近くにいた人たちの思い出をふり返って、それほどだめな親ではなかったなと思った。

＊＊＊＊

仕事にもどると、わたしは不動産チームを大会議室に集めた。清掃員が入ったおかげで部屋は数日ぶりにさわやかな香りがした。「きみたちは前例のない頑張りで歴史上どの企業もやったことのない偉業をなしとげた」とわたしは言った。「規模がぜんぜんちがう。ほんとうに信じられない働きだ。おめでとう！」

わたしはことばを切り歓喜がおさまるのを待った。

「そして今度は、これをもう一度やる」

一〇〇組の目がこちらを見つめていた。

「残ったうちの半分を売りはらう必要がある。長期的には収益が減るが、このほうが安全だ。最良の資産一〇〇億ドル分だけ維持することをねらう。この時点でわたしたちはすでに市場に参入している。いま市場は猛烈に活気づいている。供給しつづけよう。市場がこれだけ過熱しているからには、きっとよくないことが起きる」

わたしたちは数週間のうちに一〇〇億ドル分を売却した。二カ月で四〇〇億ドルを購入し、約三〇〇億ドルを売却した。八週間で合計七〇〇億ドルの不動産取引をしたことになる。すべて片づいたときには、六五〇〇万平方フィート（六〇四万平方メートル）を一平方フィートあたり四六一ドルで売却していた。いっぽう、残った三五〇〇万平方フィート（三二五万平方メートル）の最終的な取得価額は一平方フィートあたりわずか二七三ドルに相当することになる。世界中の不動産業界でもこれほどの規模とスピードで行動した例はなかった。わたしたちはあらゆるリスクを可能なかぎり軽減し、投資家を守り約束を果たすことができた。

第一六章 資本基盤を強化する

サムから連絡があったのと同じころ、ブラックストーンではべつの大きな変化が進んでいた。二〇〇六年五月の土曜日の朝、シティバンクの投資銀行部門責任者のひとりマイケル・クラインから、いいアイデアがあると電話があった。すばらしいアイデアだから直接会って話したいという。そこでいますぐ海浜の別荘に来てくれと伝えた。いっしょにポーチで朝食をとりおえたところで、マイケルはブラックストーンを株式公開しようと提案した。

当時、株式を公開したプライベートエクイティ会社はまだなかった。KKRはこの五月、オランダで投資ファンドの株式を発行し、ファンド資金を調達した。これは画期的だった。伝統的に、プライベートエクイティ会社は機関投資家から金を集め、数年後に返すと約束することで資金を調達してきた。ところがKKRは、投資できるが返す必要のない資金五四億ドルを公開市場から調達した。さらに、KKRはオランダで株式公開することでアメリカ国内で必要とされる報告義務も一部回避した。

KKRの同業者や競合相手はこぞってこの取引を研究し、自分たちにふさわしい形で実施する方法を模索した。マイケルはKKRより一歩先に踏みだすことを提案した。たんにひとつの投資ファンドのために株式を発行するのではなく、ブラックストーンそのもの、つまり、すべてのファンドを運用し、アドバイザリー事業やクレジット事業など、そのほかの投資サービスをおこなっている会社そのものの株式を公開しようというのだ。一九八五年にピートとふたりで設立した会社にとって大きな変革となる重大な決断だ。ＩＰＯが成功すれば、投資のための資金が恒久的に確保でき、投資先の範囲を拡大できる。市場が反転しても価値を維持しつづけることを心配する必要はない。また、社内のパートナーたちがそのうち所有株式を売却したくなった場合もそれが可能になる。

しかし経営と所有という問題がある。わたしたちは世間の厳しい目にさらされることになる。これまでは、非上場企業に特有の柔軟性と裁量の自由を享受してきた。自分たち自身と投資家のみに責任を負えばよかった。しかし上場企業となると、一回の四半期で収益目標を下まわったり株価がなんらかの理由で下落したりすれば、長期的な業績など関係なく、精査され、疑問視され、攻撃さえされるだろう。企業にまちがった短期的な判断をさせかねない公開市場の不条理な圧力にさらされることになる。しかし、ＩＰＯを首尾よくやりとげればライバルに先んじることができる。

この提案をしばらく自分の胸だけにおさめじっくり考えた。日興は一〇年以上にわたりすばらしいパートナーだったが、一九九九年に規制上の理由で持ち株を売却した。そこで、もっとも信頼できる投資家のひとつＡＩＧ（アメリカン・インターナショナル・グループ）に、評価額二二億五〇〇〇万ドルで、ブラックストーン株を七パーセント売却した。マイケルの計算では、二〇〇六年のブラックストーンの価値は三五〇億ドルだ。これがほんとうなら、ＡＩＧの投資価値は七年間で一五倍以上も上昇したことになる。

トニーはわたしの話を聞くと諸手をあげて支持した。株式を使って買収もできるし、優秀な人材をひきつけてつなぎとめることもできると考えたからだ。チームへの報酬として個々の事業分野からボーナスを支給するのではなく、自社株をわたすこともできる。このしくみは「ひとつの会社」という文化を強化することになる。この金があれば、トニーやわたしがまもなくやってくると見ていた金融危機の際も金銭的、心理的に安心できるし、引退が間近に迫ったピートに報いることもできる。

つぎにIPOについて話したのは、最高財務責任者（CFO）のマイケル（マイク）・パグリッシだ。マイクは、わが社には上場企業になるための社内システムが整っていないと指摘した。それをつくるには、すでに限界まで働いている社員たちをさらに働かせる必要がある。マイクは、本気でやるつもりなら、小さいチームをつくり本社から離れたところで秘密裏に進めるべきだと提案した。

適切な構造に関しては考えるべきことがたくさんあった。非上場企業として、わたしたちは投資家に受託者責任を負っている。投資のための資金を提供してくれている人たちであり、明確な戦略と長期的な視野をもつ洗練された投資家だ。しかし上場企業としては、これに株主に対する責任が加わることになる。投資家は出資をしたあと、わたしたちがその資金を運用するあいだ何年も待つことに慣れている。一般株主は、保有する株式の価値を毎日、毎秒追跡する。投資家と一般株主の利害は必ずしも一致しない。

トニーは、専門的事項については淡々と内々に答えを出すことを主張した。IPOで思わぬ利益が舞いこむかもしれないと気になって仕事に集中できない社員が出てきては困るからだ。また、何カ月にもおよぶ社内での駆け引きやゴシップを刺激するのも避けたかった。トニーの提案で、法律顧問のロバート（ボブ）・フリードマンを招き、わたしとトニーとマイクで会った。わたしはまだ決めかねていると話した。しかし正式にIPOを検討しはじめるなら、交渉の余地のない条件が三つあると宣言した。さまざまな利害関係の適切な均衡をとるのに必要だとわたしが思う条件だ。

第一に、投資家に対する責任と、一般株主に対する責任とのあいだに相反があってはならない。第二に、ピートとわたしは当初の四〇万ドルの投資から数十億ドルの価値を創出してきたのだから、いまさら世間の人々からどのように会社を運営すべきか指示されたくはない。いままでは、わたしの起業家精神とトニーの組織運営の才能をかね備えた会社になっている。わたしたちの企業文化は聖域であり、株式公開によってそれが破壊されるおそれがあるのならば、公開などはじめから考えるべきではない。第三に、わたしは一〇〇パーセントの支配権を維持したかった。創設者としてブラックストーンの戦略的な展望を確実にするためでもあるし、会社の結束を守り、リーマンのように派閥にわかれて反目しあうようなことにならないためのもっとも確実な方法でもあると思った。人や報酬についての最終決定権をわたしがもちつづければ、ブラックストーンはひとつにまとまったまま繁栄していくはずだ。この三つの条件を満たせるのならＩＰＯを検討していい。満たせないなら検討することはできない。わたしはトニー、ボブ、マイクに秘密裏に答えを出すよう求めた。社外の人間に連絡をとる必要が出てきたら、投資先会社のために調査をしていることにしなければならない。どんな漏洩も致命的になるおそれがあった。

数週間後、マイクとボブがトニーとわたしに会いにきた。ふたりは笑みを浮かべていた。支配権についてのふたつの問題を解決するためにふたりが見つけだした答えは、投資家とのパートナーシップを維持しながら株式に相当する持分証券（コモン・ユニット）を発行するというものだった。ゼネラルパートナーや取締役会の選任に関して、部外者には投票権があたえられない。選任権はわたしにある。監査委員会には独立した社外取締役を選任する必要がある。しかしそれ以外の点では、会社の結束を維持したまま、わたしが適切と思うやりかたで経営できる。

投資家に対する責任を優先するという問題の答えはもっと単純だった。開示だ。株主になる見こみのある相手には、わたしたちが最優先するのはファンドの投資家への責任だと伝えておく。わたしたちがその責任を果たせば、株主も利益を得ることになる。わたしが筆頭株主になるので、株主たちはわたしの利害が自分たちの利害から乖離することを心配する必要はない。この構図はどんな複雑な法的約束よりも強力だ。わたしはＩＰＯについて高いハードルをいくつか設定していたので、マイクとボブがそれを乗りこえてきたことに少し驚いた。まだ見こみは薄いように感じたが、少なくともやってみてもよさそうだと思った。

わたしはすべての投資に用いるのと同じやりかたでとり組むことを要求した。まずは提案からはじめる。それを議論し、批判し、質問する。そして、これ以上ないという確信に至った場合にのみ決定する。仕事は山ほどあった。会計士は上場企業の規制基準を満たすために財務状況を整理しなければならない。弁護士は会社全体を再編しなければならない。わたしたちは投資家向けの資料案を作成し、ＳＥＣの承認を得たのち、売りこみに出かけることになる。少なくとも一年はかかるだろう。

ＩＰＯを考えていたのはわたしたちだけではなかった。株式を公開するつもりなら、一番でなければならない。最初に市場に参入した会社がもっとも多くの資金を集めることになる。二番以降の参入者はのこりものを求めて争わなければならない。

数字と格闘し法的構造を整備してＩＰＯプロジェクトを前に進めながらも、わたしはこれまでどおり粛々と会社の業務がつづくことを望んでいた。わたしたちは日々、プライベートエクイティ、不動産、オルタナティブ・クレジット、ヘッジファンドなど、あらゆる部門の主要案件を評価している。自分たちの将来をひそかに再考している途中といえども、仕事をおろそかにするわけにはいかない。マイクはチームからふたりのメンバーを派遣し、デロイト＆トウシュの顧問会計士と仕事にあたらせた。また、シンプソン・サッチャーの弁護士も会社のほかの人たちの目につかないように自分たちの事務所で働かせた。

二〇〇六年末に向けて、トニーは、プロジェクトのいちばんの難関ともいえる側面について考えはじめるべきだと訴えた。わたしたちひとりひとりが所有する株式の価値を把握する作業だ。その時点まで、ブラックストーンはさまざまな事業分野に関連する一〇〇ほどのパートナーシップの集合体だった。重複しているものも、していないものもあれば、期限が設定されているものも、されていないものもあった。すべての事業は異なる成長曲線を描き、大部分は堅調に成長していたが、横ばいのものや、なかには縮小しているものもあった。これから投資することになるさまざまなファンドの資金や確約された資金もあった。これらすべてを評価し、二〇年ここで働いている専務取締役から大学を出たばかりの一年目アソシエイトまで社員全員を考慮する必要がある。

このとてつもなく大変な課題をトニーはすべてひとりで秘密裏に進めた。だれかに見つかれば袋だたきにされると案じたからだ。トニーが考えていたのは、株式を公開し、すべての人の株式が付与された段階で、透明性が高く競争力があり同業他社に対抗できる報酬制度を確立することだ。ビジネスの健全性を長く保つことのできる制度でなければならない。トニーは、過去と現在のパートナーや従業員に報酬をあたえながらも、つぎの世代のために十分な量を残しておきたいと考えた。これには多くの分析が必要だったが、同時に多くの判断をくだし、人々の感情や考えを理解し、見かけ上のあらゆる差異をなくす必要もあった。トニーは以前、ＤＬＪで同じような作業をひととおりこなしたことがあり、そのときの社員数はブラックストーンの一〇倍だった。しかし今回は、状況の複雑さと斬新さから一〇倍も困難な作業になった。トニーが解決を得意とする種類の多次元的な問題だ。

二〇〇七年二月、トニーが計算に没頭し、弁護士や会計士も仕事を進めていたとき、小規模な資産運用会社がＩＰＯを申請した。フォートレス・インベストメント・グループというヘッジファンド運用会社で、自己資金投資もおこなっていた。運用資産はわずか三〇〇億ドルで、当時のわたしたちの運用資産の約三分の一だ。しかしフォートレスのＩＰＯは成功した。市場の需要は強かった。フォートレスの成功で、わたしたちはさらに急いで進めざるをえなくなった。ライバルたちがみんな同じ目標に向かって突き進み、わたしたちより先に一着でゴールしようとする姿が想像できた。二着になるわけにはいかない。

わたしたちはＳＥＣに意向を伝え、モルガン・スタンレーに電話して引き受けについて話し合った。これまではブラックストーンの潜在的な市場価値についてマイケル・クラインが最初に提示した市場ベースの見積もりにたよっていた。今度は第三者の意見が欲しかった。モルガン・スタンレーには昔ながらのコーポレートファイナンス担当者がいて、いくつかの借入買収で協力しすばらしい仕事もしてもらっていた。モルガン・スタンレーはシニアバンカーをふたり派遣してきた。のちにグーグルのＣＦＯになるルース・ポラットと、エドワード（テッド）・ピックだ。ふたりは申し分ない計画のようだと言い、それを裏づけるよく考えられた根拠も出してくれた。

これで、法的・財務的構造、内部改革・報酬制度、引受会社のすべてが整った。引受会社はモルガン・スタンレー、シティバンク、メリルリンチだ。わたしは株式公開目論見書の一項目として、「わたしたちはほかとはちがう会社を目指す」というタイトルの文を書いた。そのなかで、現状どおりの企業文化、長期的な視野、パートナーシップ・マネジメント体制、幅広い社員持ち株制度を維持する方針を説明した。また、一億五〇〇〇万ドルの株主資本を新規のブラックストーン慈善基金に出資し、今後の企業寄付を管理するとも約束した。「当社の事業の性質上、また長期的な視点に立った経営をおこなっていることから、当社の持分証券を購入できるのは、今後何年も持分証券の保有者でありつづける予定の投資家にかぎる必要がある」とわたしは書いた。

届出書の提出日が迫るなか、わたしはミュージカルを見にいった。『ハミルトン』で知られるリン＝

マニュエル・ミランダが最初に書いた『イン・ザ・ハイツ』だ。見ごたえのある舞台だったのはまちがいないが、わたしの心はどこかよそにあった。ちょうど家を出るとき株式公開目論見書の最終草案が届いたため、待ちきれなくなって暗い劇場でなんとか読もうとした。ついには目論見書をもってロビーに出た。二二一ページにわたって数字と図表と明快で説得力のあることばが並んでいた。読みおえて、なんてすばらしい会社だろう、と思った。わたしならすぐに株を買う。

会社に計画を明らかにする前にピートと話す必要があった。わたしたちは三五年間の大半をともに働いてきた。メイフェアホテルで長い朝食をとりながらブラックストーンを構想した。最初のファンドではふたりで資金調達の苦しみに耐え、取引ごとにともに会社を築いてきた。ピートは当初から積極的にM&Aにかかわり、必要な助言をいつもあたえてくれた。ここ数年は一線から退いていた。財政赤字の削減という自分の好きな主題についての本を書き、国際経済学を専門とする研究所を設立中のワシントンですごす時間が多くなっていた。ピートにはまだIPO計画を打ちあけていなかった。会社の財務面はずっとわたしの担当だったし、ピートは秘密を守るのが得意ではなかったからだ。なんと言われるかはわかっていた。「本気なのか？　きみはそれがいい考えだと思うのか？」

ピートはIPOに対する反論を並べた。わたしたちが何カ月もとり組んできた問題、とりわけ株主に対する責任と世間の好奇の目にさらされる問題を指摘した。そしてもうひとつつけくわえた。わたしは標的にされるだろうし、著名人でいることが不愉快でたまらなくなるだろうということだ。

そのとおりだと思うとわたしは答えた。株式を公開すれば、資産と安定の両方を手に入れるための恒久的な資本金が得られる。わたしたちは世界的なブランドへと変化し、取引、あらたな投資家、あらたな機会がもたらされる。「ひとつの会社」という企業文化を強化しながら、あらたな事業展開さえ可能になる。とどめに、わたしのアンテナは、世界があまりにもおかしくなっているから、早めに現金を積みこんだほうが結果はよくなると言っていた。そのためにわたしが世間から叩かれる存在になる必要があるなら、それでかまわない。

「わたしたちは二二年前にほとんどなにもないところからふたりでこのビジネスをはじめましたね」わたしは言った。「将来、家族に富をもたらすことになります。会社にとってもよい話ですよ」

ピートの計算力はいつも冴えていた。

二〇〇七年三月二一日、申請の前日に全社規模のミーティングを開き、計画について説明した。なかなか頭がついていかないのも無理はなかった。ニュースはもれていなかったので人々は仰天した。わたしたちがボタンを押したとたん、金融界がにぎわいだした。

＊＊＊＊

ＩＰＯの計画は、評価額三五〇億ドルで四〇億ドルを調達することだった。それが一本の電話で変わった。申請直後のある晩、家で『ロー＆オーダー』を見ながら投資委員会のメモを読んでいたとき、アントニー・リョン（梁錦松）から電話がかかってきた。わたしたちは数カ月前に中国でのパートナーとしてアントニーを雇っていた。アントニーはＪＰモルガンのアジア部門責任者やシティグループの中国・香港部門の代表を経て、香港の財政司司長に就任した。取引の経験というより広い人脈をもつ男だが、わたしはなにか感じるところがあった。結局、ブラックストーンのために中国で資産運用事業をはじめてもらうことになった。

わたしがはじめて中国をおとずれたのは一九九〇年で、家族といっしょだった。当時はいまとはちがい、まだ市場経済への道を模索している国だった。道路は車ではなく自転車で渋滞していた。一九九二年にブラックストーンが中国での取引を検討したとき、まだ国家的な送金システムがないことを知って驚いた。ある場所で小切手を書いて、べつの場所で現金化することができなかった。その取引は見送った。それから一五年にわたり中国の発展を興味を募らせながら見守っていたが、会社としてはアメリカ、ヨーロッパ、日本で手一杯だった。二〇〇七年はじめに入社したアントニーは、わたしたちが地面に打ちこんだ最初の本物の杭だった。

その晩、アントニーは世界最大の銀行である中国工商銀行（ＩＣＢＣ）の取締役会から帰ったところだとわたしに話した。ふたりの元政府高官が近づいてきて、中国政府は政府系ファンド（政府所有の投資ファンド）を設立する計画で、ブラックストーンを最初の大型投資にしたいと言ったそうだ。中国政府はわたしたちがやっていることや、大切に考えていることに好感をもっているらしい。四〇億ドルのＩＰＯ計画のうち三〇億ドルを投資したいと言ってきた。売りこみさえしていなかったのに、いつのまにか次世代の世界の超大国にお墨つきを得ていたのだ。わたしは翌朝八時三〇分にトニーに会いにいった。「おい、とんでもない話だぞ」

株式を公開するおもな理由のひとつが資本基盤の強化なら、資本は多ければ多いほどいい。トニーはためらわなかった。「受けましょう」。ＩＰＯを七〇億ドルに増やし、追加の金はピートたちパートナー陣への支払いに使い、残りは会社に投じればいい。わたしたちは三〇億ドルを支払ってもらうかわりに、中国側が一〇パーセント弱の議決権のない株式を取得し、それを最低四年間保有することを提案した。四年たった時点で、中国側はその後三年間にわたり年に一度株式を三分の一ずつ売却できる。こうすれば会社やファンドの投資家の利益と足並みをそろえられる。合意には中国の国務院と首相の承認が必要だったが、驚いたことにどちらからもわずか数日で回答が届いた。アメリカやヨーロッパなら、数カ月かかっていたかもしれない。中国政府の行動の速さは、この決定がたんなる金銭的なものではないことを示していた。これは政治的にも外交的にも重大な影響をあたえるものだ。

第二次世界大戦後、中国政府がはじめておこなう国外株式投資がわたしたちだった。それも新しい国営投資会社が操業を開始する前だった。

＊＊＊＊

わたしはピートが警告していた世間の好奇の目がどんなものか、はじめて経験しようとしていた。六月はじめ、チャック・グラスリー上院議員とマックス・ボーカス上院議員は、二〇〇七年一月以降に上場するパートナーシップの税法を変更する法案を提出した。これは「ブラックストーン税」と呼ばれるようになった。法案が通過すれば、ＩＰＯのリスクを再検討せざるをえなくなる。どうよく見ても、申請までの一年間におこなった税金の計算をすべてやりなおさなければならないだろう。最悪の場合、ＩＰＯを中止しなければならない。しかし、トニーとふたりで長年の政府関係アドバイザーであり当時オグルヴィ＆メイザーの副会長だったウェイン・バーマンと話した結果、法案が可決される見こみは低いと感じた。仮にそうなったとしても、法律になるまでには長い時間がかかるだろう。わたしたちが足止めを食うことはまずないはずだ。

数日後、アメリカ労働総同盟・産業別組合会議（ＡＦＬ‐ＣＩＯ）会長のジョン・スウィーニーがＳＥＣに書簡を送り、ＡＦＬ‐ＣＩＯが投資先会社の従業員に対するわたしたちの待遇を調査するまでＩＰＯを延期するよう要求した。ＳＥＣはそれに調子を合わせ、会計規則を変更しているところだと言いだした。ＩＰＯに向けたわたしたちの構造改革が新会社の買収に見えるような変更だ。そうなればあらたな費用がかなりかさむことになる。

ＳＥＣによると、さまざまなブラックストーンのパートナーシップや事業体の従業員の利益に対する持分をひとつの会社の株式に交換するやりかたは、まるでパートナーシップや事業体を買収しているように見えるという。これは買収ではない。買収ならわたしが小切手を書くはずだからわたしが知らないはずはない。所有者は依然として会社の所有者だ。ＳＥＣがしていることにはまったく納得できなかったが、ＳＥＣは自分たちに最終決定権があることをはっきりさせた。

これだけではない。バージニア州のジム・ウェッブ上院議員は、中国が出資することに異議を唱えた。わたしたちは外国からの投資に関するあらゆる法律や規制をクリアしていたが、議員はこの投資が国家安全保障に脅威をあたえる可能性があると主張した。この異議は空振りに終わった。

こうした政治的な攻撃に対抗しながらも、投資家にブラックストーンを売りこまなければならない。一般的なやりかたはウォール街で「ロードショー」と呼ばれるもので、経営幹部のチームが投資家ひとりひとり、または少人数のグループのところへ出向き売りこみをしてまわる。わたしたちはちがうやりかたをすることにした。一気に世界に打ってでようと考えた。主要な投資家の拠点となっているニューヨーク、ボストンなどの都市にみんなで攻勢をかけ、その後散らばる形だ。トニーはヨーロッパと中東のチームを率い、ＣＦＯのマイク・パグリッシがアジアを担当する。わたしはアメリカの大口の顧客を引き受け、トム・ヒルとジョン・グレイが小口の顧客を受けもった。

最初のイベントはニューヨーク五番街のピエールホテルでおこなった。会場はいっぱいで、入りきれない客のためにビデオ画面でステージを見られるようにした複数の予備会場もいっぱいになった。サーカスのようにあちこちに風船を飾り雰囲気を盛りあげた。ちょうどわたしがプレゼンをはじめたとき、携帯電話が鳴った。娘のズィビーが病院からかけてきたのだ。わたしが双子の祖父になったという知らせだった。小学校の宿題を手伝ったり、娘のベッドをすべり落ちて遊んだり、サマーキャンプに行った娘に毎日はがきを送ったりしたのがまるできのうのことのようだ。わたしはステージをトニーにまかせ、まっすぐ娘に会いにいった。入念に計画した発表イベントだがしかたがない。

この大騒ぎは、わたしたちのあとを追ってボストン、シカゴへとつづいた。投資家たちはワシントンでとりざたされている問題など気にしていないようだった。数日のうちに、モルガン・スタンレーはもっと多くの株式を発行するのに十分すぎるほどの需要があると言ってきた。

シカゴでイベントに向かっていたとき、トニーのチームのひとりが電話をかけてきて、トニーがクウェートの病院に運びこまれたと言った。耐えがたい痛みに苦しんでいるのに、医師たちは原因を見つけられないでいた。わたしはロンドンにいるシニアパートナーのデイビッド・ブリッツァーに電話して、すべてをおいてクウェートへ飛ぶよう指示した。必要なら飛行機を借りろ。とにかくトニーがしっかり治療を受けられるようにしてくれ。ロードショーは延期できる。トニーの番号に電話してみると、驚いたことに本人が出た。

「大丈夫だ」トニーはいつものようにこともなげに言った。「心配いらない」

「トニー、そっちにブリッツァーを向かわせる。ロードショーのために無理をしないでくれ」

「スティーブ、それは必要ない。ほんとうに大丈夫だから」

しかしとても大丈夫そうには聞こえなかった。わたしはもう一度デイビッドに電話した。「あいつをベッドに縛りつけろ。自分を傷つけるのをやめさせてくれ」

デイビッドはクウェートへの最初の飛行機に乗っていたが、現地についたときにはトニーは病院を出ていた。医師によると、大きな腎結石があり激痛はあるが、命にかかわるものではないという診断だった。腎結石はまだ体外に排出されていなかった。排出されるまでのあいだ痛みを麻痺させるモルヒネ注射一箱をもらってトニーは退院していた。どうしても仕事をつづけるといって聞かなかった。

トニーはブリッツァーの援軍を得てクウェートでのプレゼンを終え、サウジアラビア、ドバイへと旅をつづけた。トニーはモルヒネを拒否し、痛みを耐えぬくほうを選んだ。トニーにとっては拷問だったが、その三日間一度もミーティングを欠席しなかった。ドバイで自分から再入院し、準備ができたところで飛行機をチャーターしてチームとともにロンドンへもどった。

ようやく安心できると思ったところへ、べつの電話が入った。トニーたちのチャーター機に問題が起きていた。エンジンのひとつがイラン領空で故障したが、パイロットはイラン上空の飛行許可を申請していなかった。飛行マニュアルによれば最寄りの飛行場に緊急着陸することになっているが、パイロットはイランの空域を許可なく飛行しているアメリカ人の飛行機を深夜にイランのどこかへ着陸させるのには反対だった。もうひとつの選択肢は、残ったひとつのエンジンでアテネを目指し、無事を祈ることだった。飛行機の後部座席でまだひどい痛みに苦しんでいるトニーは、アテネへ向かうようパイロットを説得していた。

同僚や友人がイランで墜落したり緊急着陸したりする光景が目に浮かんだ。当時イランを率いていたマフムード・アフマディーネジャードは、アメリカとイスラエルを憎んでいた。九・一一事件はアメリカがテロとの戦いの口実として計画したものであり、ホロコーストはつくり話にすぎないと信じていた。わたしたちはみんな、パイロットがアテネへ向かうことに賛成した。飛行機はひとつのエンジンでなんとかアテネに到着した。トニーとチームはべつのチャーター機でロンドンへ向かい、そこで丸一日のミーティングをこなし、ようやくニューヨークへもどった。帰国後、トニーはいつもの控えめな口調でさすがの自分も平静さを失ったと告白した。「ほんとうに大変な旅だったよ」

＊＊＊＊

六月半ばまでに、わたしたちは計画していたプレゼンの半分しかすませていなかったが、IPOは一五倍の応募超過になっていた。一株を予想幅の上限である三一ドルに設定し、市場に出す株式数を増やした。六月二四日に一億三三三〇万株を売却し、中国からの投資をふくめて七〇億ドル以上を調達した。この一〇年間でグーグルに次ぐ二番目に大きなIPOとなった。

取引の価格を決めた夜、わたしはだれもいないアパートに帰った。クリスティーンは娘のメグや甥姪たちとアフリカ旅行へ行っていた。わたしは疲れきっていた。熱いシャワーを浴び、ジーンズとポロシャツに着替え、スリッパをはき、トレイに載せた食事をもって椅子にすわりこんだ。テレビをつけると、恐ろしいことにわたしがそこにいた。チャンネルはCNBCになっていた。とても疲れていたのでチャンネルを変えることもせず、ただそこにすわって自分を見つめながら、このIPOの狂乱からいつか逃れることができるのだろうかと考えた。

『ニューヨーク・タイムズ』は、ブラックストーン株には「グーグルに似た神秘性」があり、市場デビューを狂わせただろう多くの異議や攻撃もわたしたちには影響をあたえなかったと報じた。「怪物ブラックストーンは前進しつづけた」とジャーナリストは書いている。上場企業としての初日の朝、株式市場に行って最初の鐘を打ち鳴らすこともできたが、ピートとトニーにわたしなしでやってくれとたのんだ。そのかわり、わたしは職場へ行きひとりで会議室にすわった。

起業家の人生のなかで頂点であるはずの出来事についてこんなふうに感じるのは不思議だった。一九九〇年代初頭、不動産価格が歴史的な低水準にあるとき、わたしたちは不動産を買う好機を見いだしたが、資金不足と投資家の不安に縛られていた。投資家の根拠のない恐怖に邪魔され、資金を調達しているあいだに機会を逃してしまった。もう同じ問題は起きない。投資ファンドには長年にわたって多くの資金が確保されている。そしてIPOで調達した資金があれば、自分たちの事業に投資しつづけ、魅力的な機会があればいつでもどこでも追求できるような人材や資源を確保しておける。

この日、オフィスにはいつもの活気がなかった。廊下は空っぽで、職場全体が静まりかえっていた。わたしは市場が開くのを見ようとテレビをCNBCに変えた。「おはようございます。本日はブラックストーンのIPOを終日お知らせします」。わたしは茫然自失の状態で一時間テレビを見ていた。またわたしが出ている。避けようがない。画面に映っているインタビューを受けたことさえ思い出せなかった。わたしはテレビを消した。いったいなんなんだ、記憶がはっきりしない。自分がなにに首をつっこもうとしているのかは理解しているつもりだった。だがもうわけがわからなかった。

＊＊＊＊

株式公開直後、GSOキャピタル・パートナーズの共同創業者ベネット・グッドマンから電話があった。トニーは二〇〇一年にブラックストーンに入社して以来、比較的小規模なクレジット事業の拡大に関心をもっていた。ここ数年、わたしたちはDLJからベネットのグループを引きぬこうとしていたが断られていた。しかしIPOのあと、ベネットはGSOをブラックストーンと合併する準備ができたと言ってきた。ベネットもパートナーたちも、ブラックストーンの急激な成長と、幅広いネットワークに衝撃を受けていた。わたしたちと組めばGSOの成長を一気に加速できるのではないかと考えたのだ。ふたをあけてみるとそのとおりだった。合併により、わたしたちはオルタナティブ資産運用事業で最大のクレジットプラットフォームのひとつを生みだし、GSOはIPO後の一〇年間で一五倍以上に成長した。

Part 4

タッチダウンをねらって

SPRINTING DOWNFIELD

第一七章　状況の味方になる

ブラックストーンが上場企業になったころには、市場はピリピリしはじめていた。二〇〇七年二月、フレディマック（連邦住宅金融抵当公庫）はサブプライムローンの購入を中止すると発表した。サブプライム融資を専門とする住宅ローン会社は、ますます窮地に陥っていた。この問題はやがてクレジット市場全体に波及する。

数週間後、ベアー・スターンズのCEOジェームズ（ジミー）・ケインから電話があった。助けを必要としていた。傘下のヘッジファンドふたつが問題をかかえ、外部の意見が欲しいというので、ヘッジファンドの知識があるスタッフをふたり、助っ人として派遣した。ふたりは厄介なニュースをもってもどってきた。

第一のファンドは、サブプライムローンを担保とした証券のみを購入していた。こうした証券は公開市場で取引されないため、価値を判断するのはむずかしかった。人々がつぎつぎに住宅ローンの債務不履行を起こしはじめるにつれ、この証券の価格が急落し、だれも買わなくなるだろうことは予想できる。にもかかわらず、ファンドの条件では、投資家は月に一度資金を引きだせる。

うそのようだがほんとうの話だ。このファンドは、不透明で急速に価値が下落しているのにそれでも投資家に毎月の流動性を約束していた。第二のファンドは第一のファンドと同じだったが、レバレッジがかかっていた。第一のファンドが破綻するなら、第二のファンドはとんでもなく破綻する。

わたしはジミーに電話をして、そのファンドは大失敗に終わり、投資家になんの資本も残らないだろうと告げた。みずから損害を引き受けて投資家に小切手を書き損失を補填するようすすめた。法的な観点からは必ずしも必要な譲与ではないが、構想を誤ったこのふたつのファンドの失敗によってベアー・スターンズの評判が大きな痛手を負うことを思えば安いものだ。

「きみのことはほんとうに好きだよ、スティーブ」ジミーが言った。「だが、ばかなことは言わないでくれ。小切手なんて書くものか。これは大人のゲームだ。目論見書だってある。人はリスクをとるんだ。ときには勝つし、ときには負ける」

そんな理屈は危険にさらされるものがほかにもたくさんあるベアー・スターンズのような大企業にはあてはまらないとわたしは指摘した。もっと広い視野で自社の評判について考えなくてはいけない。ベアー・スターンズの最高のブローカーたちが社長の監督下でこの商品を推薦した。ファンドが破綻すれば、企業の営業部隊はダメージを受ける。投資家が不当な扱いを受けたと感じるなら、ジミーはそれを埋めあわせする必要があり、それを怠ればファンドの失敗が会社全体と数千人の社員の生活に悪影響をおよぼしかねない。

「わたしはだれに対しても小切手を書く必要などない。これが市場のしくみだ」とジミーは言った。「市場についてはそうなのかもしれない。だが、ただ立ちあがって小切手を書かなければならないときもある。これは自分の責任だと顧客に示すんだ。そうしないと、二度ときみを信用してくれなくなるぞ」。わたしもエッジコムの経験のあとこのジレンマの痛みを経験し、融資してくれた銀行にまちがいなく返済するよう気を配った。あのときすべてを正しくおこなっていなければ、その後の取引で銀行の信頼をとりもどすのははるかに高くついただろう。

ブラックストーンでは、EOP案件とIPOのあと、わたしたちの興奮はおさまっていなかった。株価は上昇をつづけ、ほとんどの投資家は精神的なやすらぎのとりこになったまま動こうとせず、変化を受け入れ結論を導きクレジット市場の否定的なデータにもとづいて行動することを拒んでいた。しかしわたしたちは、来たるべき市場の混乱が近づいてくるのを見ながら準備を整えた。多くの人は、市場が崩壊した瞬間をもっともリスクの高い瞬間と考えてしまう。しかし、市場崩壊の瞬間は逆にチャンスのときだ。

危機に突入したとき、ブラックストーンはIPOで得た現金四〇億ドルと、必要に応じて利用できる一五億ドルのリボルビングラインをもっていた。基本的な経営方針として、トニーとわたしは純債務をもたないことにこだわってきた。これはわたしたちのリスク回避のひとつだ。二〇〇億ドル以上の資金が一〇年間ロックアップされていたため、顧客による資金のとりつけを心配することなく嵐を乗りきることができた。強固な資本基盤のおかげであらたな投資に応じられる態勢にあったが、統制のとれた投資決定プロセスによって、最終的に資金難に陥ってしまうような大きな取引に手を出すことはなかった。

一九九〇年代後半から二〇〇〇年代前半にかけて、わたしたちはアメリカのエネルギー業界をより注意深く見るようになり、ふたつの力がこの産業を変えつつあることに気づいた。ひとつは着実な規制緩和だ。エネルギー産業がつぎつぎにより小規模な民間企業の手にわたるようになった。もうひとつはエンロンの倒産だ。多くの企業が財政難のもと、採掘権から製油所、パイプラインにいたるまでさまざまな資産を低価格で売却せざるをえなくなった。

わたしたちはこぢんまりとはじめたが、何年もかけて知識や経験やネットワークを積みあげることで、利益を最大にし、リスクを最小におさえながら景気サイクルのいくつもの転換期を乗りこえられるようになっていた。

二〇〇四年には、ヘルマン&フリードマン、KKR、テキサス・パシフィック・グループ（TPG）の三社と提携し、テキサス・ジェンコを買収した。テキサスで電力発電所を運営する会社だ。一年後、わたしたちはテキサス・ジェンコを売却し、約五〇億ドルの株式売却益を四社でわけた。これはもっとも収益性の高いプライベートエクイティ投資のひとつとなった。利益の源泉は、規制当局が天然ガス価格に固定していた電力価格の上昇だ。テキサス・ジェンコは、おもに石炭や原子力などの天然ガスよりずっと安いエネルギー資源から電気を生産していたため、電力価格がガス価格とともに上昇すれば、利益はそれ以上に増える。KKRとTPGは二〇〇七年にふたたび景気の谷をねらい、テキサス州のべつの電力会社TXUを前回を上まわる四四〇億ドルで買収した。わたしは自社のエネルギーファンドの責任者デイビッド・フォーリーに、なぜ今回は参加を見送ったのか尋ねた。

デイビッドはビジネススクールからの採用だ。最初のファンドを立ちあげたとき、エネルギーの経験はなかったがすでにこの業界に夢中だった。デイビッドはTXU買収の計算結果を投資委員会に示し、なぜ買収が意味をなさないのかをくわしく説明した。エネルギー産業は不動産と同じように景気サイクルに左右される。投資家としては、景気の谷は深く長い場合があることや、市場がピークに達してもわれわれを忘れてはいけないことを理解する必要がある。TXUの買い手は四四〇億ドルの買収価格の九〇パーセント以上を借入金でまかなったため、ささいな失敗も許されない。買い手はガス価格、ひいては電力の規制価格がさがることはないと予想していた。この筋書きどおりなら、消費者に請求される高い電力価格と石炭火力発電所で電気を生産する低い費用との差分によって、長年にわたり利益をあげることができる。しかし、ガス価格がさがれば、消費者が払う電気代もさがる。TXU

の所有者は、電気を売っても利益が減っていき、債務を返済しようともがいて行きづまってしまうだろう。デイビッドは入札するべきではないと強調した。

結果が出るまでしばらく時間がかかったが、二〇一四年には天然ガスと電力の価格が暴落し、石炭から電気を生産していたTXUは倒産した。投資家は景気サイクルの頂点で買ってしまい、高い代償を払うことになった。

****

ヒルトンのCEO、スティーブン（スティーブ）・ボレンバックが電話してきたのは、市場での取引のほとんどを見送っているときだった。数カ月前、わたしたちはヒルトンを調べ買収の提案をしたが、スティーブに断られていた。しかしいまは準備ができたということだった。スティーブは引退を考えていて、この売却は金銭的にも個人的にもキャリアの頂点となるはずだ。そしておそらくサム・ゼルと同じように、いまためらえば、市場が回復するまで何年も待つことになると考えたのだろう。

わたしたちは一九九三年以来、アメリカのラ・キンタやエクステンデッド・ステイからロンドンのサヴォイ・グループまで、多くのホテルを売買してきた。いつ買うべきか、そしてどのように経営するべきかを心得ていた。ホテル経営の大きな部分を占める労使関係についても理解していた。ヒルトンは国内外で興味深いビジネスを展開していた。長年にわたり、国内と国外はべつべつに経営されてきた。近年再統合されたが、両者を縫いあわせた糸はまだ新しかった。国内事業の本社はビバリーヒルズにあった。所有するホテルは老朽化していて、本来必要なほど頻繁には改装されていなかった。経費は四つの部門で重複していて、利幅は競合他社よりも小さかった。経営陣にはガタが来ていたようだ。金曜日の正午にオフィスを閉めていた。あげくのはてに、高価な社用機まで保有していた。価値を高める方法はたくさんありそうだ。

ロンドンに本社をおく国際ビジネスは、さらに興味深かった。ヒルトン・インターナショナルはホテル業界のリップ・ヴァン・ウィンクルで、まわりの世界が急激に発展してもぐっすり眠りこんでいたにちがいない。二〇年ものあいだ新規に物件を増やすこともなく、中国、インド、ブラジルの新興市場もほとんど開拓していなかった。新興国の経済が豊かになるにつれ、国際ビジネスや観光旅行が増加していることはだれでもわかるはずだ。ヒルトンは、コカ・コーラと並ぶ世界でもっとも有名なブランドのひとつだった。正しくやれば、可能性は無限にあるように見えた。ヒルトンは世界で最高のホテルをすでにいくつか所有していた。ウォルドルフ＝アストリア、ヒルトン・ニューヨーク、ロンドン・ヒルトン・オン・パークレーン、ヒルトン・サンパウロ・モルンビだ。これら個々の資産を合計すると、企業全体の時価総額をはるかに上まわる価値がある。しかし、ヒルトンの国内事業と国際事業が統合されても、どちらの事業も眠りから目覚めていなかった。成長の機会を逃し、株価は低迷していた。

わたしたちの分析によれば、ＥＯＰには売却分も加味して総額で一〇〇億ドル以上を投資したばかりだが、ヒルトンには二六〇億から二七〇億ドルの費用がかかる。とはいえ、ヒルトンはそのときでさえ年間一七億ドルの利益を生みだしているとわたしたちは見ていた。経営を改善し、内部資源を生かして売り上げをのばし、ノンコア資産を売却して利益を最大二七億ドルにまで引きあげることができれば、ライバル社より高い価格を提案してもそれ以上の利益が得られる。しかし、ＥＯＰが白熱した市場で価値を最大化するために驚異的なスピードでおこなわれた「ウサギ」の取引だったとすると、ヒルトンは何年もの企業分析を必要とする「カメ」になるだろう。

最初のステップのひとつは、マリオットなどのホテルチェーンを所有するホスト・ホテルズのCEOだったクリストファー（クリス）・ナセッタを採用することだった。ジョン・グレイの長年の友人でもあるクリスはその道の達人だ。ヒルトンを改善できる人がいるとすればクリスだ。ブラックストーンが入札で勝てば、CEOとして参加すると約束してくれたことがわたしたちの自信につながった。もちろん、それでもリスクはある。旅行を凍結させた九・一一のような大規模なテロ攻撃や、SARS（重症急性呼吸器症候群）のような世界規模のウイルスなど、あらたな脅威が現れないとはいえない。しかし、もし世界中が旅行をやめなければならないような事態になるとすれば、だれもがもっと大きな問題をかかえることになるはずだ。

EOPが終わったあとにヒルトンについて考えるのは、オリンピックの決勝をひとつ走りおえたところなのに、すぐべつの決勝のスタートラインに立っているような気分だった。しかし、こうした瞬間がやってくるタイミングは選べない。とにかく準備をしておくしかない。わたしたちはヒルトンの株価に三二パーセントのプレミアムを上乗せして提示し、ボレンバックはそれを受け入れた。ブラックストーンの株式を公開してからわずか二週間後のことだ。ブラックストーンのファンドと共同投資家から六五億ドルを投じ、二〇以上の貸し手から二一〇億ドルを借り入れた。あとは契約成立までハラハラして待つだけだ。

ベアー・スターンズは、ヒルトン案件の貸し手グループを率いた。契約成立を待つあいだに、ジミー・ケインと議論したヘッジファンドが破綻をきたした。ベアーはふたつのヘッジファンドが存続できるように一六億ドルを融資したが、七月末にはそれ以上できることがなくなり、ふたつとも崩壊に追いこまれた。

八月九日、フランスの銀行BNPパリバは、アメリカのサブプライム・モーゲージ証券に多額の投資をしていた三つのファンドの償還を停止し、市場には流動性が残っていないと発言した。同日、アメリカ最大の住宅ローン債権者であるカントリーワイドは、SECに提出した四半期報告書で「前例のない市場状況」を引きあいに出した。カントリーワイドは数日のうちに与信枠を縮小し、二週間後には営業をつづけるためにバンク・オブ・アメリカから二〇億ドルの投資を受け入れた。

このころ、ジミー・リーからも電話があった。だれにも言うなと口止めして、JPモルガンは三日間コマーシャルペーパー（CP）の借り換えができなかったと打ちあけた。CPはアメリカ企業が営業活動をおこなう資金を調達するための短期融資券で、もっとも流動性の高い負債だ。現金にもっとも近い。問題が起きているのはJPモルガンだけではなかった。バンク・オブ・アメリカもシティバンクもCPの借り換えができていなかった。ジミーは、融資してくれる銀行や金融機関に特別な保護を提供することで解決したと言った。しかし、もしアメリカ有数の大手銀行が支払いのための短期融資を受けるのに大わらわだとすれば、サブプライム・モーゲージをはるかに超える大問題だ。

わたしたちは一〇月二四日にヒルトンの契約を完了した。ブラックストーンの最初のファンドをブラックマンデー前夜にクロージングしてからほぼ二〇年、今回もギリギリ間に合った。同日、メリルリンチが二三億ドルの四半期損失を発表した。その後、シティがモーゲージ証券の一七〇億ドルの評価減を計上すると発表した。一一月の第一週までに、メリルリンチのCEOスタン・オニールとシティのCEOチャック・プリンスがふたりとも辞任した。金融業界全体が心停止に陥っていた。

＊＊＊＊

わたしは二〇〇七年後半から、リバティ・ストリートのニューヨーク連邦準備銀行で開かれた一連の昼食会に出席し、金融危機に立ちむかうプロセスを間近で見ることになった。当時ニューヨーク連邦準備銀行総裁だったティモシー（ティム）・ガイトナーが司会を務め、ベン・バーナンキFRB議長、ハンク・ポールソン財務長官、ニューヨークの大手銀行のCEOや会長、ブラックロックのラリー・フィンク、そしてわたしもしばしば出席した。

金融について知識はあったが、このランチで学んだことには驚かされた。ファニーメイ（連邦住宅抵当公庫）とフレディマックというふたつの政府系住宅ローン会社が、国内の住宅ローンの半分を約五兆ドルで買いとって証券化したことは知っていた。わたしが知らなかったのは、その両方が破産寸前だということだ。部屋にいたほかの全員には既定の事実だったようだが、わたしはあぜんとした。

このシステムにはふたつの慢性的な問題があった。ひとつはサブプライムだ。ここ数年、モーゲージ市場は証券化のおかげで流動性が高まっていた。一九八〇年代以降、ラリー・フィンクのような人々のおかげで、住宅ローンはパッケージ化され、株式や債券のような証券と同じように売買されるようになった。歴代の政権は、これまで住宅を購入できなかった人たちへの融資を増やすよう銀行に対して圧力をかけてきた。多くの政治家は、持ち家があることをアメリカンドリームを実現する第一歩と考えた。この金融の革新と政治的圧力が組みあわさることで、新しい種類の住宅ローンが登場した。頭金が激安かゼロのローン、つまり最初の数年間は超低金利のローンだ。規制当局の監督が不十分だったため、悪質な貸し手は借り手の弱みにつけこみ、所得や資産の証明などの適切な書類を要求せずにどんどん融資を提供した。買い手の増加が住宅価格を押しあげ、市場は過熱した。一九九〇年代半ば、サブプライムローンはアメリカの住宅ローン全体の二パーセントを占めていた。二〇〇七年には一六パーセントに跳ねあがっていた。景気が後退期に入ったり、なにかほかの理由で住宅価格が下落したりすれば、サブプライムローンによって勢いづいた住宅市場が崩壊することは天才でなくてもわかる。

もうひとつの慢性的な問題は、規制当局によって引き起こされた。厳密に言えば、問題は財務会計基準書一五七号（ＦＡＳ一五七）だ。いわゆる公正価値会計の徹底を意図した規則だが、問題は、これが公正でもなければ適正な価値の算定にもつながらなかったことだ。二〇〇一年にエンロンが崩壊し、二〇〇二年に通信大手のワールドコムが崩壊したことから得られたもっとも重要な教訓のひとつは、企業は自分がなにを所有しなにを借りているかをあいまいにできるということだ。会計のトリックによって資産価値を高めたり負債を隠したりできる。有力な学者のグループが、解決策は透明性を高めることだと言いだした。いつもみんながすべてを知っていれば、エンロンのような不祥事は起こらない。資産や負債を市場価格で毎日評価することが企業のごまかしを是正する万能薬だと考えられた。

しかし、理論上は筋が通っていたものが、実際には意味をなさなかった。たとえば自分が株式を所有するとしよう。購入するのはまだ二〇年先の定年退職のためだ。一株一〇〇ドルで一〇株買う。株価は一二〇ドルまで上昇したあと、八〇ドルまで下落する。でも気にすることはない。二〇年の視野をもっていて、その株をよい長期投資と考えているからだ。つまり、四半期報告書の数字が変わるだけ、ということだ。

しかし、株価があがったりさがったりするたびに、上昇分の小切手をもらったり、不足分を補うために小切手を書かなければならないとしたらどうだろう。さらに、住宅ローンを借りた銀行や車を買う金を借りた会社など、すべての債権者にいちいち知らせなければならず、債権者がこの新しい株価にもとづいてこちらの信用度を再評価するとしたら？　こちらは二〇年の視野で動いているのに、あちらは今日起こったことにもとづいてこちらを評価し、市場の最新の変化の責任を負わせようとしてくるのだ。

一九三〇年代後半、大恐慌で痛手を負ったアメリカ政府は時価会計を禁止した。株式や債券をはじめほとんどの資産クラスは、平年でも一〇から一五パーセント上下するし、好況や危機の年にはもっと大きく変動することもあると知っていたからだ。企業が長い目で冷静な経営をするかわりに、空騒ぎする臆病者のようにその日の市場の動きにもとづいて資産や負債を常に均衡させようとするのは、経済の健全性にとって最悪のことだ。

二〇世紀後半には、銀行が顧客に金を貸すために自己資本の二五倍の資金を借りるのは一般的だった。借りた金利よりも高い金利で融資できれば利益が出る。業績のよい銀行は融資が得意で、借りた金をきちんと返済してくれる顧客を選んでいたため、規制当局は緊急用の現金を多額に用意することを求めてはいなかった。緊急事態が発生した場合も、解決策は資産をすべて投売りして金を調達するよう要求することではなかった。

わたしは一九七二年に金融界でのキャリアをスタートさせ、一九七五年にはFRBと通貨監督庁が不動産ローンと海運ローンの双子の危機に対処するのを見ていた。問題のあるローンの所有者に対して規制当局が時価評価を強制することはなかった。かわりに、数年にわたって四半期ごとにローンが回復するか貸し倒れになる時間をあたえた。それが現実というものだ。問題に直面しても、あわてて大惨事を宣言したりしない。落ちつくよう求め、みんなに時間をあたえる。

FAS一五七はその逆を要求した。透明性という名のもと、金融機関のバランスシートは異常に不安定に見えるようになった。長期にわたって保有するために構築された資産ポートフォリオも、その価値が下落しているときに価格付けしなければならなくなった。金融機関は、現金が不足しているときにそれまで以上の現金を保有することを求められた。無責任なサブプライムローンとFAS一五七が組みあわさり、市場はパニックに陥り銀行は倒産に追いこまれた。

二〇〇八年はじめ、わたしはモルガン・スタンレーのCEOジョン・マックと夕食をともにした。ジョンは七〇億ドルの四半期損失を計上したと報告したばかりで打ちひしがれていた。どうやってそこまで損失を出したのだろう。損失など出していない、とジョンは言った。すべて書類上のことだ。ジョンは四年前のサブプライム証券のポートフォリオをもっていた。証券の裏づけとなる住宅ローンの債務不履行率は、二〇〇四年には約四パーセント、二〇〇五年から二〇〇六年には六パーセント、二〇〇七年には約八パーセントだった。しかし、たとえ債務不履行率が一〇パーセント未満でも、サブプライム証券の市場は消滅していた。だれも買いたがらないからだ。証券の裏づけとなる住宅ローンの債務を履行していないアメリカ人は一〇人にひとりもいないのに、この証券は触れてはならないものと考えられていた。エンロンとワールドコムの会計スキャンダル後に投資家を保護するために二〇〇二年に導入された金融改革法、サーベンス・オクスリー法のもとでは、資産の価値を誤って報告するリスクを冒すことはできない。そこでジョンはブラックロックにポートフォリオの評価を依頼した。ブラックロックは損失を五〇億から九〇億ドルと見積もった。ジョンは単純に真ん中の七〇億ドルをとり、実際に債務不履行となった証券の価値よりもはるかに大きな損失を報告した。すると突然、だれもがモルガン・スタンレーの健全性に不安をいだきパニックを起こした。

わたしの以前の雇用主であるリーマン・ブラザーズでは、問題はさらに山積していた。CEOのリチャード（ディック）・ファルドとわたしは一九七〇年代はじめにいっしょに昇進し、どちらも一九七八年にパートナーになった。ディックは大学ではC評価の学生で、スキーとパーティにほとんどの時間を費やした。その後、ニューヨーク大学でMBAを取得した。ディックはよく冗談で、一九九四年にリーマンが自分をCEOにした唯一の理由は、自分がいのこっているあいだに優秀な人間がみんな出ていってしまったからだと言っていた。親しくはなかったが、さまざまな公共のイベントで顔を合わせたり、年に一度くらい互いの妻もまじえて夕食をともにしたりした。

残念なことに、リーマン内部の人たちは、ディックの温かく控えめな面をめったに目にしなかった。ディックは独裁的な指導者で、愛されるより恐れられていた。そして二〇〇八年には会社を苦境に立たせていた。その春、わたしたちの不動産チームは、リーマンの不動産ポートフォリオがひどいことになっていると気づいた。リーマンは集合住宅に多く投資していたアーチストーンのような優良な住宅資産とともに、大量の不良な住宅ローン債権をかかえていた。買いとった商業不動産を大量に所有していたが、危機が起きる前に売却しそびれ、その商業不動産の負債に圧迫されていた。市場が健全なら、ポートフォリオ全体の価値は三〇〇億ドルだったかもしれない。しかし買い手は逃げてしまい、価値を見積もることは不可能だった。わたしたちは一〇〇億ドル払ってポートフォリオを引き受けると提案した。わたしたちのほうが時間をかけて資産を売却する忍耐力があった。ディックは提案をはねつけた。自己資本に打撃を受けるより、なんとかもちこたえるほうを選んだ。

その直後の三月一六日、JPモルガンは政府の命令を受けてベアー・スターンズの買収に同意した。つぎはリーマンではないかと注目が集まった。ディックは買い手を探していたが、危機が深刻化するにつれてそれはますますむずかしくなった。ディックはリーマンでのまさかの昇進について冗談を言っていたが、自分の会社に強い感傷的な愛着を感じていた。会社の価値がどれだけ小さくなっているか受け入れるのに苦労していた。八月はじめにディックから聞いたところによると、資産六七五〇億ドルのうち、約二五〇億ドルが不良不動産ローンに関連していた。残りの六五〇〇億ドルは健全で、多額の利益をもたらしていた。だったら、ふたつをわけたらどうだろう、とわたしは提案した。六五〇〇億ドルを「オールド・リーマン」として、不動産事業に影響されることなく事業を継続する。

つぎに、二五〇億ドルの資産プールを新会社「リーマン不動産」に移し、景気サイクルを乗りきるのに十分な資本を投下する。五年かかるかもしれないが、不動産市場は復活する。いつだってそうだ。株主は両社の資産の一〇〇パーセントを所有したままだが、リスクと報酬は不動産に起きていることとは切りはなされる。この分割によってリーマンが市場にもたらしている不確実性の一部がとりのぞかれれば、政府も異論は唱えないだろう。

ディックはこのアイデアを気に入り、分割を実行したらブラックストーンがオールド・リーマンの数十億ドル分を買えるかと言ってきた。わたしは適切なデューデリジェンスができるならイエスだと答えた。しかし話し合いはなかなか進まなかった。ディックは不安で動けなくなっていた。四半期の終了が九月三〇日に迫っていて、不動産資産を時価で評価する必要があった。結局、ディックが不安に駆られているあいだに時間切れとなり、わたしたちがデューデリジェンスを完了させ、必要とされる委任状を提出し、ＳＥＣにリーマンの分割を受け入れさせることはできなかった。ディックのことを思うと心が痛んだ。

買収価格を気にしている場合ではないというのに、ディックは価格にばかりこだわっていた。空売り屋がリーマン株を食いものにしていた。ディックが不動産用と、そのほかのリーマン用のべつべつの証券をつくることができていれば、会社を救えただろう。金融危機はつづいただろうが、優良なリーマンは確保しておけただろう。しかしそうはならず、リーマンはアメリカ史上最大の倒産に追いこまれ、ディックはすべての失敗の象徴となった。

リーマンは九月一五日月曜日に倒産した。翌日、通常なら非常に低リスクで実質的に現金と同等と見なされていたマネー・マーケット・ファンド（ＭＭＦ）が、近年でははじめて下落した。ＭＭＦに投資された一ドルが九七セントに下落した。九月一七日水曜日、米国債の利回りがマイナスに転じた。パニックに陥った人々は損失をこうむることを承知で国債を買っていた。ほかの選択肢よりは安全に見えたからだ。

ＩＰＯと危機にいたるまでの積極的な資金調達のおかげで、ブラックストーンの財務状態は良好だった。しかし、リーマンが倒産した週、わたしはすべての銀行信用枠から資金を引きだした。市場の冷えこみを予感させるものに備えて、手にできる現金をすべて獲得しておきたかった。窮地に立って売ろうとする人がたくさん出てくるだろう。買う準備をしておこうと覚悟した。

＊＊＊＊

九月一七日水曜日午後三時三〇分、クリスティーンから電話があった。

「調子はどう？」いつもどおりにクリスティーンが言った。「夕食に食べたいものはある？」

「調子は最悪だよ」わたしは言った。

「え、そうなの？　……なにかあった？」

「じつは、すべてが崩壊している。米国債の利回りはマイナスだ。ＭＭＦは額面割れを起こした。企業は銀行の信用枠から資金を引きだしている。金融システム全体が崩壊するよ」

「それはひどいわね。それで、どうするつもりなの？」

「どうするつもりかって？　銀行の信用枠から資金を引きだすよ」

「そうじゃなくて、この事態を止めるためになにをするつもりなの？」

「クリスティーン、わたしにこれを止める力はないよ」

「ハンクはこのことを知っていると思う？」

「ああ、知っているはずだ」

「どうしてわかるの？」

「わたしが知っているんだからハンクは知っているよ。彼は財務長官だ」

「でも、ほんとうはハンクが知らなかったら？　ハンクがなにもせずに、システムが崩壊したら？」

「知らないはずがないよ」

「でも、もしハンクが知らなくて、あなたなら彼に警告するとか、なにかできたとしたら？　ハンクに連絡するべきだと思う」

「ハンクはきっと会議中だ。危機的状況なんだ。連絡がつかないよ」

「電話してみて困ることはある？」

「でも、ばかげた電話だ」

「それでも電話するべきよ」

このときにはもう、ハンクに電話すると承知しないかぎりこの電話を切ることはできないと気づいていた。

「わかった」とわたしは言った。「電話するよ」

「ところで」とクリスティーンはつけくわえた。「ハンクに電話するときは、助けになる解決策をなにか考えておかなきゃだめよ。それと、夕食はあなたの好きなカレーにするわね」

わたしはハンクに電話をかけた。

＊＊＊＊

「申しわけありません、シュワルツマンさん」ハンクの秘書が言った。「ポールソン財務長官は会議中です」。それ見たことか。

「これがわたしの電話番号だ」わたしは言った。「電話があったと伝えてくれ」

一時間後、意外なことにハンクから折り返し電話があった。ハンクがゴールドマン・サックスの会長兼CEOだったころ、ブラックストーンは主要な顧客であり、ときには競争相手でもあった。ハンクは昔から知的で、論理的で、断固として、タフで、公正で、金融を深く理解していた。人の意見によく耳を貸し、営業能力も優れている。もっとも重要なのは高い倫理観をもち、信頼にたる人物だということだ。

「ハンク、調子はどうだい？」

「よくないね。どうかしたのか？」

危機のあいだ、ハンクたちのチームはわたしと同じようにウォール街の金融機関の上級幹部たちと常時連絡をとりあい、なにが起きているかをリアルタイムで知ろうとしていた。経営している会社の性質上、わたしたちのほうが市場に近かった。ハンクが正直で率直な意見や助言を喜ぶことはわかっていた。

わたしは、企業が銀行の信用枠から資金を引きだしていて、この速度でものごとが進むと銀行は倒産するだろうと話した。月曜日の朝、銀行が営業を開始できない可能性が高い。

「どうしてそう断言できる？」ハンクは言った。

「このパニックは勢いを増している。このままではすべておしまいだ。きみがパニックを食いとめるんだ」わたしは古い西部劇にたとえて状況を説明した。カウボーイたちが牛追いのあと町へやってきた。カウボーイたちは酔っぱらっていて、通りで銃を撃っている。止められるのは保安官だけだ。ハンクがその保安官だ。帽子をかぶり、散弾銃を手にとり、通りに出て、宙に向けてぶっぱなさなければばならない。そうやってパニックを止めるんだ、とわたしは言った。暴徒をその場で立ちすくませろ。

「どうやるんだ?」ハンクが言った。

「まず、金融株の空売りを無力にする必要がある」。まずい政策だと言われるかもしれないが、ゲームのルールがもはや通用しないことを人々に知らせることになる。銀行株をさげて儲けようとしているヘッジファンドや空売り屋は、財務省がつぎにどう出るか心配するだろう。

「わかった」ハンクは言った。「いいね。ほかには?」

「クレジット・デフォルト・スワップ」わたしは言った。人々は、銀行が債務不履行に陥り破綻することを期待してこの「保険」を効果的に買うことで、金融機関に圧力をかけていた。ハンクはクレジット・デフォルト・スワップを実行できないようにしなければならない。

「いい考えだ。だが、わたしにはそれをする法的権限がない。ほかになにかないか?」

その週のはじめにリーマンが破産を申請して以来、投資家たちはだれもが生きのこると考えていたひとつの銀行に証券会社の口座を移そうと躍起になっていた。JPモルガンだ。投資家たちがモルガン・スタンレーやゴールドマン・サックスの口座を閉じているせいでこうした金融機関は破綻に追いこまれ、いっぽうのJPモルガンはすべての要求を処理するのに苦労していた。わたしはハンクに口座の移管を許可しないよう提案した。

これもハンクにはその権限がなかった。「ほかにはないか?」ハンクは言った。

なによりも、システムが崩壊しないことを市場に対して保証する必要がある、とわたしは言った。パニックを止める唯一の方法は、だれかがものすごい大金をもって現れ、その物理的な力で市場にショックをあたえて屈服させることだ。そのだれかはアメリカ政府でなければならない。そうすれば、社会秩序を乱すすべての行為を止めることができる。ハンクは明日これをする必要があった。

「明日発表しなければ手遅れになる。銀行システムが崩壊し、月曜日に銀行を開くことができなくなる」わたしは言った。水曜日の午後四時三〇分ころのことだ。

「わたしはもうこのシステムを信用していない」とわたしは言った。「ここ数日で、リーマンの転落と、バンク・オブ・アメリカが土壇場の合併でメリルリンチを救うのを目撃した。きみの介入がなければＡＩＧはきのう破綻していただろうし、ファニーメイとフレディマックも八月に救済措置を受けた。なんでもありだ。みんな同じことを思っている。いまの金融システムはこのレベルの不信感に耐えられない。システムが崩壊しないと人々に信じさせるには、大きな資本プールが必要だ。すべてがとんでもないスピードで起こっているから、一時間待つごとに必要な金は増えていく。明日発表しなければだめだ。早ければ早いほどいい」

「まだ一時間くらいはそこにいるか？」

「もちろん。世界が終わろうとしているんだ。ほかに行くところがあるか？」

その後、ハンクがすでにＳＥＣに空売りを一時停止するよう説得していることを知った。しかし、ほかのことに関しては、財務省がいま求められているスピードと規模で介入するには議会の承認が必要だった。危機が深刻化する数カ月間、ハンクはその承認を求めることを検討していたが、民主党の支配する議会が共和党の支配する政権にこれほど多くの権限をあたえることを認めるはずがないと考えていた。リーマンが破綻した夜、もはや選択の余地はなく、行動を起こさなければならなかった。ハンクたちは必要なものを求めることにした。

金曜日、ブッシュ大統領はローズガーデンで、危機を食いとめるために七〇〇〇億ドルの緊急資金を拠出するよう財務長官が議会に対して要請したと発表した。この法案は不良資産救済プログラム（ＴＡＲＰ）と呼ばれた。もっと大規模ならよかったのだが、それでも七〇〇〇億ドルはかなりのものだった。この狂乱を止めるには十分だろう。同日、SECは空売りを禁止した。

これは人々の注意を引くはずだ。この混乱を食いものにするのに忙しい空売り屋やそのほかの連中は、政府を相手どったゲームにほんとうに参加したいか自問することになった。政府はシステムを守るためならなんでもテーブルに載せるだろう。議会がTARPを通過させれば、わたしたちは生きのこりへ向かうことになる。

＊＊＊＊

一〇日後の九月二九日、わたしはスイスのチューリッヒにいた。ホテルにチェックインすると、すぐにテレビをつけて下院がTARP法案に投票するのを見守った。賛成二〇五、反対二二八で国を救えるはずのプログラムは否決された。十分な数の民主党議員が賛成票を投じず、共和党の多くが反対にまわったからだ。これでパニックがふたたびはじまる。

どうしてこんなことになったのだろう。議会の要請により、ハンクのチームはTARP法案が発表された直後に三ページの概要を作成した。議会で詳細が肉づけされ、よりくわしい文書になると考えてのことだ。しかし批判者たちは、七〇〇〇億ドルの税金を確保し、使うには不十分な提案だと評した。ハンクは著書『ポールソン回顧録』のなかで、「わたしたちはこの提案で世の笑いものとなった。いちばんの原因は、あまりにも短すぎ、そのため批評家たちにはいい加減につくったように見えたことだ。だが、議会が機能を発揮する余地を十分に残すためにあえて短くしたというのが実情だ」と書いている。

最終的に一〇〇ページを超えたTARP法案が提出されたのは厳しい政治環境のなかだった。大統領選挙と議会選挙を五週間後に控えていた。政治家は縄張りを争っていた。法案の否決は、国益よりもイデオロギーを反映していた。

わたしは取り乱し、政府関係の顧問ウェイン・バーマンに電話した。ごく内部の人間として、ウェインならこの状況を救うためになにができるか考えているかもしれないと思った。

「ウェイン、TARPを通過させなければだめだ」とわたしは言った。「システムの存続がかかっている。あさましい政治の混乱に足を引っぱらせるわけにはいかない」。わたしは、存命の大統領──ジミー・カーター、ビル・クリントン、ジョージ・H・W・ブッシュ──を全員集めて、議会にTARP法案の通過を求める国民向けテレビ演説をすることを提案した。ウェインはとりかかると言った。

その夜、わたしは眠りにつきながら、この危機にかかわった財務省やFRBの人たちはみんな不眠不休で疲れはてているにちがいなく、援助を得てもいいのではないかと考えた。彼らには、財政や経済への短期的、長期的な影響とその意味、政治的なポーズやエゴ、選挙対応のために求められることなど、気がかりなことがごまんとあった。しかし、わたしの目的はただひとつ。システムがふたたびパニック状態になるのを阻止することだけだ。

翌日、ウェインとわたしは引きつづき大統領放送のアイデアに専念した。わたしは国を説得する力をもつものはこれ以外にないと思った。しかし、ウェインは探りを入れ、作戦を中止して大丈夫だと断言した。「どうやら解決しそうだ」とウェインは言った。「通過するはずだ」

ハンクのチームとベン・バーナンキFRB議長が議会と密接に協力して集中的な作業をおこなった結果、一〇月三日、ついにTARP法案は通過した。法案が最初に否決された直後に株式市場が急落したことも関心を一点に集中させるのに役立った。議会が超党派的に法案を可決したのは、近年の歴史のなかでこれが最後となった。

しかし、書きなおされた法案を読んで、重大な欠陥だと思う部分を見つけた。今回はクリスティーンの説得なしにハンクに電話した。

「おめでとう。ついにTARPが成立したな」わたしは言った。「ひとつだけ問題がある」

「なんだ？」ハンクが言った。

「不良証券を買えるようにはならないよ」

「どういう意味だ？」

「だれもが住宅ローンがいっぱいにつまったサブプライム・パッケージを所有している。昔は市場価格表のようなものがあったから、どこそこの通りにある一軒の家の価値がどれくらいかわかった。だが同じ通りにある五軒の家が売りに出されていたら、一軒の家の価値がどれくらいかだれにもわからない。だから、サブプライム証券のプールをどう評価すればいいかだれにもわからない。文字どおり、すべての通りに出かけて、売りに出されている家の数を確認しなければならない。一軒の家が二〇万ドルで、売りに出されている家がその通りに五軒あれば、もっと安く、たとえば一四万ドル以下で買えるからだ。でも何軒の家が売りに出されているかさえも知らなければどう評価すればいいかわからないし、いくら払えばいいかもわからない。売り手だってわからないだろう。つまり、取引する能力もないし、銀行はどのみち融資しない。だれもサブプライム証券を評価できなければ、換金性もなくなって、だれも不良証券を買わない」

「で、きみの提案は？」ハンクが言った。

「七〇〇〇億ドルを株式か新株予約権付優先株として銀行に注入すれば、銀行は安定する」。安定性が確保されれば、銀行は財務省が注入した金額の何倍もの資金を新規預金の形で集められるようになる。これらの預金は収益性の高い融資にあてることができ、経済を再始動させる。政府は株式投資で利益をあげ、銀行は危機を乗りきって投資をはじめるのに必要な資金を手に入れる。レバレッジを一二対一にすれば、銀行の自己資本は八兆か九兆ドルになる。莫大な火力だ。

ハンク、ベン、ニューヨーク連邦準備銀行総裁のティム・ガイトナーは、わたしの数歩先を行っていた。三人はすでに銀行への資本注入について議論し、ブッシュ大統領にも提案していたが、銀行を国有化するという意図しない圧力が生じることを懸念していた。三人が最終的に開発したのは、健全な銀行も脆弱な銀行もふくめた七〇〇のアメリカの銀行に資本注入する革新的で最終的に利益を生む方法だった。ハンクはこのような複雑な問題をじっくり考える方法のひとつとして、わたしのように実業界にいる人たちと対話していた。

「もうひとつ」わたしは言った。「TARPを『救済措置』と呼ぶのはひどい」。ハンクも財務省もこのことばを使ったことはなかったが、政治家やメディアが広く使っていた。「だれかを救済するわけでもない。金を貸して、それが返済される。これはたんなるつなぎ融資で、納税者は自分たちの金を全部とりもどせる。銀行が回復したときに利子と大きな利益もいっしょにね。これを救済と呼ぶのは、広報戦略の失敗だ。完全に誤解される」

ハンクは同意したが、ほかに注力すべき問題があるのは明らかだった。ハンクは暴風の目のなかで、議会、FRB、規制当局、メディア、さらに諸外国からの要求にとりかこまれていた。想像を絶するほどむずかしいことだ。

****

この一週間ほどあと、わたしはまだヨーロッパにいた。飛行機でフランスのトゥーロンに夜到着し、ちょうど車に乗りこんだところで電話が鳴った。ハンクの主任スタッフのジム・ウィルキンソンだった。

「あなたにお礼をお伝えするようハンクにことづかりました。わたしたちに話しかけてくる大半の人は、基本的に自分にとって有益なことをします。でもあなたは、いつもシステムにとって有益なことだけを気にかけている。わたしたちがもらった最良の助言のいくつかは、あなたからの助言です」

「ありがとう、ジム」わたしは言った。「感謝する」。わたしは携帯電話を閉じてシートにゆったりともたれた。午後八時ごろで、外は真っ暗だ。運転手とふたりきりだった。すごいことだと思った。わたしは役に立ったのだ。とてもいい気分だった。大恐慌よりひどい事態に陥るおそれがあったのに、だれもどうすればいいかわからなかった。クリスティーンのねばり強さのおかげで、わたしは解決策に貢献することを志願し、ハンクは時間をとって話を聞いてくれた。あとになって、ハンクはわたしの「緊迫感と説得力は、尊敬されているほかの市場参加者の緊迫感と説得力とともに、わたしたちの判断と差しせまった行動にまちがいがないことを確認するのに役立った」と語った。わたしは国家を助けることができたことをとても誇りに思ったし、いまでも思っている。

＊＊＊＊

二〇〇八年の終わりに煙が消えたとき、わたしは直感的に最悪の事態はすぎさったと思った。しかし、アメリカ経済を回復させるためには、まだ膨大な作業が必要だった。危機が起こる数カ月前、わたしは友人で当時アリアンツのＣＦＯだったパウル・アハライトナーに、彼の妻アン＝クリスティンが教授を務めるミュンヘン工科大学でスピーチをすることを約束していた。わたしは一〇月一五日にミュンヘンに到着し、学生や報道関係者が集まった講堂で話をした。席はぎゅうぎゅうで、階段にも人がすわっている。聴衆は目の前にいるアメリカの金融家にひとつ質問があったのだ。わたしたちは生きのこれるのか？

「金融危機は終わりました」とわたしは言った。「みなさんはまだつづいていると思うでしょうが、危機を終わらせるための決断はすでにくだされています」。ほかの国々も、アメリカの例にならって銀行の資本を増強する準備を進めていた。金融システムは安全だった。「リーマン・ブラザーズの崩壊からまだ五週間ですから大胆な予測だということは承知しています。市場がひどい状態にあるのも事実です。でも心配はいりません。わたしは心配していないし、なにが起きているかを知ることができる有利な立場にいます。だからみなさんどうか安心してください」。会場を出るとき、大きな拍手と何百もの感謝を受けた。しかし、空港へ向かう車の後部座席に腰をおろしたとき、吐き気がした。もはや公言してしまった。どうか正解であってくれ。

第一八章　危機をチャンスに変える

ブラックストーンではグローバル金融危機に備えてさまざまな手を打っていたが、そのあおりを免れることはできなかった。株価はＩＰＯのときの三一ドルから二〇〇九年二月には三・五五ドルまで下落した。二〇〇八年の最後の四半期には、プライベートエクイティ・ポートフォリオは二〇パーセント、不動産ポートフォリオは三〇パーセントの評価減を計上した。二〇〇八年に株主に宛てた手紙のなかで、わたしはブラックストーンがほかの金融サービス会社とはちがうことを明らかにした。「わたしたちは長期投資家であり、忍耐力があります。つまり、市場がもちなおして流動性が高まるまで既存の投資を維持し、市場のだれもが資産を急速に手放しているなかしかたなく売却するのではなく、出口価値が最大のときに売却できます。だからこそ、投資家のみなさまの利益を最大にするために適切な時期に資本を投入できる不況時に、より積極的に攻勢に出ることができるのです」。わたしたちには二七〇億ドルのドライパウダー（投資待機資金）があり、あらゆる部門で買収の機会をねらうことができた。しかし、市場はそれから数週間、数カ月の暗がりの向こうを見透かすことはできなかった。

投資家はファンダメンタル価値とは無関係な理由で資産を売っていた。現金が必要だったり、追加証拠金請求に応じなければならなかったりしたからだ。ある日、投資家のひとりから電話があり、どんなに規模が大きく魅力的な投資でも、あらたな投資のためにこれ以上資金を引きださないよう求められた。優れた投資機会がないからわたしに受託者義務を犯すよう求めているのではなく、自分が現金を節約する必要があるから投資を控えるよう求めているのだと気づいた。わたしは彼に、すべての投資家から引き受けた金を投資するのが受託者の義務だと伝えた。彼の短期的な流動性の問題にわたしたちの投資戦略が左右されることがあってはならない。

ＴＡＲＰが実行されても、大手銀行は依然として大きな負担を強いられていた。ＪＰモルガンはブラックストーンのリボルビングラインを半分に削減した。信じられなかった。わたしたちは長年にわたり何百億ドル分もの取引を協力しておこない、これだけの成功をおさめてきた。ジミー・リーはこの件についてなにも知らないと言った。そこでＣＥＯのジェームズ（ジェイミー）・ダイモンに電話した。

「いろいろ厳しいんだ」ジェイミーは言った。「信用枠はまだ半分残してある」

わたしは両社の長いつきあいを思い出させた。「わたしたちはきみたちの一部だ。うちの信用は格別だ。現金で四〇億ドルもっている」

「ああ、わかっている」とジェイミーは言った。「信用が良好でなければ、完全に手を引いていた」

シティバンクは話がちがった。ＴＡＲＰ法案が通過した直後、わたしたちはシティに八億ドルを預金し、引受業務をまかせ、プライベートエクイティ取引のひとつに参加させた。シティが破綻するはずはないと考えたからだ。政府や企業は、従業員への支払いや金銭の移動にシティのグローバル・トランザクション・サービスを利用した。シティがなければ、世界中をまわる金の動きが止まる。

わたしたちが預金したあとすぐに、シティのＣＥＯビクラム・パンディットがわたしに会いにきた。

シティは大きな圧力にさらされていて、ビクラムは仕事をとりかえないかと冗談を言った。ブラックストーンの経営は、シティの経営よりもはるかに簡単そうだという。しかし、ビクラムは真顔でわたしたちの支援に感謝していると言い、なにかできることはないかと尋ねた。わたしはＪＰモルガンの仕打ちについて話し、後釜にすわる気はあるかと尋ねた。ビクラムはためらわなかった。困難な時期に支えたわたしたちを助けられるのはなによりもうれしいと言ってくれた。人生は長い。人が助けを必要としているときに支えになれば、それはもっとも予想に反する形で自分にもどってくることが多い。困っているとき助けに来てくれた友人のことは決して忘れないものだ。

二〇〇八年秋には、利益が減少し、配当について考えなければならなくなっていた。ＩＰＯを計画していたとき、引受会社は、上場企業としての最初の二年間に配当を提供すればより多くの投資家をひきつけるのに役立つと主張した。結局、一五倍もの応募超過になったためその必要はなくなったが、そうすると約束していた。

金融危機のまっただなかのいま、収益だけでは株主への支払いをまかなえない状態だった。配当を減らすか、全額支払うために借りるかのどちらかだ。わたしは借りたくなかった。動きの激しい不安定な市場で配当を支払うために借り入れをするのは、企業財務としてまずい判断に思われた。配当を減らせば投資家は気に入らないだろうが、それが会社の長期的な利益にかなうと主張することはできる。筆頭株主はわたしで、わたし以上に配当削減に苦しむ人はいないのだから、これを身勝手なやりかただと非難できる人はいないはずだ。時間をもらえれば株は回復し、みんなが喜ぶ。

つぎの取締役会でこの問題を提起した。わたしは、ＩＰＯ直前に三〇億ドルを投資し、その後二年間ポジションを売却できないことになっている中国は満足しないだろうと予測していた。それでも、約束した配当を支払うより資本を維持することのほうが重要だと主張した。

最近取締役会に加わったディック・ジェンレットが最初に反対した。ディックは中国にとってのこの投資の重要性を思い出させた。中国にとってこれは多くの投資のなかのひとつではない。新興の政府系ファンドによる国外初の大規模な投資だ。保有株の価値はすでにさがっている。配当まで減らせば、信頼してくれた人たちの顔をさらにつぶすことになる。わたしたちは「面汚し」から「大きな失望」になるだろう。「人をほんとうに怒らせると」とディックは言った。「なにごともなかったかのようにすますことはできない。わたしならぐだぐだ言わずに、つぎの四半期も全員に同じ配当を払う」「五〇〇〇万ドルをドブに捨てるようなものだぞ」わたしは言った。「ただ捨てるってことだ」「気持ちはわかる」ディックは言った。「だがそうしなければ、まちがいを犯すことになる」

わたしが指導を受けた教授で、当時ハーバード・ビジネス・スクールの学長を務めていたべつの役員ジェイ・ライトもディックと同じ意見だった。中国側は投資価値の下落ですでに本国で気まずい思いをしている。配当を減らせば、さらにいたたまれない思いをさせることになる。中国はブラックストーン株を買ったうえに、ファンドにも投資してくれている。時間の経過とともに、今後さらに多くの協力が得られるかもしれない。何十億もの将来の投資やパートナーシップの可能性がある。一度の厳しい四半期のキャッシュフローのために長期的な関係を危険にさらすのは理にかなっていない。

この一年前、わたしはジミー・ケインに対して、ベアー・スターンズのヘッジファンドの投資家に小切手を書いて損失を全額弁償するよう助言した。いまディックとジェイは同じアドバイスをわたしにしてくれている。痛みはあるだろうが、小切手を書くのが得策の場合もある。

上場企業になることを考えたとき、株主と投資家の両方にバランスよく報いなければならないことはわかっていた。ジェイとディックは金融について鋭敏で、短期的、長期的に考えるべきことについて思慮深いアドバイスをしてくれた。反対意見をくれるふたりをありがたいと思った。

「簡単なことじゃない」わたしは言った。「だが、ふたりがほんとうにそう思っているのなら、払うことにしよう。わたしは気に入らないが、わかった。善意に五〇〇〇万ドルだ」。ブラックストーンの筆頭株主であるわたしは、価値ある商売上の関係を損なうコストを考えると、配当を減らすことでは長期的な利益は得られないと理解していた。あと数年はかかるが、中国でのビジネスが増え、中国でのわたしの慈善活動が盛んになるにつれて、このときの配当はわたしたちがこれまでに書いた小切手のなかで最高の小切手のひとつだったと気づくことになる。

＊＊＊＊

二〇〇八年末、わたしは北京をおとずれ、清華大学経済管理学院の理事会に出席した。中国は過去数年間にアメリカ企業に巨額の投資をおこない、ファニーメイとフレディマックの証券だけでも一兆ドル以上を保有し、アメリカの住宅市場に大金をかけていた。アメリカの借り手は中国の資金に慣れ、中国人はアメリカの投資の容易さと投資先の豊富さに夢中になっていた。いまや連邦政府はファニーメイとフレディマックを差し押さえていた。中国はアメリカ政府が義務を果たすつもりなのかどうかわからずにいた。

中国はブラックストーン株でもＩＰＯ以降約一五億ドルを失っていた。ブラックストーンはアメリカに対する中国の最大の投資ではなかったが、もっとも目立つ投資のひとつだった。わが社は非常に健全だったが、当時の市場環境ではなにをしても株価をあげることはできなかった。中国は不満をもっていて、わたしがそれを知ったのは北京への飛行機に乗ったときだった。

清華大学の理事会の休憩時間に、朱鎔基《ジュロンチー》元首相に呼ばれた。朱は、辛亥革命後の複数の時代にわたって生きてきためざましい世代の政治家のひとりだ。知識人や地主の家系に生まれ、公務員になった。しかし、毛沢東の経済政治を批判したため、共産党を追われた。文化大革命のときは、五年間にわたり五七幹部学校で労働改造を受けた。毛沢東が死去すると鄧小平があとを継ぎ、朱も復帰した。

朱が学界と政界で台頭した時期は、中国の急速な成長の時期と重なった。清華大学経済管理学院の初代院長、上海市長を経て、第五代首相に就任した。鄧小平の「中国の特色ある社会主義」、すなわち共産党が主導する市場経済を発展させた。

朱は長身の骨ばった男で、精力と短気で知られている。元財務長官で元ハーバード大学学長のローレンス（ラリー）・サマーズは、かつて朱の知能指数を二〇〇と推定した。市長、首相としての朱には、その意志の強さを象徴するさまざまなあだ名があった。一刀の朱、ボス朱、狂人の朱など、政治的階層や官僚的な規則を突きやぶってものごとをなしとげようとする朱の意志を表している。首相を辞任してから五年がたっても、依然として首相の威厳を放っていた。

話をしているとき、朱は弟子の楼継偉《ロウ ジーウェイ》に手を振った。中国からブラックストーンへの投資を担当した人で、のちに財務長官になる。

「ちょっと来なさい」朱が言った。「楼継偉、こちらがシュワルツマン、おまえの金をなくした男だ」。半分は冗談だ。わたしたちは朱の信頼をとりもどすために努力しなければならない。

＊＊＊＊

一二月、ワシントンのドイツ大使公邸で開かれた休日のパーティで、ベン・バーナンキと出くわした。わたしたちは人ごみから離れて少し話した。ベンはわたしになにが見えているか尋ねた。わたしは、多くの金融機関が、二〇〇六年九月にSECが発表した時価会計規則のためにレバレッジを減らしていると話した。不良資産の価値が急落したため市場は優良資産であふれているが、買い手がいないせいであらゆるものの価格が暴落していた。

ベンは、FRBが介入して行き場を失った資産を買いはじめるべきかどうかを慎重に検討していた。わたしはそれが金融システムの信頼を回復する唯一の方法だと話した。二〇〇九年春までに、FRBは銀行債、モーゲージ債、米国財務省中期証券を買い入れ、金融市場に資金を供給した。

しかし、FRBの行動には政府の支援が必要だ。わたしは新しい大統領が経済を上向かせたり信頼を高めたりするような発言を十分にしていないことに気をもんでいた。二〇〇九年三月八日日曜日の晩、ケネディ・センターのイベントでバラク・オバマ大統領の最初の首席補佐官ラーム・エマニュエルに出会った。休憩中、わたしたちは席の近くの個室に入った。わたしはラームに、大統領はもう少し前向きな発言をする必要があると提案した。一月に就任して以来、株式市場は二五パーセント下落したが、大統領は医療改革に専念し、経済に残されたわずかな企業景況感を損なっていた。

ラームは最初こそ礼儀正しかったが、すぐにわたしを怒鳴りつけはじめた。「スティーブ、きみはわたしたちが嫌うものすべてだ。金持ちで共和党のビジネスマンだ」。ショックだった。わたしはただシステムの存続を助けたい一心だった。わたしたちは二五分間言い争った。クリスティーンが二度ドアから顔を出し、早く出てきて大統領にあいさつに行くようにうながしたが、わたしは手を振って追いはらった。しかしいよいよ時間切れとなり、わたしは大統領と握手を交わし、ショーの後半を見た。

翌朝、ラームは電話をかけてきて謝罪した。前夜の議論は自分が思った以上に白熱してしまったという。新政権にあまりに多くのことが起こっていたので、日曜日の夜にショーの音楽を聴いていたくなかったそうだ。わたしはラームに感謝し、気持ちはわかると言った。ラームは、大統領をはじめとするすべての政府高官がテレビに出演し、経済の「回復の兆し」について演説するための手配をしたと話した。その週、アメリカの株式市場は下落の底を打った。

ブラックストーンではわたしたちも課題に直面していた。とくに若手の社員はおびえていた。毎年、ブラックストーンではそれぞれの事業部門で職場を離れてオフサイトミーティングをおこなっている。今回はトニーを招き、若手社員を元気づけ、すべてうまくいくと話してもらうことになっていた。しかし、これはトニーのスタイルではない。トニーは若手社員に、キャリアの出だしからこの歴史的な危機を経験し、学ぶことができるとはなんと幸運なんだと話した。きみたちが賢明なら、ここから学び、その教訓を職業人生全体に生かすことができる。成功は傲慢と自己満足を生む、とトニーは言った。人は自分の失敗から学び、最悪の事態が起きたときに学ぶものだ。

ラームと会話したところ、わたしは友人で同僚のケン・ホイットニーとニューヨークのウォルドルフ・アストリアまで歩いたことがあった。ケンは落ちこんでいた。ちょうど不動産チームがすべての保有物の現在価値を計算したところで、その結果が悲惨だったからだ。ヒルトンだけでも、会社の収入と利益が激減したため、投資価値の七〇パーセントの下落を計上する必要があった。わたしはケンに心配するなと言った。この低い資産評価額はたんなる指標にすぎない。必ず回復する。わたしたちはなんらかの持説にもとづいて投資する。それをまだ信じているなら、辛抱強く仕事をつづけていればいい。金融システムが崩壊すればわたしたちはみんな終わりだ。システムが無事ならなんとかなる。

しばらくして、経済全体が自由落下している感じはしなくなった。わたしたちは順応し仕事にもどった。会社全体で基本に立ちかえった。自分たちはどんな事業をやりたいのかということだ。資金を集めるのにどのみち四苦八苦するような新しい試みからは手を引き、中核事業に集中した。会社としては、市場の変動に左右されない堅固なバランスシートを望んでいた。

とはいえ、その秋ふたたび清華大学へ行ったときも、ブラックストーンの株価はせいぜい前年と同じ程度だった。

「シュワルツマン、ブラックストーンの株価はどうなっている？」朱鎔基は答えを知っていながら尋ねた。「どこまで安くなるんだ？　ハハハ！」

しかし、忍耐と懸命の努力によって、危機の前や最中にくだした決定がうまくいきはじめた。多くの企業が支援を必要としていたため、アドバイザリー事業やリストラクチャリング事業は急成長した。投資チームが危機前によそのような大きなミスを犯さなかったおかげで、後始末に追われることもなかった。たとえ世界が痛手を負っていたとしても、わたしたちは以前と変わらず成長と機会に心を開いていた。

イギリスでは、最年少パートナーのひとりジョー・バラッタが、奇跡を起こす起業家ニック・バーニーと組んで、ヨーロッパ最大のテーマパーク事業を立ちあげていた。ジョーが最初にバーニーの二〇の水族館と三つの「ダンジョン」――ロンドン、ヨーク、アムステルダムにある、陰惨な歴史を紹介するアトラクション――の案件を提案したとき、ニューヨークではだれも気に入らなかった。わたしはふたりの子どもを連れてロンドン・ダンジョンへ行ったことがあった。子どもたちは殺人者、拷問者、処刑者の物語を楽しんでいたが、わたしはなかに入るために長い列に並んだことが記憶に残った。この事業がそれほど大きく成功するとは思えなかった。多くの仕事をしてわずかな報酬しか得られないように思えた。ニックの会社マーリンは、わたしたちより前にふたつのプライベートエクイティ会社に買収されていた。

しかし、ジョーはニックの才能と野心にほれこんでいた。テーマパーク事業は、不満をいだいているオーナーであふれていた。レゴ社は、事業再生の資金調達のためにテーマパークを整理したいと考えていた。もっと小さなテーマパークを所有する家族やプライベートエクイティ・グループや政府系ファンドも、どうしたものかともてあましていた。疑念もあったが、ジョーにうながされるまま、二〇〇五年、わたしたちはマーリンに一億二〇〇〇万ポンドを支払った。これは小さな取引で、ニューヨークのわたしたちはそれほど期待していなかった。

ところが数カ月のうちに、ジョーとニックが最初の行動を起こした。ふたりは三億七〇〇〇万ユーロを現金と株式で支払い、イギリス、デンマーク、ドイツ、カリフォルニアの四つの「レゴランド」を購入した。翌年には、イタリア最大のテーマパーク「ガルダランド」を五億ユーロで買収した。さらに二〇〇七年の春、タッソー・グループを一一億ポンドで買収し、有名な蝋人形館マダム・タッソー六館と、イギリス最大のアルトン・タワーズをふくむ三つのテーマパークを獲得した。

ニックはマーケティングを改善し、新しいアトラクションを追加し、利益を何倍にも増やした。ジョーとニックは共同で、五〇〇〇万ドルの資本をもつ小さな会社をディズニーに次ぐ世界第二位のテーマパーク事業に育てあげた。これはわたしたちの投下資本と偉大な起業家との爆発的な出合いであり、マーリンは世界中が不況にあえぐなか成長をつづけた。二〇一五年に最後の株式を売却するまでに何千もの雇用を創出し、何百万もの家族を楽しませ、投資家の金を六倍以上に増やした。

二〇〇七年にヒルトンを買収したほとんどその瞬間から、わたしたちは高値でトロフィー資産を買ったと批判された。しかし、事業の拡大・改善に向けた当初の計画をおしすすめた。二〇〇八年と二〇〇九年には、アジア、イタリア、トルコなどの市場で年間五万室の新規契約を結び、キャッシュフローを増やした。本社はビバリーヒルズからバージニアのもっと安い場所に移した。旅行者数が劇的に落ちこんだ時期は、ジョンたちチームが買収のとき確保しておいた資金のおかげで乗りこえることができた。経済がひどい状況のあいだも債務返済はカバーできた。

二〇一〇年の春には、念には念を入れて貸し手との再交渉をおこなった。二〇〇七年にヒルトンに対して発行した債務を売却しようと多くの貸し手が苦労していたため、わたしたちは備えておいた資金を使って、債務の一部を割引で購入した。すべての話し合いが終わるころには、負債を大幅に減らすことができた。この取引で利益をあげるまでにはまだ長い道のりがあったが、リスクは大幅に減り、うまく立ちまわる余地が増えた。人々がふたたび旅行をはじめるにつれて、ヒルトンのキャッシュフローは二〇〇八年のピークを超え、投資価値は当初投下した金額をはるかに上まわった。事業面での改善や、地理的な拡大、ブランドの成長も効果をもたらした。さまざまな省エネ活動を実施し、従業員の満足度を向上させた。一万七〇〇〇人以上のアメリカの退役軍人と配偶者をふくむ六〇万人以上の従業員で会社を変革し、ヒルトンが保有するホテルの総客室数を二倍に増やした。ヒルトンは二〇一九年に『フォーチュン』によってアメリカで最初の「もっとも働きがいのある企業」に選ばれ、このランキングを達成した最初のホスピタリティ企業となった。投資家は最終的に一四〇億ドル以上をヒルトンによって手にし、史上最高の収益をあげたプライベートエクイティ投資となった。

二〇一〇年に清華大学をふたたびおとずれたとき、朱が年に一度の冷やかしを言いにやってくるのが見えた。「シュワルツマン、ブラックストーンの株についてどう考えればいい？　もどってくるのか？　きみはどう思う？」

三回目は心がまえができていた。「わが社はとてもうまくいっていますよ。株のことはご心配なく」

「シュワルツマン、なぜ心配しない？」

「わたしたちは農家のようなものだからです」とわたしは言った。朱は子ども時代を家族と農場ですごし、のちには政治亡命者としても農場で働いた。「わたしたちが会社や不動産を買うのは、作物を育てるようなものです。地面に種をまき、水をやると、種が成長しはじめる。でも、まだ作物は実りません。やがて大きく成長し、すばらしい作物が実り、とてもとても満足するわけです」

「楼継偉、楼継偉、ちょっと来なさい」朱は笑いながら言った。「ここに農家がいるぞ。ファーマー・ブラックストーンだ」。それからはいつもファーマー・ブラックストーンだった。わたしたちは配当をつづけ、株は回復し、中国はますます多額の資金をまかせてくれるようになった。そして、朱の歓迎も温かくなった。

「ファーマー・ブラックストーン、よく来たね。たくさんの作物が実りはじめたよ。きみがいい農家でよかった。来年も会えるのを楽しみにしている」

二〇一二年には、一五一億ドルの資金を投資家から調達し、六号目となるPEファンドをクロージングした。二〇〇七年に調達した二〇四億ドルのファンドにはおよばなかったが、それでも過去六番目に大きな資金を調達できたことは、最悪の状況を乗りこえたこと、投資家が依然としてわたしたちの行動を信じてくれていることを示すものだった。

＊＊＊＊

金融危機のあと、世界最大の個人資産クラスであるアメリカの一戸建て住宅市場が崩壊した。借り手が債務不履行に陥り、銀行が差し押さえをおこない、市場に不動産があふれていた。しかし、多くの人が悲惨な目にあっている状況への投資を成功させるには、大胆で革新的な行動が必要だ。

金融危機の歴史学者は、住宅市場の狂気のなかで、ふたつの関連する政府の行動が際立っていることを指摘するだろう。第一は、危機の前に住宅の所有を政治的に奨励したことだ。しかも経済的に余裕のない人にまで奨励した。融資基準が低下し、情報をもたず世慣れない借り手、現実的に返済を期

2009年ケネディ・センター名誉賞授賞式にて。左から：弟のマーク、ミシェル・オバマ大統領夫人（当時）、
母アーリーン、継娘ミーガン、妻クリスティーン、著者、バラク・オバマ大統領（当時）

パリのエリゼ宮にて、ニコラ・サルコジ仏大統領（当時）からレジオンドヌール勲章を受章。2011年

北京の清華大学にて、シュワルツマン・カレッジの起工式。2013年

シュワルツマン・スカラーズの支援者であり友人でもある、中国の劉延東副首相（当時）とともに。2013年

ふたたび起業家になったつもりで、シュワルツマン・カレッジを
ゼロから立ちあげへ。2014年

JPモルガンの副会長であり、親しい友人でもあったジミー・リーとともに。
ブラックストーンの最初期からお互い切磋琢磨してきた。2014年

シュワルツマン・センターがオープンする前のイェール大学のコモンズ。2015年
Mike Marsland/Yale University

アリババグループの共同創業者ジャック・マーとともに、ニューヨークのエコノミック・クラブにて。
ジャックはいつもこう言う。「あなたとわたしは同種の動物だ」。2015年

カリフォルニア州ビバリーヒルズでおこなわれた
ミルケン・インスティテュートのグローバル・カンファレンスで講演。2016年
Photo by Patrick T. Fallon / Bloomberg / Getty Images

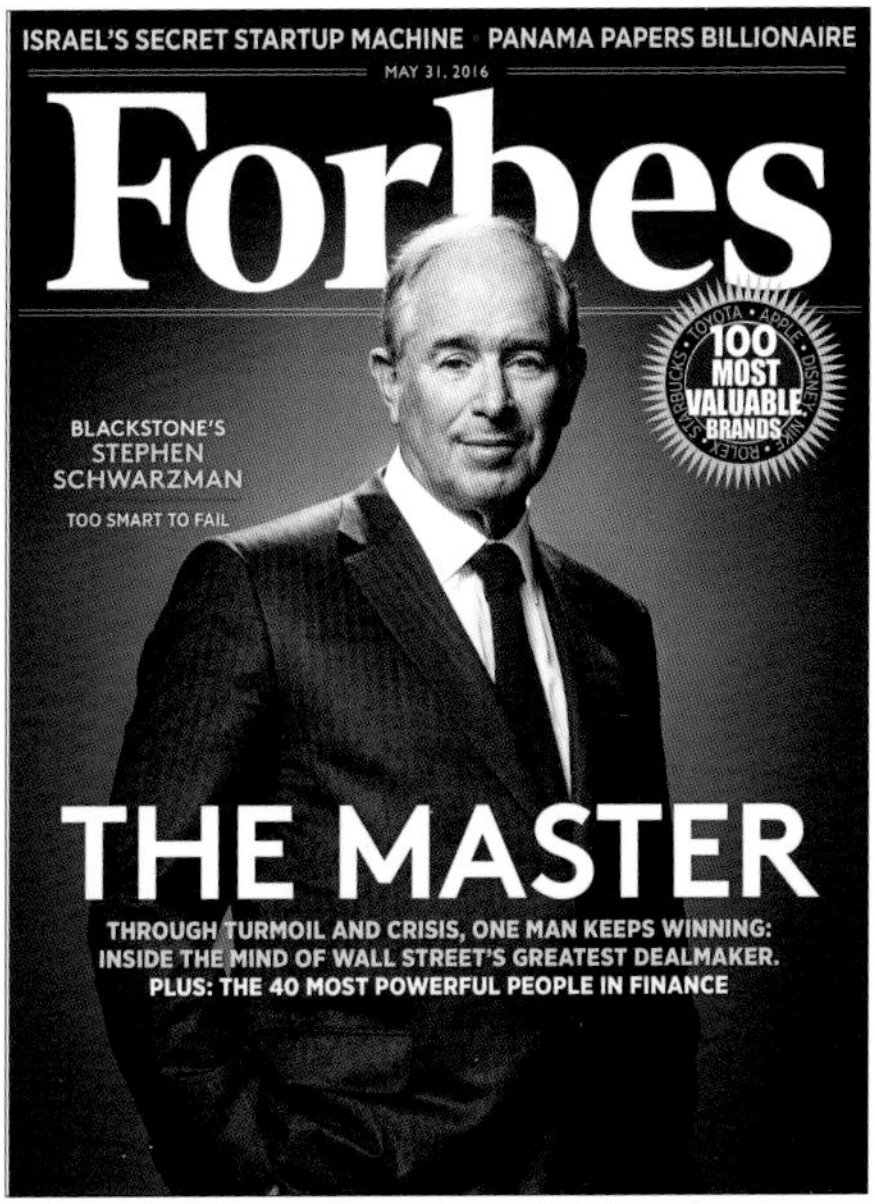

フォーブス誌の表紙。2016年

清華大学シュワルツマン・カレッジ。
中国と欧米の建築やデザインのよさを両立させようと心がけた。2016年

シュワルツマン・カレッジの中庭

ペプシコCEO（当時）のインドラ・ヌーイおよびトランプ大統領と、
ホワイトハウスでおこなわれた大統領戦略政策フォーラムの第一回会合にて。2017年
Kevin Lamarque/Reuters

トランプ大統領と
習近平主席とともに、
フロリダ州パームビーチの
リゾート施設マール・ア・ラーゴ
にて。2017年

ニューヨークでおこなわれた国連総会ウィークにて、安倍晋三首相（当時）とともに。2017年

シュワルツマン・スカラーズの
2017年卒業生とともに
カレッジを歩く

シュワルツマン・カレッジの中庭で
学生たちと昼食。2017年

エイミー・スターズバーグ専務理事と、
シュワルツマン・スカラーズ
女子サッカーチーム。2018年

2018年シュワルツマン・スカラーズ卒業式で卒業証書を授与。

シュワルツマン・スカラーズの
3期生とセルフィー。1列目の左から:
イマン・エル・モラビット、著者、
エイミー・スターズバーグ専務理事、
デイビッド・パン(潘慶中)副学長

バチカンで妻クリスティーンとともにフランシスコ・ローマ教皇に謁見。2018年

エマニュエル・マクロン仏大統領を迎えたホワイトハウス公式晩餐会に、妻クリスティーンとともに到着。
2018年 Lawrence Jackson/The New York Times/Redux.

妻クリスティーンと著者が援助したニューヨークのカトリック高校の卒業生たちとともに。2018年

2018年メットガラに妻クリスティーンと到着。
メトロポリタン美術館で「カトリックとファッション」をテーマにした特別展をスポンサーしたため、
名誉議長を務めることに。この特別展は、同美術館の歴史でもっとも多くの来場者を集めた
Photo by Neilson Barnard / Getty Images

マイケル・チェ、トニー・ジェームズ、著者、ジョン・グレイ
ブラックストーンのインベスター・デーにて。2018年

メキシコのエンリケ・ペニャ・ニエト大統領（当時）より、
アメリカとメキシコの貿易交渉における功績を認められ、
アギラ・アステカ勲章を受章。2018年

ホワイトハウス大統領執務室にて、インダストリーズ・オブ・ザ・フューチャー・グループの面々とともに。
1列目の左から：著者、トランプ大統領、ヘンリー・キッシンジャー元国務長官。
2列目の左から：クリス・リデル大統領次席補佐官（政策調整担当）、オラクルのサフラ・キャッツCEO、
IBMのジニー・ロメッティCEO（当時）、ジャレッド・クシュナー大統領上級顧問、
クアルコムのスティーブ・モレンコフCEO、グーグルのスンダー・ピチャイCEO、
マイクロソフトのサティア・ナデラCEO、MITのラファエル・レイフ学長、
イヴァンカ・トランプ大統領補佐官、カーネギーメロン大学のファーナム・ジャハニアン学長、
米政権のマイケル・クラツィオス最高技術責任者
Official White House Photo by Joyce N. Boghosian

シュワルツマン・カレッジ・オブ・コンピューティングの立ちあげを記念するイベントにて、著者、MITのラファエル・レイフ学長、CNBCのニュース番組でアンカーを務めるベッキー・クイック。2019年

援助しているアメリカ代表の陸上選手とブラックストーンで昼食。なかには五輪メダリストも。2019年

中国の王岐山副主席と北京にて。2019年

劉鶴副首相と北京にて。2019年

FINANCIAL TIMES

WEDNESDAY 19 JUNE 2019 — WORLD BUSINESS NEWSPAPER — USA $2.50 Canada C$3.00

Kim's cyber army
North Korean economy relies on hacking for cash — ANALYSIS, PAGE 4

Building a bubble
New FT series on how the world has hit peak property — BIG READ, PAGE 7

Moral money
Ethical investing has shifted into the mainstream — GILLIAN TETT, PAGE 9

College funds

£150m gift is Oxford record

US billionaire Stephen Schwarzman has given £150m to Oxford university – the biggest donation the prestigious institution has received since the time of King Henry VIII and Queen Elizabeth 1.

The cash will pay for a new building allowing the UK university's humanities faculties to be gathered in one place for the first time. The donation will also fund a new institute focusing on the ethics of artificial intelligence.

Mr Schwarzman, co-founder and chief executive of Blackstone, the world's largest private equity firm, said his gift complemented a $350m contribution he made last year to the Massachusetts Institute of Technology in the US.

Report page 2

Alamy/Bloomberg

Briefing

▸ **IAG orders 200 Boeing 737 Max aircraft**
The British Airways parent company has offered a big vote of confidence in the plane, which remains grounded after two fatal crashes, in a deal worth an estimated $24bn at list prices.– PAGE 11

▸ **Trump and Xi raise trade progress hopes**
The US president has said his Chinese counterpart has agreed to meet when the leaders attend the G20 summit in Japan this month, raising hopes they can resurrect stalled efforts to end the trade war.– PAGE 2

▸ **Brazil's Odebrecht files for bankruptcy**
The engineering and construction group at the heart of the country's long-running "car wash" graft investigation has filed for bankruptcy protection in a bid to restructure about $13bn in debt.– PAGE 4

▸ **Berlin rent freeze rattles investors**
The city's move to freeze rents for five years in the face of a fierce political backlash over rising costs has sparked unease among property investors.
PAGE 3; BIG READ, PAGE 7

オックスフォード大学への寄付について報じるフィナンシャル・タイムズ。

写真と記事が一面に掲載されたのには驚いたが、自分の寄付の意義を示す報じかただった。2019年待できない借り手が住宅ローンを押しつけられ、住宅価格が急騰した。銀行は進んで利益を生むこのしかけの共犯者になった。危機が起きたとき、多くのサブプライムの借り手は月々の支払いをする余裕がなかった。住宅の価値は下落し、借り手か貸し手のいずれかが売りに出さなければならなくなった。

危機の余波のなか、政府は破滅を招く第二の行動を開始した。銀行を厳しくとりしまり融資基準を厳しくすることを要求したのだ。住宅向け融資をこれまでどおりつづけていた銀行でさえも、頭金を大幅に引きあげ、借り手に高い信用力を要求しはじめた。過熱した市場を修正するのにふさわしい慎重な対応に見えたものが、実際には回復への希望をすべて絶ってしまった。危機に先立つ住宅ブームも、その後の不況も、どちらも政府の政策によって状況が悪化した。市場が過熱しているときに、政府は思いきりアクセルペダルを踏んだ。市場が急停止しようとしているときに、ブレーキを踏みこんだ。あわれなアメリカの消費者は助手席でむち打ちを起こした。

アメリカ全土で住宅価格が急落した。南カリフォルニア、フェニックス、アトランタ、フロリダなど、最悪の被害を受けた地域では、新しい住宅建設がほとんど止まった。何百万人ものアメリカ人が、家を買うかわりに賃借することを考えていた。

歴史的に見て、アメリカでは小規模事業者が住宅の購入、修繕、賃貸のビジネスを独占してきた。一三〇〇万戸の賃貸住宅の大半は、個人や小規模な不動産業者が所有していた。多くの家主はほったらかしで、物件はプロが運営する集合住宅の基準を満たしていなかった。わたしたちの不動産チームは、このセクターを整理統合し、プロ化する機会を見いだした。

わたしたちはこれをためすのにふさわしいだろうか？　ブラックストーンは、ホテルチェーン、オフィスビル、倉庫を対象に、業界最大の数十億ドル規模の大きな不動産取引をおこなっていた。なぜ小規模な賃貸事業を検討するのか？　銀行は納得せず、融資してくれない。だれよりも不動産にくわしいサム・ゼルは、「とんでもない」と言った。しかしジョン・グレイのチームは屈しなかった。すなおに考えればこれは明らかなチャンス、それもかつてないチャンスだ。国内市場に世界最大の資産クラスがある。歴史的な安値で取引され、世界全体が凍りついている。わたしたちのような投資家にとって、まさに景気サイクルのなかの適切なタイミングだった。一九九〇年代初頭にはじめてジョー・ロバートと組んで投資したときと似たような感覚があった。恐怖で歪められた不動産市場、不条理な群集心理、そして最近の崩壊から抜けだすために必死になっている借り手や貸し手たち。今回のチャンスはそれよりはるかに大きい。最善の努力に値する。わたしたちは前回より多くの知識と経験をつぎこみ、危機の直前に調達したすべての資金を用意した。きっと掘りだしものがある。買った住宅を貸すのに苦労したとしても、少なくとも家の価格が正常にもどったときには利益をあげられる。

二〇一二年の春、アメリカの住宅価格が底を打ったのと同じ月に、わたしたちはフェニックスで最初の家に一〇万ドルを支払った。西部で購入を開始し、シアトルからラスベガス、シカゴ、オーランドと、都市から都市へ東部に移動していった。地元の裁判所が近日中に予定されている差し押さえオークションのリストを公開していたので、買収チームは通りをひとつずつまわって、売りに出されている家を下見した。家のなかに入ることはできなかったため、車で立ち寄って近所のようすを見たり、学区を調べたりした。買収チームは購入したい家の数を決め、オークションのために銀行小切手を手に裁判所の階段に姿を現した。買収手続きは数日で完了する。数カ月のうちに、毎週一億二五〇〇万ドル相当の家を購入していた。

つぎのステップは改装だ。一万人以上の建設業者、塗装業者、電気技師、大工、配管工、空調工事業者、造園業者を雇ったが、その多くは不況で失業していた人たちだ。それぞれの家を修理するのに約一万五〇〇〇ドルを費やした。最後に残ったのは、住宅の賃貸とメンテナンスをおこなう営業・サービス組織だった。

わたしたちはインビテーション・ホームズという会社を立ちあげた。この会社は最終的に五万以上の住宅を所有するアメリカ最大の住宅所有者となり、アメリカ経済にとって重要な時期に巨大な雇用主となった。わたしたちの投資家である公的年金基金は、他社がおじけづいているときにわたしたちがアメリカ経済の回復力を信じている点を評価してくれた。さらにわたしたちは、住宅が放棄され、芝生がのびほうだいの地域に乗りだした。住宅を修理して貸しだすと、地域がふたたび活気をとりもどし、社会構造が回復するのがわかった。

ふり返ってみれば、わたしたちの最初の見方は単純なもののように思える。人々が正当な理由もなく必要なものを買うことを止められているなら、システムを調整しなければならない。調整すればそのコモディティの価格はあがる。人々は住宅を必要としていたが、暴落のあと、不条理な規制当局と恐れをなした銀行家が邪魔をしていた。問題は景気サイクルの適切なタイミングをつかみ適切な方法で購入できるかということだけだったのだ。

＊＊＊＊

危機のあとでなければ資金不足で投資できなかっただろう市場は住宅のほかにもあった。それまで懸命に蓄積し、大規模な投資のために守ってきたドライパウダーを投じる機会は、すぐに多くの分野で現れはじめた。なかでも重要だったのはエネルギー分野だろう。

わたしたちは、投資決定プロセスを通じて取引をおこなうことで、この分野の専門知識もゆっくりと積みあげていた。そのなかで持説のひとつとなったのは、ほとんどの公共エネルギー企業は慢性的に過大評価されているということだ。たとえば、精油所、パイプライン、ガソリンスタンドの価値をひとつひとつ分析し、それを合計すると、ほとんどの場合企業の価格は個々の構成要素の合計よりかなり高く評価されている。ならば、エネルギー産業のインフラの構成要素を買うかつくるかして、それを市場価格で売ればいい。

二〇一二年、エネルギー産業のインフラの巨大な構成要素に投資する機会を得た。アメリカから天然ガスを輸出するための準備施設だ。その施設サビン・パスをめぐる物語は、エネルギー産業の古典の要素をすべて備えている。先見の明のある大胆な起業家が、急速な技術革新、気まぐれな政治、不安定なグローバル市場のただなかで複雑な大規模工場を建設しようと奮闘する物語だ。

二〇〇八年のことだ。インベストメントバンカーからレストラン経営者に転じ、その後エネルギー起業家に転じたチャリフ・スーキは、メキシコ湾に近いテキサス州とルイジアナ州の州境にあるサビン・パス川河口で、天然ガスの積み荷を受け入れる工場の建設に着手した。石油はコンテナ船の巨大な船体のなかに入れて容易に輸送できるが、ガスはもっとむずかしい。輸送のために冷やして液体にし、目的地でガスにもどさなければならない。費用のかかるプロセスだが、当時アメリカは天然ガスが不足していたため、価格が高騰していた。

しかしチャリフが新しい輸入施設を建設していたとき、フラッキング（水圧破砕法）の開発によってアメリカ国内で地中から天然ガスを採取できるようになった。チャリフの工場は無駄なものになってしまった。そのとき、すばらしい起業家的洞察がひらめいた。もしサビン・パスを輸入施設から輸出施設に変え、あまったアメリカのガスを世界に送りだすとしたらどうだろう？

単純なことに思えるが、ただガスを逆方向に流せばいいという話ではない。第一に、チャリフの事業であるシェニエール・エナジーは六億ドルと評価されていたが、輸入施設から輸出施設への転換には八〇億ドル必要だった。銀行から借りようにも、借金の返済に苦労した時期があったため、銀行は気持ちよく融資を追加してはくれない。第二に、このプロジェクトは、政府が施設を承認し、チャリフにアメリカの化石燃料を輸出する権利を認めるかどうかにかかっていた。第三に、これは巨大な建設プロジェクトで、潜在的なリスクをはらんでいた。まちがいなくやりとげる自信がないようなら、はじめからやるべきではない。投資委員会にこの機会が提案されたとき、わたしたちは多くの懸念をいだいた。これが最良の石油やガスの案件かどうかはどうでもいい。医療から不動産、メディア、テクノロジーにいたるまで、投資できるあらゆる分野を見わたして、それでもほかより優れた案件でなければならない。

わたしたちは二〇億ドルの自己資本を投入し、残りの六〇億ドルは負債で調達する計画を立てた。わたしたちにとっても投資家にとっても大きな小切手だったので、小切手を書く前に債務を調達できるか確認しておきたいと思った。幸いにも、わたしたちが債権者に常に返済しているという評判のおかげで、これだけの規模のプロジェクトでも銀行は融資に乗り気だった。

規制プロセスにもわたしたちの影響力が功を奏した。ブラックストーンの名前は、プロジェクトに対する連邦規制当局の信頼を高めた。それでも、契約書には規制当局がなんらかの理由でプロジェクトを行きづまらせた場合、わたしたちは撤退できると明記させた。投資家の資金を終わりのない規制当局の承認プロセスの人質にするわけにはいかないからだ。

さらなる懸念はチャリフ自身のことだった。起業家というものは、強烈なアイデアをもっているのと同時に、強烈な個性の持ち主だったりする。将来意見の相違が生じるリスクを最小限におさえるため、期待と目標を明確にした草案を用意した。プロジェクトが軌道に乗っているかぎり、チャリフが責任者だ。わたしたちは、シェニエールがエネルギー会社とオフテイク契約を結ぶことを主張した。最大二〇年間の一定期間にわたり、エネルギー会社がわたしたちの施設から一定量の天然ガスを購入すると約束するものだ。この契約で、ガス価格の変動にかかわらず収入が保証される。ガス価格が上昇した場合、多少の利益は失われるかもしれないが、資金を大量に消費するプロジェクトでは避けることのできない損失のリスクは小さくなる。

最後に、長く、複雑で、費用がかかる建設にともなうリスクを最小限におさえる必要があった。そこで、施工会社であるベクテルに追加料金を支払い、一括請負を依頼した。設備が約束どおりに稼働しなかった場合、ベクテルは罰金を支払わなければならない。また、ベクテルの元エンジニアを雇って、建設中の内部監視役をたのんだ。

わたしたちはすべてのリスクを分析しおえ、この案件を担当しているパートナーのデイビッド・フォーリーに、「ものにしてこい。いますぐだ」と伝えた。ワシントン誕生日の祝日の週末、デイビッドは家族を残し、チャリフがスキーをしていたアスペンへ飛んだ。チームはリトル・ネル・ホテルの地下で三日間かけて条件を詰めた。買収の発表から数日のうちに何件かほかの入札があった。しかし、この案件はわたしたちが手がけ、業界全体に足跡を刻むことになった。

＊＊＊＊

同じ二〇一二年、トニーは少数の投資家と話し、新事業のアイデアを思いついた。わが社のすべての資産クラスにまたがり、通常より低い約一二パーセントの安定した年利回りを可能にする新しい戦略だ。わたしはさまざまな部門のトップを集め、このアイデアにもとづいてニュージャージー州の年金基金向けの提案を用意するよう指示した。基金の運用担当者は、金融危機を受けて規制当局が銀行に売却をうながしている資産への投資を検討するよう求めていた。奇妙な要求だが、わたしは起業家として、金融が単純なビジネスであることを学んでいた。だれかがなにか新しいことを求めてきた場合、この新しいことにその時点で関心をもっている人間が地球上にその人ひとりという確率はゼロだ。新奇な問い合わせがひとつあったら、それは大きなチャンスになる可能性を秘めている。求めてきた本人は自覚していない。自分の要望しか見ていないからだ。しかし、その要望が理にかなっているなら、それを実現するふさわしい製品をつくり、もっと多くの人に提供することができる。競合他社はいったいどうやって思いついたのだろうと首をかしげることになる。

それぞれの部門からアイデアが出され、どの提案も前のグループの提案より優れているように思えた。三番目のグループの提案を聞いたときは息をのんだ。こんな案件がわが社で提案されたことはこれまでなかったからだ。以前ならゴールドマン・サックスが手がけたような案件が、わたしたちのもとにくるようになっていた。コンテナ船や中継局の土地から鉱山や難解な融資商品まで、あらゆる投資案件がそろっていた。問題は、既存のファンドにすべて組みこめるかどうかだ。

ブラックストーンの草創期、友人のスティーブ・フェンスター（両足に左足用のウィングチップ靴をはいた男）が、マイケル（マイク）・ブルームバーグという将来有望な起業家と会う段取りをつけてくれた。マイクは若い金融情報会社のために金を探していた。大成功する会社だとわかっていたが、当時のわたしたちには適さなかった。投資家に五年から七年以内に資金を返すと約束していたからだ。マイクは会社を売る気はないと言った。欲しいのは生涯のパートナーで、わたしたちがその第一候補だった。このとき逃したチャンスはあまりに大きく、決して忘れたことはない。一億ドルの投資が、最終的には八〇億ドル以上になったはずだ。いつの日か、マイクのような起業家や従来のプライベートエクイティ投資に適しない機会に投資できるような柔軟性をブラックストーンにもたせたいと常に考えていた。タクティカル・オポチュニティーズと命名したこの新しいファンドは、わたしが長年求めてきた答えだった。

わたしたちは新事業に用いる三つのテストを適用した。投資家に大きな利益をもたらす見こみがあるか。ブラックストーンの知的資本を増やすことになるか。担当者は一〇点満点の人材か。

新しい投資案件にはどれもまちがいなく経済的な潜在力があった。知的資本についていえば、タクティカル・オポチュニティーズは、社員全員が危機後という状況で出現するまれな機会から学び、新しいパターンを見つけだすための新しい方法を考える絶好の機会になる。新ファンドの投資委員会のメンバーには、トニーとわたし、主要な資産クラスのそれぞれのトップをすえた。社内の専門知識を結集し、こうした異色の小規模な取引をとりあげて徹底的に分析するためだ。

このファンドを率いる人間にはロンドンからニューヨークにもどったばかりのデイビッド・ブリッツァーを選んだ。あまりにも斬新なファンドだったため、社内でも社外でも異例の依頼をし、異例の取引を売りこめる経験豊富な人材が必要だった。デイビッドにはブラックストーンのヨーロッパ事業を成功させた実績があった。やがてタクティカル・オポチュニティーズは二七〇億ドル以上の事業に変貌した。

金融危機の五年後、わたしたちはライバルとの距離を広げ、より多くの資金を集め、より多くの取引をおこなっていた。危機から無傷で抜けだせたわけではないが（たとえば、ドイツテレコムへの株式投資では大きな損失をこうむった）、競合の多くが過熱していたころの市場でおこなった過去の取引の後始末に追われているあいだに、わたしたちは新しい刺激的な方向へ進んでいた。

第九章　社会に参加する

何年ものあいだ、わたしはブラックストーンを築くことに全精力を注いだ。ブラックストーンの経営は、競合他社、社員や元社員、メディア、不安定なマクロ経済や政治の力、そしてときにたんなる不運をめぐる終わりのないストレステストのようだった。

しかし起業家であることのすばらしい点は、すべてがうまくいけば、ときとともに生きるのが楽になっていくことだ。ビジネスが成熟するにつれ、周囲の人の質は向上し、システムはより堅実になる。リスク管理も適切にできるようになる。組織を大切に思ってくれる後継者が育つ。評判があがり、おかげで仕事がうまくいくようになる。この好循環は加速していき、ブラックストーンの場合、顧客や投資家がこれまでにないほど多額の資金を提供してくれている。

金融危機が収束していくなか、わたしは周囲を見まわし、自分が自由にできる資源、ネットワーク、専門知識をほかにどう生かせるか考えはじめた。子どものころ、祖父のジェイコブ・シュワルツマンが義肢や車椅子、衣服、本、おもちゃを集めて毎月イスラエルの子どもたちに送るのを見てきた。アメリカに来たばかりの移民が店にやってくると、父がツケ払いを認めるのも見てきた。いるものがあればもっていきなさい、金は払えるときでいいから、と父は言っていた。父は自分の父親と同じように定期的にエルサレムの児童養護施設に小切手を書き、教育を必要とする子どもたちを援助した。また、多くのユダヤ人中流家庭と同じように、うちの家族もイスラエルに木を植えるために毎週一〇セント貯金していた。あたえることは人生の一部であり、幸運に恵まれたおかげでわたしもその習慣をつづけている。気にかけている施設や金が必要な人には資金援助している。相手は友人のこともあれば、ニュースで知った見知らぬ人のこともある。自分のせいではないのに苦境にある人たちだ。

ケネディ・センターの会長を引き受けたときは、それまでに身につけたスキルと人間関係を駆使してより多くの資金を集め、水準を引きあげ、公演の幅を広げた。アメリカの最高の創造的才能を讃える名誉賞の授賞式によって、ニューヨークやロサンゼルスのアート界隈におけるセンターの知名度は高まった。ワシントンのケネディ・センターですごしたおかげで、わたしは政治や政治家に対する理解を深めることもできた。

やがて、こうしたさまざまな経験は政治活動や非営利活動での国際的な社会貢献を評価するものさしの役目を果たすようになった。たとえば、わたしは教育が自分の人生に深い影響をあたえていることを常に意識してきた。引っ越しをして質の高いアビントンの学校へ行っていなければ、イェール大学やハーバード・ビジネス・スクールには入学できなかっただろうし、その後の貴重な可能性も閉ざされていただろう。わたしができるだけ多くの人に人生の転機となるようなチャンスをあたえたいと情熱を注いでいるのはそのためだ。同じように軍隊での経験は、軍人が一般市民を守るために多くの犠牲を払っていること、その多大な貢献に感謝しなければならないことに気づかせてくれた。アヴェレル・ハリマンとの対話は、政治にかかわることが世界の平和と繁栄だけでなく、個人の将来性を高めるうえでも大きな影響をおよぼすことを教えてくれた。

二〇〇八年にはニューヨーク公共図書館に一億ドル寄付し、四二丁目と五番街にある本館やいくつかの分館の改築を支援した。街の中心部に美しく静かな空間をつくる資金になればと思ってのことだ。それだけでなく、図書館の識字プログラムの拡充や、インターネット接続設備が不足している地域の設備充実にも役立ててもらおうと思った。

二〇〇九年には、感謝祭の少し前にクリスティーンといっしょにインナーシティ奨学金基金の支援を受けているニューヨークの学校を訪問した。カトリック系学校の驚異的なシステムについては、カトリックのクリスティーンから聞いていた。生徒の九〇パーセントはマイノリティで、七〇パーセントが貧困線以下の生活をし、九八パーセントが大学に進学している。学校は充実した人生を送るための優れた学問的基盤と社会的・道徳的基礎を提供している。しかし、学校を見学しながらインナーシティ奨学金基金の事務局長スーザン・ジョージに話を聞くと、多くの生徒が中退しているという。親が失業し、授業料さえ払えなくなっているらしい。市内のカトリック系学校はどこも同じ状況だった。

わたしはスーザンに、子どもを退学させることにしたすべての家族に連絡をとり、やめさせる必要はないと伝えてくれと話した。家族が授業料を払いきれない分はわたしが補填する。子どもがそんなふうに苦しむのは耐えられなかった。親も子もなまけていたわけではない。予期せぬ打撃をこうむっただけで、彼らのせいではない。これはわたしからのクリスマスプレゼントだ。

二〇一三年にも似たような決断をした。全米陸上競技連盟（ＵＳＡＴＦ）財団を支援して、世界選手権やオリンピックを目指す有望なアスリートに毎年助成金を出しはじめたのだ。若く優秀なアメリカの陸上選手たちに、経済的な負担を気にすることなくトレーニングや競技に打ちこめる時間と資金を確保してやりたいと思った。経済的な支援がなければ、選手たちは仕事を二、三かけもちしなければならず、そんな状態では一日二回のトレーニングをつづけることは不可能だ。ほとんどの選手がスポーツをあきらめることになるだろう。経済的な負担がなくなった若者たちがどれだけのことをなしとげるかを見守るのはすばらしいものだ。二〇一六年のリオデジャネイロ五輪では、支援を受けた選手たちが金メダル四個、銀メダル三個、銅メダル二個を獲得した。現在わたしはUSATF財団の最大の個人寄付者であり、わたしなどよりはるかに優れた才能をもつアスリートたちが潜在能力を発揮するのを支援していることを誇りに思う。

同じく二〇一三年には、ビジネス円卓会議に出席した。会議ではミシェル・オバマ大統領夫人が、アメリカの軍人、退役軍人、その家族が必要としている特有の支援について語った。大統領夫人は、退役軍人とその家族がさまざまな障害に直面し、そのために失業率が高くなっていることを強調し、その結果、日に二〇人の自殺者が出るなど深刻な問題が起きていると言った。そして、会議に参加したすべての企業に対して、退役軍人の失業を減らす国家的なプロジェクトに参加するよう求めた。その晩ワシントンからもどる途中、大統領夫人のひと言ひと言が頭から離れなかった。わたしたちは軍人に恩義がある。少なくとも軍人たちがもっとスムーズに市民生活にもどれるよう手を貸すべきだ。わたしは家に帰りつく前に、ブラックストーンと投資先会社に今後五年間で五万人の退役軍人と家族を雇うことを大統領夫人に約束する文書を口述筆記させた。通常なら先に経営陣と相談する種類のことだが、これは道義的にやるべきことだと確信していたし、ブラックストーンが支持してくれることもわかっていた。わたしたちは四年間で五万人を採用し、二〇一七年にはさらに五万人を採用する約束をした。これは、ブラックストーンがその規模と守備範囲によって大きな影響をもたらすことができるという好例だ。

いろいろな社会の課題にかかわるようになるにつれ、小切手を書くところからさらに先へ進むとどんなことをなしとげられるだろうという疑問がわいてきた。起業家の活力とブラックストーンを築くなかで身につけたスキルを、同じように野心的な慈善活動に応用したらどうなるだろう?

＊＊＊＊

二〇〇五年、ケネディ・センターは中国フェスティバルを主催した。初日の夜、わたしは中国政府文化部部長のとなりにすわり、ダンサーや体操選手の一団がオーケストラの音に合わせてつぎつぎに積みかさなって人間ピラミッドをつくる演技を見た。ピラミッドが高くなるごとに、ひとりの踊り手がステージを疾走し、その上に跳びのっていく。どこまでいくのだろうと観客は気をもんでいた。

つぎの踊り手がステージをまわって助走のスピードをぐんぐんあげ……ピラミッドに激突した。ふき飛ばされた演技者たちの体がステージ中に散らばった。これがバレエやスケートなら、みんなになごともなかったかのように身を起こし演技をつづけるだろう。中国ではそうはいかない。音楽が止まり、全員が最初の位置にもどった。一からピラミッドがつくりなおされ、例の踊り手の番がきて、観客はみんな目を覆った。踊り手は走りだし、今度は成功した。ギリギリだった。

わたしは文化部部長を見た。まったくの無表情だった。わたしは、あんなことがあったのになぜそれほど落ちついているのか尋ねた。「中国では偉業を目指します」と文化部部長は言った。「一度目で達成できなければ、できるまで何度でもつづけるまでです」

二〇〇七年に中国がブラックストーンのＩＰＯに投資すると決めた戦略性がよりはっきりしたのは、それからまもなく、投資家に謝意を表すために中国をおとずれたときだ。わたしが会議から会議へと飛びまわるあいだ、中国国営テレビのカメラクルーがずっと同行した。中国政府はブラックストーンに投資したことを驚くほど重大にとらえていた。わたしはちょっとした有名人だった。スピーチをすれば聴衆が通路にあふれた。わたしの言動はすべてニュースでとりあげられた。しかし学ぶべきことはまだたくさんあった。

幸い、清華大学経済管理学院の理事になったおかげでよい先生には事欠かなかった。清華大学の起源はアメリカの気前のよい援助だ。一九〇一年、中国は反西洋を掲げた「義和団の乱」の鎮圧に協力したアメリカに賠償金を支払うことに合意した。セオドア・ルーズベルト大統領は、賠償金の大半を資金にして、アメリカに留学する中国の学生に奨学金を支給することを主張した。留学の予備校としてつくられたのが清華学堂、現在の清華大学で、ほとんどの人が中国一の名門と考えている。

清華大学の卒業生には、習近平《シーチンピン》現国家主席、胡錦濤《フーチンタオ》前国家主席のほか、多くの有力な国務委員がいる。二〇一五年以来、『USニューズ&ワールド・レポート』の大学ランキングの工学・コンピュータサイエンス部門でMITを抜いて世界最高の大学に選ばれている。経済管理学院はアメリカの一流のビジネススクールからヒントを得て一九八四年に設立された。中国で最初にアメリカのビジネスと深い関係を築いた機関に数えられ、ウォール街からシリコンバレーまで、さまざまな企業のトップが立ち寄る場所になっている。経済管理学院の理事は中国国内だけでなく世界各国から来ている。

一九八〇年以降、中国のGDPは増加し、アメリカのGDPの一一パーセントから二〇一九年には六七パーセントになった。* 一人あたりのGDPは二〇一九年に一万ドルと、アメリカの六万五〇〇〇ドルを大きく下まわっているが、† 中国の一人あたりGDPは一九八〇年から三三倍に増加したのに対して、同時期のアメリカの一人あたりGDPの増加は五倍にとどまっている。輸出はアメリカの六パーセントだったのが一〇〇パーセント以上にまで増えている。経済規模もオランダより小さかったが、いまや毎年オランダ一国分も経済成長している。二〇〇七年に中国がはじめてブラックストーンに投資して以来、中国は経済成長やイノベーションの主要な指標の多くでアメリカに追いついたり、追いぬいたりしている。アメリカよりも大量にエネルギーを生産し、輸出し、保有し、消費する。高級品からスマートフォンにいたるまで、あらゆるものの市場がアメリカより大きい。二〇〇七年から二〇一五年にかけて、世界の経済成長の四〇パーセント近くを中国が担った。二〇一九年の成長率は鈍化しているものの、それでもアメリカの二倍以上だ。

中国をだれよりも鋭い目で観察していたシンガポールのリー・クアンユー前首相は、二〇一五年三月に死去する直前、中国がいずれアメリカを追いぬき、アジアの覇権をにぎると思うかと問われ、きっぱりと答えた。「もちろんだ。当然だろう。アジア一を目指すからには、いずれ世界一を目指さないわけがない」。前首相はさらに、そうなれば、西側諸国ではなく中国の独擅場になるだろう、とつけくわえた。中国の台頭は、わたしたちの時代を決定づける地政学的事実だ。

ハーバード大学の政治学者グレアム・アリソンは、西洋から東洋へ勢力を再配分するこのプロセスには罠があると警告している。アメリカが後退し中国が台頭するにつれ、両勢力とその関係国は、ここ何十年もつづいたバランスが崩れたことにより、ちょっとした誤解やわだかまりや反感から戦争という罠に陥りかねないという。紀元前五世紀、アテネの台頭がスパルタを脅かしたときにこれが起きた。そのため、アリソンはペロポネソス戦争に関する随一の歴史書を書いたギリシャの歴史学者にちなんでこの罠を「トゥキディデスの罠」と呼ぶ。二〇世紀にドイツがヨーロッパの秩序を脅かし、二度の世界大戦を引き起こしたのもこれにあたる。中国とアメリカが、すでに起きている経済力の変化にともなって必ず起きる政治権力の変化に対処するために、協調し信頼しあえる道を見つけられなければまた同じことが起こるかもしれない。

清華大学が創立一〇〇周年を迎えたとき、クリスティーンとわたしが暮らしはじめて八カ月になる

＊GDP、時価ベース、単位は米ドル、国際通貨基金の世界経済見通しデータベース、二〇一九年四月。
†一人あたりGDP、時価ベース、単位は米ドル、国際通貨基金の世界経済見通しデータベース、二〇一九年四月。

パリに陳吉寧《チェンジーニン》学長がたずねてくることになった。陳学長が資金を求めているのは知っていた。しかしわたしは、それ以外に自分の資源やネットワークの使い道を考えはじめていた。

清華大学に対しては個人的な歴史も感情的なつながりもなかった。何千キロも離れた地にあり、その国や文化についてはようやく少しずつ知りはじめたところだった。そこで、陳学長のパリ訪問の準備をしながら、ヒントになるものをあれこれ探した。どんなアイデアを思いついても、自分を中心とする小さいチームがいれば、実現するのに必要な推進力を生みだせるとわかっていた。

セシル・ローズは二三歳のとき、まだアフリカの鉱山で財をなしてはいなかったが、「人生における最高の善」は「国家に役立つ人間になることだ」と書いた。一九〇二年にローズが死去すると、その遺言をもとに、大英帝国、旧植民地、ドイツから若者を募ってイギリスの大学に留学させ、「生活と習慣を身につけるために見識を広めさせ、帝国の結束を維持することがイギリスのみならず植民地にとっても利益になることを教える」ための奨学金プログラムが計画された。ローズの遺志はやがてオックスフォード大学のローズ奨学金制度となった。ローズはなにかと物議をかもす人物で、非道な雇い主であり、南アフリカがアパルトヘイトへの道を進むのに手を貸した。しかし、ローズ奨学制度はいまも高い権威をもち、さまざまな国から集まった最高に優秀な若者たちが多感な時期をともにすごし、ともに学ぶ貴重な機会になっている。

中国に同じようなものをつくってはどうでしょう、と陳学長に提案した。世界中からえりすぐりの優秀な人材を募って清華大学でともに学んでもらうプログラムだ。奨学生は省庁や中国企業に出向して研修を受けることもできる。中国人と西洋人の教授のもとで学ぶことで文化間のつながりも発見しやすくなる。同期の奨学生たちにとってともにすごした時間は充実した経験となる。それぞれの国へもどり、やがて影響をあたえる立場になったときも互いを理解しあえるし、大望も共有できるはずだ。友情と理性にもとづいて行動し、国々がトゥキディデスの罠に陥るような疑いや不信から行動することはない。陳学長はわたしの話に耳をかたむけた。学長は賛成したが、ひと言「相当な金がかかりそうだ」とつけくわえた。わたしは手はじめに一億ドルを約束し、残りも調達できると請けあった。こうして「シュワルツマン・スカラーズ」が誕生した。

ひとつだけ問題があった。わたしは教育者ではなく、一九七二年以来教室にも縁がなかった。大学をゼロからつくることについてはなにも知らず、それが中国の大学ならなおさらだ。

ハーバード・ビジネス・スクール（ＨＢＳ）の元学長でブラックストーンの役員でもあるジェイ・ライトが、ハーバード大学の中国研究センター元所長で人文学部長のウィリアム（ビル）・カービー教授を紹介してくれた。ＨＢＳの学長ニティン・ノーリアはウォーレン・マクファーラン教授にあたってみてはと提案してくれた。長年にわたるＨＢＳの教授で、清華大学でも教えたことがあり、大学にいるすべての人を知っているからだ。ビルとウォーレンは、冒険に加わってくれる学術諮問委員会を招集した。

学術諮問委員会のおかげでわたしたちが自問していた多くの疑問が解決した。学生はどんな年齢層がふさわしいか。どの学科を組みあわせるか。卒業後の進路相談はどのようにおこなうか。生活費、学費、北京への往復の旅費をふくめ、ひとりの学生にいくら出すか。これだけ考えても、まだ学生生活の問題が残っている。高等教育を支援することが、名誉の帽子とガウンをもらう見返りに小切手を書くことだと思っているなら、それは大まちがいだ。

プログラムづくりを進めながら、わたしは自分の高等教育をふり返り、必死に勉強してもなかなか成果があがらなかったことや、ウォール街でトレーニングも指導者もなしですごした最初の数カ月のことを思い出した。その経験から、最初の就職先が大手だったことなど、自分のスキルを磨く機会を逃したことにくらべればなんの価値もないことを知った。やがてリーマンで自分に必要なものを見つけ、年を重ねるにつれてそれが最高水準で活躍する能力の基礎になっている。

そこで、このプロセスを加速させるプログラムを考えはじめた。若い人たちにすばらしい学問的経験をあたえ、生涯にわたる仲間との関係を築いたり、師からアドバイスをもらったり、仕事の実践的な経験を積んだりするのを助けるプログラムだ。まずプログラムの期間を決めなければならない。一年にするか、二年にするか。わたしは理想とする応募者の視点に立って考えてみた。多くはブラックストーンで採用している若いアナリストのようなものだろう。野心あふれる二三歳にとって、二年はあまりにも長いように感じた。世界でもっとも有能な若者を求めるなら、ほかの野心を追求するための時間を奪いすぎることなく、すばらしい経験をあたえる必要がある。一年がよさそうだ。

つぎに、学生の教育にあたる教員を清華大学の中国人の教員にするか、外国人の教員にするか、両方を組みあわせるか決めなければならない。わたしは清華大学の授業にいくつか出席してようすを見学した。ことばがわからなくても、中国人の教授は小さいクラスでさえほとんどずっと一方的に話してばかりいることがわかった。大人数の講義では最初から最後まで教授が話していた。授業時間は西洋の大学より長く、シュワルツマン・スカラーズが想定している学生はすぐにあきてしまうだろう。

とはいえ、全教員を外国人にしたいわけでもなかった。学生たちは、アメリカやヨーロッパをはじめ世界中の一流大学からやってくる。せっかく中国に留学するのに、母国と同じ学術的体験しか得られないのでは意味がない。そこで、半分は外国人、半分は中国人の教員とし、ときには同じクラスを両者共同で教えることにした。ふたつの文化をひとつの教室に入れる。

学術プログラムの三つ目の大きな側面は中国について深く知ることだ。これには三つの要素がある。それぞれの学生が興味をもっているビジネス、非営利の仕事、政府の仕事をしている著名な中国人リーダーから指導を受けること。北京以外の中国を理解するために中国各地を旅すること。中国の組織で実際に働いてどう機能しているか知ることだ。

当初は計画のメリットを中国当局に説得するのに苦労した。共同授業も、実地訓練も、わたしたちが「ディープダイブ」と名づけた中国各地への没入型の旅行プログラムのようなことも、中国ではおこなわれていなかったからだ。しかし清華大学のトップにいる支持者たちの理解を得ることができた。官僚の抵抗と戦うのに習主席自身の野望は追い風となった。習主席は、中国の主要大学が世界ランキングで上昇し、二〇年以内に二校が世界のトップ10に入るようにするという目標を設定した。そして中国の主要大学に欧米の一流大学の最新の教授法をとり入れることを提案した。

ブラックストーン基金の代表であり、いずれシュワルツマン・スカラーズの専務理事を務めるエイミー・スターズバーグとわたしが清華大学の宣教師になった。わたしたちは完全に起業家モードに入った。起業家がまずするべきことは、自分の構想に推進力、つまり絶対に成功するという空気をあたえることだ。そこでわたしたちは欧米の主要大学の学長に会いにいった。イギリスのオックスフォード大学、ケンブリッジ大学、ロンドン・スクール・オブ・エコノミクス、インペリアル・カレッジ・ロンドン、アメリカのアイビー・リーグの大学、スタンフォード大学、シカゴ大学など世界中の二五〇校の大学へ出向き、このプログラムに最高の学生を送るようにすすめた。主要大学の総長、学長、奨学金の責任者でシュワルツマン・スカラーズの話を聞かずにすんだ人はいない。

こうしたすべてが安くつくはずはなく、最初の一億ドルではまるでたりないことがわかった。家を建てるようなものだ。どういうわけか、すべてに予想の二倍の時間と二倍の費用がかかる。かさむ費用に対処するために営業をはじめなければならなかった。一九八六年にピートとふたりで最初のＰＥファンドを立ちあげたとき、わたしたちの投資家への売りこみは一勝一七敗だった。その後、ブラックストーンが優れた実績を築いたことで、すべてがはるかに容易になった。わたしは、九〇から一〇〇パーセントの確率で投資家の確約を得られるという自信をもって売りこみに臨むことができた。

しかし、シュワルツマン・スカラーズの場合、たとえ中国が世界の成長の四〇パーセントを担う世界でもっとも刺激的な国であっても関係なかった。その中国でもっとも有力な人々が支持してくれていることも関係なかった。わたしは昔のように必死に売りこみをしなければならなくなった。しかも実績も前例もなく、多くの人の目には不可能に見えるアイデアの売りこみだ。

それからは、ビジネス円卓会議だろうが結婚式だろうが、ダボスだろうがニューヨークのパーティだろうが、どこでも行く先々でこのプログラムのことを話した。相手が中国や教育に少しでも興味があると思えば、すぐに売りこんだ。小切手を書く金をもっている人は必ず標的にした。わたしはすぐにどこでも歓迎されなくなってしまった。

わたしたちは五年間で二〇〇〇通近くの手紙を書き、寄付者候補ひとりひとりに合わせて、なぜこれがすばらしい金の使いかたなのかを説明した。少しでも興味を示した人には、さらに手紙を送りさらに説明した。断られても郵送先名簿から消さなかった。マイク・ブルームバーグは小切手をくれたとき、こうでもしないといつまでせがまれつづけるかわからないからねと言った。

二〇一二年一二月一二日、わたしは『ニューヨーク・タイムズ』のディールブック・カンファレンスに招待された。その控え室で、同じパネルディスカッションの登壇者だったレイ・ダリオを見かけた。世界最大のヘッジファンド、ブリッジウォーター社の創立者だ。わたしは部屋の隅にすわっているレイのところへ行き、自己紹介をした。すぐにステージにあがることになっていたので、単刀直入に、二五〇〇万ドル寄付してシュワルツマン・スカラーズの共同設立者のひとりになってくれないかと提案した。レイは痛々しげにわたしを見て、自分は一九八四年から中国で活動していると言った。

レイ自身、すっかり中国に魅せられ、息子を一年間中国の高校に留学させてもいた。それほど中国を愛していながら、レイはわたしが思い描いているプロジェクトはとうてい実現不可能だと考えていた。自分がなにを引き受けたかわたしがまるでわかっていないという。

それでもわたしはレイが降参するまでたのみつづけた。レイはまず一〇〇〇万ドル、そしてプロジェクトが成功したあかつきには残りの一五〇〇万ドルを出すと約束してくれた。「連絡をとりあおう。進捗を教えてくれ」と、ステージにあがる前にレイは言った。二度目の小切手を書くことはないと確信しているようだった。

もちろん、わたしたちがどれほど大変な挑戦を引き受けたかはレイに言われるまでもなかった。すでに身をもって気づきはじめていた。ここマンハッタンにいながら、地球の反対側にあるまだよく知らない国で、ゼロから組織とプログラムをつくろうとしているのだ。ニューヨークと北京の時差は一二時間で、わたしたちは夜中にスカラーズの仕事をし、日がのぼれば本業にもどらなければならない。問題を解決すると約束し失敗したコンサルタントの数は途中で数えきれなくなった。スタート時点ですばらしいプログラムでなければ、成功に必要な名声は得られない。しかし、わたしたちプロジェクトチーム以外はだれひとり実現できると思っていなかったし、大きかろうが小さかろうがどんな課題もことごとく五倍の時間がかかっていたので、自分たちでさえ疑いをいだく瞬間があった。

資金調達がにっちもさっちもいかなくなると、寄付者の基金をつくる形で寄付を募りはじめた。教授名を冠した基金のように、校舎のスポンサーや学生のスポンサーとして資金を出してもらう方法だ。二五〇〇万ドルの基金で、一五年間、毎年ひとりの学生を支援できる。一五年たったらその権利をべつの寄付者に売り、あらたに二五〇〇万ドルの基金をつくる。みんな母国や母校の学生に奨学金を出したいと思っていることがわかった。

多くの企業がすでに中国で慈善事業をおこなっていた。その企業にも支援してもらうことになった。当時ペプシコのCEOだったインドラ・ヌーイは、ふたつの奨学金のスポンサーになってくれた。ペプシ・フェローとヘンリー・ポールソン・フェローだ。ヘンリー・キッシンジャーとモーリス・R（ハンク）・グリーンバーグをのぞけば、おそらくハンク・ポールソンほど米中関係に貢献した人はいなかった。ハンクは自分の名を冠した奨学金ができることを喜んだ。起業家は築いてきた交友関係によって成功することが多い。ディズニーやJPモルガンのように有名な企業や個人が支援を約束してくれるようになると、この事業に魅力を感じる人も増えていった。

シュワルツマン・スカラーズへの支援を求めたことがきっかけで新しい友情が芽生えたこともある。仕事の都合で、ソフトバンクの創業者で日本一の富豪である孫正義（マサ）に会いに東京へ行ったときのことだ。会話の流れで、シュワルツマン・スカラーズのことを話題にした。わたしは営業マンとして、もっていきかたを事前に考えていた。日本は歴史的に中国とひどい関係にあった、とわたしは言った。何十年ものあいだ、日本ははるかに強い経済大国だった。しかしいまは、中国がどんどん豊かになり、日本の人口は減少している。そろそろ両国の関係を修復するときではないだろうか。

当時、マサの資産は一五〇億ドル前後だった。五〇代後半で、さらに一〇年ほど働くとすれば、純資産は二倍になるだろう。その規模の財産があるならもっと寄付することを考える必要がある、とマサに話した。シュワルツマン・スカラーズに二五〇〇万ドルの贈りものをするのは手はじめにちょうどいいだろう。マサは四人の日本人学生に一人あたり二五〇万ドルの助成金を出すという形で応じてくれた。マサはその後、この最初の一〇〇〇万ドルから二五〇〇万ドルに贈りものを増やし、わたしたちはすばらしい友人になった。

中国人はべつのむずかしさがあった。カレッジが建設され学生が現地にやってくるまで、中国の寄付者は金を出そうとしなかった。中国人はアイデアなど信用しない。わたしが校舎とすばらしい学生を約束すると言っても、実際に自分の目で見るまでは小切手を書いてくれそうになかった。そこで、二〇一六年にシュワルツマン・カレッジが開校し、一期生が入学してくるまで待つことにした。一期生がやってきたとたん、わたしたちの事業に対する認識は一変した。最初に寄付を申し出てくれたのは、不動産で財をなした人たちだ。つぎに大手コングロマリット、それからテクノロジー企業、最後に人工知能を専門とする個人起業家たちが事業にかかわりたいとやってきた。現在、シュワルツマン・スカラーズはこの種の基金としては中国一の規模となっている。基金は外国と中国の資金からなり、五億八〇〇〇万ドルを超えている。

＊＊＊＊

わたしたちがつくりあげた組織、プログラム、ネットワークは、シュワルツマン・スカラーズを現実のものにしようというわたしの必死の思いと強い意志、そして成功以外は受け入れない姿勢から生まれた。

このプロジェクトから、中国でいかに人間関係が重要かを学んだ。なにをやりとげるにも人間関係の強さがすべてだ。中国人との強力な関係がなければとてもなしとげることはできなかった。プロジェクトをはじめた当初いっしょに仕事をしたのは、清華大学の精力的な若き学長、陳吉寧だ。思いきりがよく柔軟で、もしプロジェクトが失敗すればキャリアの致命傷になり、政敵から非難を浴びることも理解していた。

陳吉寧は二〇一五年に中国政府生態環境部部長に昇進し、その後、北京市長になった。後任の新学長には邱勇《チウヨン》が選任された。邱の就任前、わたしは清華大学書記で友人の陳旭《チェンシュイ》に会いにいった。普段は彼女のオフィスで会うのだが、このときは大きな会議室に案内され、どの訪問者にとっても名誉な陳書記の右側の席にすわらされた。陳書記は左側にすわった新学長に明確なメッセージを送っていた。清華大学は全面的にシュワルツマン・スカラーズを支持するというメッセージだ。わたしたちにはぜひとも支持が必要で、ありがたいことに邱学長は全面的に支持してくれた。邱はシュワルツマン・スカラーズの大きな支援者となり、わたしが毎週連絡をとる相手となった。

二〇一二年の話だが、シュワルツマン・スカラーズの計画を進めることが決まったとき、当時学長だった陳が清華大学のバスツアーに連れていってくれた。プログラムの建物の候補地を三つ見せてもらった。ローズ奨学生はオックスフォード大学のさまざまなカレッジに住んでいるが、ローズハウスという拠点があり、そこで勉強し、交流できる。わたしたちの奨学生には、北京での時間を最大限に生かすためにひとつの屋根の下でいっしょに生活し、授業を受けてほしいと思った。廊下や休憩室で顔を合わせ、階段でばったり出くわし、いっしょに昼食を食べる。奨学生がなにを学ぶかがすべてではない。肝心なのは学びながら築く人間関係だ。建物の設計も、ブラックストーンの室内装飾をしたときと同じくらいこだわりたいと思った。

わたしたちはまず一〇人の建築家を招いた。出てきたのはどれも気が滅入るような案だった。ダラスからドバイまでどこにでもありそうなガラスの箱のような建物がほとんどだった。ある会社は、新しい世界に飛びたつイメージで本館のまわりを宇宙船のレプリカで囲む案をもってきた。結局、わたしは当時イェール大学建築学部の学部長だったロバート(ボブ)・スターンのもとへおもむき、人々を世界中から中国に呼びよせるのだから中国らしい建物でなければだめだと話した。中国の過去と現在、そして不朽の文明を思い起こさせるものでなければならない。

わたしはガラスの箱を却下し、ボブに中国の伝統的な中庭住宅「四合院」を現代的に解釈した設計を依頼した。ボブはすばらしい案をもってきた。キャンパスのにぎやかな通りから入り口を抜けると伝統的な方形の中庭に出る。建物は中庭を包みこむようにぐるりとまわりをめぐっている。沈床式の中庭からまわりの教室や講堂に光が差しこみ、わたしたちが重視する気軽なふれあいをうながすために建物のまわりには集まったり交流したりできる場所があちこちにある。古くて新しい、東洋でありながら西洋でもある、このプログラムにふさわしいユニークな環境だ。

建設中は、見学者が学生の日常生活を想像できるように寮のモデルルームをつくった。最初の見学者を受け入れる前、わたしは自分たちが選んだベッド、読書用の椅子、机をすべて使ってみて万事抜かりがないことをたしかめた。完成後シュワルツマン・カレッジは建築誌『アーキテクチュラル・ダイジェスト』から大学建築物の世界ベスト9のひとつに選ばれる。アジアからは唯一の選出だ。

しかし、無事に完成させるまでにはべつの苦労があった。大学はボブの設計の風水に確固たる考えをもっていた。つぎに中国の請負業者とじかにやり合わなければならなかった。請負業者は中国の伝統的な建築の職人芸に疎くなっていた。二〇〇〇年もちこたえる木の床にしたいと思ったが、人工木材しか手に入らないと言われた。それでは一二年たったら張りかえなければならない。壁は木製パネルにしたいのに、唯一の選択肢は木製に見えるプラスチックのパネルだという。レンガも化粧レンガをすすめられた。

そんな安っぽい便法にたよる気にはとうていなれず、こうした口実でひいきの納入業者を使わせようとしているのではないかと勘ぐった。そこで、木の床や木製パネルをつくってくれる家具メーカーを探すことにした。シュワルツマン・カレッジの木製の正面扉には、人民大会堂の扉を修復した会社を採用した。レンガの壁については、アメリカの建築業者に昔ながらのレンガづくりを指導してもらうことにした。

当初は中国の請負業者に現場をまかせていた。しかし、ときがたち障害や言いわけが積みかさなるにつれ、だれも急いで完成させるつもりがないのではないかという気がしてきた。アメリカ人の現場監督を送りこんだところ、このままではシュワルツマン・スカラーズの一期生が完成途中の建物に住むことになると判明した。そこでわたしは現場を見てまわり、残された一年でシュワルツマン・カレッジを予定どおり、それもわたしが期待する水準を守って無事に開校するためにしなければならないことをすべてリスト化させた。木やレンガの模造品の話だけではない。夜間の照明も不十分で、作業員がけがをするおそれもあった。この問題については四八時間以内に解決するよう要求した。

翌朝、プロジェクトマネージャーと下請業者に招集をかけ、きみたちにはほんとうにがっかりだと話した。通訳がわたしのことばを伝えるのをためらっているのを感じた。しかし、建設業者の呆然とした顔から、わたしの怒りが通じているのがわかった。このプロジェクトは中国で最高レベルの支援を受けている。わたしは建物が完成するまで六週間ごとにもどって進捗をチェックすると宣言した。これ以上の遅れや失敗があるようなら、責任者たちには考えたくもないような結果が待っているだろう。中国政府の怒りの矢面に立ってもらう、と伝えた。作業は一気に加速した。

シュワルツマン・カレッジを設立したことで、中国人は権威を尊重しながらも、たえずためしを入れてくることを知った。だれが力をもっているのか、だれがそれをふるえるのかを知りたがる。わたしたちは夢を形にするなかで、国家主席から、副首相、文化部部長、党書記、大学の学長へと権力が行使されていくのを目の当たりにした。このすべてが味方してくれていれば中国そのものを味方につけているということであり、だれも邪魔をしたり拒絶したりできない。建設チームに手を焼いたとき、正しい軌道に乗せるためにその権威をふるわなければならなかった。最終的に、わたしは三〇回は中国へ行き、わたしのチームはその倍くらい出張して、細かいところまですべて正しくおこなわれていることを確認しなければならなかった。

＊＊＊＊

起業家には幸運が必要だ。二〇一二年末にホワイトハウスで開かれたイベントではわたしも幸運に恵まれた。オバマ大統領に「やあ、スティーブ、元気にしていたかい？　いまはなににとり組んでいるんだ？　なにかおもしろいことは？」と尋ねられ、スカラーズのプログラムについて話したところ、興味をもってもらえたようで、なにかできることがあれば知らせてくれと言われた。

そこで、中国での正式な立ちあげが近づいたとき、ホワイトハウスに連絡し、大統領から正式な支援メッセージをもらえないかと尋ねた。約束どおり大統領はメッセージを書いてくれた。期待していなかったのは中国側からメッセージをもらうことだ。プログラムが正式に発表される前の晩、チームはイベントの最終調整にかかりきりでへとへとになっていた。オバマ大統領の支持書簡はすでにホワイトハウスから北京のアメリカ大使館に届いていた。アメリカ大統領の支持を得た行事が人民大会堂で開かれれば、習主席もそこで声明を出したいと思うだろうとわたしは考えた。習主席から公認を得られれば中国のあらゆる階層で反響があるはずだ。習主席の公認はわたしたちがつくりあげたものについての公式見解になり、将来大きな助けとなる。しかし習主席の事務所に連絡をとってみると、オバマ大統領からの書簡の原本を見せろと言ってゆずらない。だれでも書簡をまねてホワイトハウスから来たように見せかけることができるからというのだ。メールやコピーも受け入れようとしなかった。

アメリカ大使もふたりの公使も不在だった。残っていた担当者はプロトコルを無視できるほど上級の職員ではなく、プロトコルによると大統領の書簡は見せたり代読したりすることはできるが公開はできない。アメリカ側は大使館からもちだすことを許さないし、中国側は見せてもらいに大使館に出向こうとはしない。八方ふさがりだ。

助けてくれたのは諮問委員のひとりで元インベストメントバンカーのスティーブン（スティーブ）・オーリンズだ。当時、米中関係全国委員会会長だったスティーブは大使館へ行って直談判し、習主席の事務所に示せるものをなんとか手に入れた。一夜にして、わたしたちの発足式の威信があがった。もともとは教育部部長の主催でおこなわれることになっていたが、国務院副首相に就任したばかりの劉延東《リウイエンドン》がとり仕切ることになり、これが就任後はじめての公の場での登場となった。

人民大会堂は見わたすかぎり何百もの人でいっぱいだった。ステージには建物の完成予想図があり、その上に「シュワルツマン・スカラーズ」と大きな金色の文字で書かれた巨大な看板があった。教育部部長が習近平国家主席の支援書簡を読みあげた。「わたしたちは世界各国の学生の相互理解を促進し、世界的な視野をはぐくむ根を植え、イノベーションの才を奨励し、平和と人類の発展のために英知と力を提供するという壮大な志を掲げています。清華大学のシュワルツマン・スカラーズ・プログラムが成功することを願っています」

オバマ大統領の書簡には、「歴史を通じ、教育交流は学生を変化させ、各国をより深い理解と相互尊重へと前進させてきました。シュワルツマン・スカラーズ・プログラムは奨学金と中国文化への没入を通じて学習を促進し、架け橋を築くことによって、この誇らしい遺産の仲間入りをすることになります」と書かれていた。

中国とアメリカの至高の権威がわたしの名を冠したプログラムを支持してくれるのを目の当たりにして信じられない思いだった。わたしたちがなにもないところからこのプログラムをつくったのは、陳学長が会いにきたとき並はずれたなにかを提案したいと思ったからだ。この日経験したすべてのこと――実現するために投入されたすべての労力、創造力、ねばり――に感きわまった。

＊＊＊＊

一期生は、一一〇人の枠に三〇〇〇以上の応募があった。合格基準にはこだわった。レイバー・デーの週末の日曜、エイミーといっしょにひと晩中かけて「リーダーシップ」とはなにかを定義した。わたしたちが求めているのは、リスクを負い、創造性を発揮し、周囲を動かしてきた学生だ。ずば抜けた存在でなければならない。ブラックストーンでいうところの一〇点満点の人材だ。

一期生の合格者の九七パーセントが入学した。入学率はハーバード、イェール、スタンフォードよりはるかに高い。あちこちの大学であれだけ布教活動をしたのだから決して偶然ではない。わたしは一貫したメッセージと強力なブランドを確実に伝えるために、世界各地でおこなった発表イベントに欠かさず出席した。シンガポールでは、ステージにあがる直前、入学審査部長のロブ・ガリスにシュワルツマン・スカラーズのネクタイをしていないと指摘された。妻のクリスティーンが新しくデザインした独特な紫色のネクタイだ。ロブに予備のネクタイをわたされ、レセプションの最中にネクタイを変えてステージにあがった。

ロンドン、ニューヨーク、北京、バンコクで三〇〇人の応募者を面接した。ロンドンとニューヨークでは、わたしは応募者全員と会った。面接に来た応募者と握手をし、幸運を祈った。合格者がオファーを受けるかどうか迷っていると聞けば、心を決めさせるために本人に直接電話をした。わたしがノーを受け入れる理由はふたつしかない。合格者が病気をしたか、ローズ奨学金をあたえられたかだ。それ以外なら、たとえ何時間かかってもうんと言うまで電話を切らなかった。

一期生たちは授業、インターンシップ、旅行だけでなく、清華大学の学生生活にも打ちこんだ。ニューヨークの自宅でテレビを見ていたとき電話が鳴り、とんでもない偉業を知らされた。清華大学の正規学生四万四〇〇〇人のうちの一一〇人でしかないのに、陸上、女子サッカー、男子バスケットボールで学内チャンピオンになったのだ。奨学生のひとりは、二〇一七年の北京フェンシング選手権で金メダルを獲得した。キャンパスに到着してから一一カ月のあいだに、一期生はなにもないところから活気あふれる大学生活を築いた。自分たちの規約をつくり、学生自治会を立ちあげ、文芸誌を発行し、シュワルツマン・カレッジ・ダンスパーティを開いた。わたしがイェール大学時代にやったように、だれかがバレエ団の訪問を企画するのもそう遠くないだろう。

レイ・ダリオは不可能だろうと思っていたことをわたしたちがなしとげたのを見て、残りの一五〇〇万ドルの小切手をくれた。シュワルツマン・カレッジの講堂にはレイの名前がついている。

中国の寄付者たちは、中国人が外国へ留学するという考えには慣れていたが、シュワルツマン・スカラーズがそれをひっくり返し、優秀な留学生を中国に連れてきていることに誇りを感じると言ってくれた。彼らにとっては、中国が数千年にわたって占めてきた地位を挽回したあかしだった。

＊＊＊＊

もはや中国は未来の世代のための選択科目ではなく、むしろ必須科目であり、シュワルツマン・スカラーズはそのカリキュラムとしてわたしたちにできる最良のものであると確信している。

第二〇章　国からの呼びかけに答える

二〇一二年一二月一五日、会議に出席していると、秘書がプレジデントから電話が入っているというメモをもってきた。「どこの社長？」とわたしは尋ねた。秘書はメモに「US」と書いた。アメリカ合衆国の大統領から電話が来たら、応答するものだ。わたしはオフィスへ行き電話をとった。

コネティカット州のサンディフック小学校で起きた銃乱射事件の翌日で、オバマ大統領は深く心を痛めているようすだった。事件とその影響について一五分ほど話したあと、大統領は電話の理由を告げた。増税か歳出削減かをめぐるいつもの意見の相違によって共和党との予算協議が難航していた。「力を貸してくれると助かる」と大統領が言った。

民主党と共和党が一月一日までに合意に至らなければ、それまでの予算合意に盛りこまれていた歳出削減と増税が自動的におこなわれ、いわゆる「財政の崖」に転落することになる。

「わたしを報酬なしでインベストメントバンカーとして雇おうというわけですか？」わたしは言った。大統領は笑い声をあげ、電話番号を教えるから昼夜を問わずいつでも電話してくれていい──ただし、できれば午後一一時以降は避けてくれ、と言った。わたしは、大統領がワシントン以外の人々に連絡をとり、行きづまりを打破する助けを求める姿勢を立派だと思った。

それから一週間半、たのまれた仕事にとり組んだ。共和党の指導者たちとは懇意にしていたので、さまざまな選択肢について議論した。この間、大統領とはほぼ毎日話をした。友人の家でクリスマスディナーをごちそうになっているとき大統領から電話がかかってきたこともあった。わたしがなにをたくらんでいるのかと興味津々の友人をはぐらかし、デザートのあいだ席をはずさなければならなかった。

わたしたちは共和党側からの公正と思える提案にたどりついた。一〇年間で一兆ドル規模の増税だ。これは民主党が求める増税額を一〇〇〇億ドル、年間にして一〇〇億ドル下まわる。大統領は受け入れようとしなかった。わたしは大統領に嘆願した。連邦政府の四兆ドルという年間予算からすれば、年間一〇〇億ドルは丸め誤差にすぎない。交渉がはじまったとき共和党は増税をいっさい拒否していたが、いまでは増税、税金の抜け穴の閉鎖、控除の終了による一兆ドルの追加歳入を提案している。交渉の余地はあったがそれほど多くはなかったし、民主党がしぶりつづければ、窓は閉ざされるだろう。

きみは取引を知っているかもしれないが、わたしは政治を知っている、と大統領は言った。二期目の大統領に当選したばかりなのだからもっともな指摘だ。大統領は、自分の政党に支持してもらえないとわかっている取引をおしすすめることで、二期目のはじめから貴重な政治資源を使うのは避けたいと考えていた。わたしは、大統領と共和党下院議長のジョン・ベイナーが大統領執務室でともに勝利のガッツポーズをし、明かりをつけるとさっと隠れてしまうゴキブリのように反対者がいなくなるところが想像できると話した。国民も喜ぶはずだ。政治資源？　髪のようなものです、とわたしは言った。正しいことをしていれば、切ってもまた生えてくる。大統領から、あれこれ手をつくし尽力してくれたことに感謝する、とありがたいことばをもらった。この交渉は難航し、ジョー・バイデン副大統領と共和党のミッチ・マコーネル上院議員を中心とした長い駆け引きが一月一日の早朝までつづいた。完璧からはほど遠い取引だったが、財政の崖からの転落は回避された。

どんなタイプの政治家も答えを探している人にすぎない。手を貸せるならそうするべきだ。一九九〇年代はじめ、わたしはホワイトハウスでの夕食に招かれた。離婚中だったので、当時交際していたニューヨークの雑誌記者を同伴した。パーティの途中でわたしはジョージ・H・W・ブッシュ大統領に話しかけた。何年も前に大統領がイェール大学へ息子のジョージ・Wをたずねてきたとき顔を合わせていた。わたしたちは隅に寄って一〇分ほど熱心に話した。彼女のところへもどると、いったいなんの話をしていたのかと聞かれた。べつになんてことはないよ、とわたしは答えた。そのころ大統領にとって最大の関心事だったアメリカ経済の不振について、わたしは自分なりの考えをもっていた。世界の指導者たちはほかのだれとも変わらない。どんな権力者であれ、本人の心に引っかかっているることを話題にし、それについてなにか貢献できるものを提示すれば、必ず耳をかたむけてくれる。それが民主党議員でも共和党議員でも王子でも首相でもだ。

＊＊＊＊

二〇一六年一一月、政治にかかわるようになっていたわたしはトランプタワーの二六階へ行き、最近のアメリカ史上もっともありそうもない次期大統領に会った。ドナルド・トランプとは何年も前からニューヨークやフロリダの社交の場でときどき顔を合わせていた。トランプはほとんどの人の予想に反して選挙に勝ち、政権を支える人を探していた。事務所とまわりの部屋はシークレットサービスの隊員に厳重に守られていた。いまや護衛シールドのなかの人で、その転身は現実離れしているように感じた。話をする時間はほとんどなかったが、一週間後に電話があり、チームに加わることを検討してくれと言われた。わたしは、ありがたいがいまの人生でとても幸せだと答えた。トランプ次期大統領は、わたしがそう答えることはわかっていたが、経済を加速させるためにアメリカのビジネスリーダーから直接話を聞く必要があると言った。「ほんとうのことを聞かせてくれる人たちが必要だ。そういうグループをつくって責任者をやってくれないか？」

トランプ次期大統領は二五人ほどの小さいグループを求めていた。共和党支持でも民主党支持でもかまわないという。大事なのは才能と知識で、政治は関係なかった。グループは大統領がすることや言うことにすべて賛成する必要はないが、参加することで現状に対して、この国に対して支援の手を差しのべることになる。金融危機に端を発する大不況以来、アメリカの成長率は年一・八パーセント前後で停滞していた。雇用を創出し、生産性を高め、経済を回復させる必要があった。このグループは、とてつもない不透明感と不安を引き起こした選挙のあと、信頼を高める推進力になりうる。次期大統領が本気ならわたしも本気でかかる。ワシントンではどんな挑戦をする場合も結果は確信できない。しかし成功しようが失敗しようが、目標が自分の国を助けることならほとんどの場合、挑戦する価値がある。

一週間後、大統領戦略政策フォーラムの最初の名簿をまとめた。ジャック・ウェルチ（GEの元CEO）、ジェイミー・ダイモン（JPモルガン・チェース）、ラリー・フィンク（ブラックロック）、メアリー・バーラ（GM）、トビー・コスグローブ（クリーブランド・クリニック）、ロバート（ボブ）・A・アイガー（ウォルト・ディズニー）、ダグ・マクミロン（ウォルマート）、ジェームズ（ジム）・マックナーニ（ボーイング）、ジニー・ロメッティ（IBM）、イーロン・マスク（テスラ）、インドラ・ヌーイ（ペプシコ）、アデバヨ（バヨ）・オグンレシ（グローバル・インフラストラクチャー・パートナーズ）、ポール・アトキンス（パトマック・グローバル・パートナーズ）、ダニエル（ダン）・ヤーギン（ケンブリッジ・エネルギー・リサーチ・アソシエイツ）、リッチ・レッサー（ボストン・コンサルティング・グループ）、ケヴィン・ウォルシュ（スタンフォード大学フーバー研究所）、マーク・ワインバーガー（アーンスト・アンド・ヤング）という、アメリカ経済の幅広い範囲をカバーするオールスターチームだ。

このリストを提示すると、大統領はふたつだけ要求を出した。ひとつは、よりグローバルな視点を得るためにわたしがあげていた外交政策の専門家をはずすことだ。大統領はほかの場所で外交政策の助言を得ることができると言った。もうひとつは、ビル・ゲイツとティム・クックに参加してもらうことだ。ビルはゲイツ財団で手一杯で、ティムはアップルの運営に忙殺されていた。とにかく誘ってみてくれと大統領にたのまれた。ビルは、きわめて重要な会議や意見の要請なら対応できるが、グループには参加しないと断った。ティムからも同じようなていねいな回答があった。

一月に最初の会合をもった。大統領と上級スタッフが同席した。政権周辺の雑音は耳をつんざくようなものだった。政治や人物批評につい気をとられてしまいそうになる。そこで、グループの各メンバーに、もっとも影響を受けた問題分野と、自分ならＣＥＯとしてどのように対処するかをもちよってもらうことにした。事前に全員と話し、議論したいことを前もって確認し、会合の場では問題の原因や性質についての議論に時間を割かないことを強調した。生産的な議論のために問題に枠組みをあたえたかった。フォーラムのメンバーは真剣で率直、そして自分の意見を伝えることに長けた人たちだった。つぎの会合までのあいだも、政権や議会の意見にもとづいて補足をおこなった。大統領はフィルターのかかっていない情報の提供に感謝しているようだった。着実に勢いがつきはじめていた。

しかし、二〇一七年八月、わたしたちの最善の努力にもかかわらず、政治とビジネスがどう衝突しうるかを間近で見ることになった。ネオナチとアンティファのふたつのグループがバージニア州シャーロッツビルで衝突し、悲劇的な結末を迎えた。大統領は双方を非難した。大統領の反対派ばかりか大統領の支持者の多くも、自分たちの目に「道徳的相対主義」と映った対応に怒りを爆発させた。大統領は事態を収拾することができず、騒動が激化するにつれ、フォーラムのメンバーは圧力を受けた。たとえ党派を超えた最高の愛国的な意図をもって行動していても、この大統領と連携するのは多くのメンバーにとって容認できないことだった。

わたしは投資家として危機に慣れていた。リーマン・ブラザーズで投資銀行業務につき、ブラックストーンを設立し、その成長段階と変化を見届けるなかで、危機を乗りこえるだけでなく、現状の変化を引き起こし機会を生みだすには、自分たちや顧客のために危機をつくりだすことも必要だと学んだ。しかし企業の幹部たちはそうではない。秩序を求め維持する習慣が身についている。とくに否定的な評判や顧客からの圧力があるとすぐに落ちつかなくなる。大きな注目を集めるドラマ、それもこれほどまでに炎上しているドラマのまっただなかにいることを嫌がった。わたしは、もしフォーラムを解体するなら、ひとりずつ離れていくようなことはせず、グループとしていっせいに解散したいと思った。メンバーの不安を感じたため、グループのためにテレビ会議を手配した。選択肢は三つ。フォーラムを保持するか、一時停止するか、解散するかだ。

大多数は解散を望んでいた。わたしは事前に作成したプレスリリースの草案を回覧した。何人かのメンバーが少し考えて意見を出してもいいかと言ってきたが、断った。これがもっと大勢の手にわたれば、すぐに情報がもれてしまうにちがいない。自分たちで発表するなら、これでいくしかない。わたしは大統領に報告することも主張した。解散するつもりならそう伝えておくのが基本的な礼儀だ。

しかし、わたしがホワイトハウスのスタッフに話してからまもなく、大統領が先手を打った。わたしたちが発表する前に、大統領はフォーラムを解散すると発表した。このエピソードでわたしがいちばん残念に思うのは、アメリカの財界の最高峰を代表するこの聡明で献身的なグループが、政権と国のためにできることはたくさんあったはずだということだ。しかし、政治が燃えやすくなっているときに火花が散れば、巻きぞえによる大きな被害をもたらす可能性がある。メンバーは全員、この状況に手を差しのべ、アメリカ人すべての生活が改善する方法を議論する場で発言したいと思っていたが、そのような立場でかかわることはもはや不可能だった。

＊＊＊＊

失望はしたものの、自分には国に奉仕しつづける義務があると感じた。ドナルド・トランプが次期大統領に選ばれた瞬間から、彼をどう判断すればいいかわからないという人たちから電話が来るようになっていた。みんな選挙期間中にトランプの話を聞き、彼がなにをしでかすかと神経質になっていた。トランプは大統領に立候補するずっと前から、自由貿易によってアメリカの製造業が破壊されたと確信していた。アメリカの雇用は、メキシコだろうがアジアだろうが、とにかくいちばん労働力が安いところへ移っていた。貿易赤字とラストベルト（さびついた工業地帯）と呼ばれる中西部の経済衰退にこの基礎疾患の症状が現れている。自由貿易協定を再交渉すれば、選挙期間中に約束したように、アメリカの雇用をとりもどし「アメリカをふたたび偉大に」することができるというのがトランプ大統領の考えだった。賛成かどうかはべつにして、大統領のアイデアと戦術的アプローチが現在の経済状況を揺るがすことはまちがいない。いったい大統領はどんなふうにやるつもりなのだろう？

大統領は前任者たちと大きく異なるやりかたを選んだ。伝統的な外交チャンネルや官僚チャンネルを通じてではなく、緊密な内集団を使って仕事をした。もっとも親しい同盟国でさえ、どうやって大統領とコミュニケーションをとればいいのか迷っていた。トランプ政権を理解しようと、二〇カ国以上の首脳や閣僚がわたしに接触してきた。

わたしは大統領の許可を得て、アメリカ - 中国と、アメリカ - カナダ - メキシコの貿易交渉に参加した。理由は単純で、どの側にも知り合いがいて、その人たちから信頼を得ていたからだ。大統領のほかに、財務長官のスティーブン・ムニューシンとも長年の知り合いだ。ニューヨークの同じビルにアパートがあり、個人的にも親しくしている。商業長官のウィルバー・ロスとも同じくらいつきあいが長い。

ブラックストーンやシュワルツマン・スカラーズを通じて中国でも太い人脈を築いていた。二〇〇七年に当時党中央書記処書記で現在国家主席の習近平に会い、政治局常務委員会や国務院のメンバーにも知り合いが多い。二〇一五年にはメキシコのエンリケ・ペニャ・ニエト大統領に会い、メキシコからのふたりのシュワルツマン・スカラーズ奨学生を支援してもらった。メキシコの財務公債相ルイス・ビデガライ・カソは、ニューヨークへ来るたびによく電話をくれたり、会いにきたりしてくれた。カナダについては、クリスティア・フリーランド外相が『フィナンシャル・タイムズ』の記者だったころから知っていた。彼女はブラックストーンを取材したことがあり、わたしは常々聡明で善意のある人だと思っていた。

大統領就任式の数日後、クリスティアの招きでカルガリーへ行き、ジャスティン・トルドー首相が閣僚のために開いたリトリート会合で話した。メキシコ側と同じく、カナダ側もトランプ大統領のことばづかいに動揺し、ＮＡＦＴＡ（北米自由貿易協定）についてのアメリカの計画に神経質になっていた。わたしは首相とスタッフに会って一時間ばかり話し、それから二時間ほど首相と対談し、その後アメリカの立場について閣僚から質問を受けた。自分が理解するところにもとづいて、変化はあるだろうが、大統領のおもな優先事項はアメリカの成長を加速させることだと明言した。アメリカとカナダの関係は揺るがない。わたしの明言はカナダでトップニュースになった。

ＮＡＦＴＡは世界最大の貿易協定だが、関係三カ国にとって異なる意味をもつ。カナダの経済規模はアメリカの一〇パーセントだが、経済的、政治的、文化的にアメリカとのかかわりが深い。メキシコは、アメリカとの国境に近い地域に成長が集中する新興国だ。カナダとアメリカはかなり対等な貿易関係にあり、両国間の輸出入額はほぼ同等だ。しかし、アメリカはメキシコに対して大きな貿易赤字をかかえ、輸出するよりはるかに多くを輸入している。

メキシコもカナダもＮＡＦＴＡの崩壊は望んでいなかった。両国はアメリカとの特別な関係を大切にしている。それがなければ、どちらの経済も不況に陥る。しかし、両国とのそれぞれの関係性はまったく異なっていた。

トランプ政権との対話で、対カナダの主要な問題は、多額の補助金を受けたカナダの酪農家がアメリカに安価な製品を氾濫させ、アメリカ中西部の酪農家に損害をあたえていることにあるとわかった。ほかにも、カナダ企業はアメリカのメディア資産を購入できるのに、アメリカ企業がカナダのメディア資産を購入することを妨げているカナダの「文化特例」のような不公平があった。

しかし、ホワイトハウスのほんとうの問題はメキシコとの関係で、交渉を進めるなかで問題はさらに顕著化していった。アメリカはメキシコに対する巨額の貿易赤字に真剣にとり組もうとしていた。問題のひとつは、多くのアメリカ企業が、熟練しているうえはるかに安価な労働力を活用するために、アメリカとの国境に近いメキシコに工場を建設したことだ。とくに問題なのは自動車製造業で、アメリカ企業がアメリカ市場向けにメキシコで製造した自動車がメキシコからの輸入と見なされている。

国際貿易の複雑さは、どこまでも奇怪だ。自動車部品はメキシコとアメリカのあいだを何度も行き来して、ようやく最終組みたての準備が整う。無関税ねらいの買いもの客はアメリカとカナダの国境の片側でアルコールを積み、反対側にもどっていく。ミネアポリスのテレビ放送が傍受され、オンタリオ州で視聴される。こうした経済活動のすべてにルールを定めようと思えば、大勢の弁護士を生涯にわたって忙しくさせておくことになる。思いこんだらあとに引かない正統でないアメリカの大統領がかかわってくるとなれば、混乱が起きるのは必至だ。そこで、一連の複雑な問題とアメリカにとっての優先事項に対して、ブラックストーンの投資委員会の方式を応用することにした。問題を詳細に検討し、それから一歩さがって取引のキーポイントを決定するいくつかの変数を探す。公平な落としどころはどこだろう？

メキシコのルイスもカナダのクリスティアも、直接トランプ政権に提案する前に電話やメールで何度もわたしにアイデアを聞かせてたしかめた。しかし、二〇一八年の夏にはもう三カ国は行きづまっていた。トランプ大統領は中国とヨーロッパに貿易攻撃をしかけ、ホワイトハウス内でさえも、政権があまりにも多くのことをやりすぎているのではないかという懸念が生まれていた。

わたしは大統領の要請を受け、状況について助言するために会いにいった。ホワイトハウスの居住区で会うことになった。わたしは大統領に、私見ですが、アメリカ合衆国はいま、アジア、ヨーロッパ、アメリカ大陸のほかの国と複数の戦線で貿易戦争をしていますと告げた。アメリカはその無防備な部分をさらけだした状態であり、いくら重要国だといっても、世界経済の二三パーセントしか占めていない。残りの七七パーセントが結束してアメリカをひどい目にあわせる方法を考えつくのも時間の問題だ。

わたしは大統領の政策をどう進めるか考えながら、アメリカがいくつかの交渉を終結させるべきだと助言した。まずは最大の問題であり国境を接する相手で構成されるＮＡＦＴＡからだ。この数カ月のあいだにどんな言動があったとしても隣人はいつも隣人だ。この交渉に合意すれば、アメリカは自由貿易協定をつぶそうとしているのではなく再交渉に真剣なことを世界に示すことができる。中間選挙が迫るなか、とくに中西部の激戦州では、大統領が選挙公約を果たしていることのあかしにもなる。

交渉が再開されたのは、焦点となる問題についてはメキシコとカナダに対して異なる扱いをする必要があると政府が判断してからだった。これほどちがいのある経済関係に単一の条件を適用することはできない。これを受け、二〇一八年八月にメキシコとのあいだで自動車製造に関する予備的合意が結ばれた。北米で生産される部品の比率を高め、労働基準の引きあげを求めることが合意された。また、六年ごとに見なおしをおこなうこと、適用期間を一六年とすることが定められた。残るはカナダだ。カナダはアメリカ議会から国防総省、国務省にいたるまで、ワシントン全域に同盟を構築してホワイトハウスに圧力をかけようとした。

アメリカとカナダが合意に向かうなか、わたしはトランプ政権がさまざまな関係者の懸念や反対を整理するのに手を貸した。ＮＡＦＴＡのもとでは、自国の市場にほかの国が商品を大量に供給していると感じた場合、公平なパネルに訴えることができる。このしくみは第一九章として知られていた。カナダは第一九章の削除を拒否した。わたしはカナダの交渉チームのメンバーに、なぜそんなに厳しい態度をとっているのか尋ね、これがビジネスの問題だけではないことを知った。政治がからんでいた。カナダは建築や家具の製造によく使われる軟材の主要輸出国だ。アメリカは、カナダがアメリカに軟材をダンピングし、アメリカの生産者が犠牲になっていると非難していた。第一九章パネルはカナダに有利な判決をくり返していた。しかしこれだけが問題なのではない。カナダの軟材の多くはブリティッシュコロンビア州産だ。現在のカナダ政府が第一九章を放棄すればつぎの選挙でブリティッシュコロンビア州を失い、ブリティッシュコロンビア州を失えば自由党は政権を失うだろう。第一九章について譲歩するのはトルドー首相にとって政治的自殺行為だ。カナダ側がその事実をトランプ政権に伝えると、合意に達するために必要なものについてのアメリカ側の見解が変わった。

九月の最終週、世界の指導者たちが国連総会のためにニューヨークへやってきたとき、トルドー首相からアメリカのビジネスリーダーたちとの会合の手配をたのまれた。貿易交渉はふたたび行きづまっていた。首相は、カナダとしてはこれ以上の譲歩はできず、交渉を終結させたいと言った。しかし、トランプ大統領は国連総会でのトルドー首相との非公開会談を拒否した。ホワイトハウスは黙りこんでいた。トルドー首相は、アメリカのCEOと会談することでアメリカの財界の優先事項についての理解をさらに深め、交渉の進めかたについて新しいアイデアを思いつけるかもしれないと考えていた。会合はブラックストーンの会議室でおこなった。

会合のあと首相と内々で話をした。わたしはトランプ政権の高官と頻繁に話していたので、すべての問題についてアメリカの優先事項や立場を知っていた。交渉に成功するためになにが必要かについて自分の考えをトルドー首相に伝え、アメリカはカナダ側の条件を書きだしてもらいたがっていると話した。首相は、アメリカ側がそれを漏洩し、自分に対して悪用するのではないかと心配していた。わたしは、取引を生業とする者として言うが、もう苦悶しているときではないと告げた。アメリカの要求に応じなければカナダはほぼ確実に不況に陥るし、不況のなかで再選を果たす政治家はいない。取引に応じれば少なくとも政治的に生きのこるチャンスはあるだろう。要点を書きだしてください、とわたしはうながした。乳製品についてはあきらめるしかありません。最後の譲歩をして、どうしてもゆずれない第一九章と、必要であればカナダのメディアを外国の所有から保護する文化特例だけ守るんです。宙ぶらりんになっている二次的な問題はページのいちばん下にもってきて、それについてどんな対処をする用意があるか簡単に説明してください。あとはその文書をトランプ政権に送っておしまいです。

わたしはその日の夕方五時半に大統領と会うこと、すべての取引は日曜の真夜中までに署名する必要があることをトルドー首相に伝え、すべての当事者が理解した。

首相はソファからわたしを見て、大変だと思うがやると言った。夕方、大統領に会いにいき、トルドー首相との話し合いでわたしがもちだした条件はアメリカ側が受け入れられるものだと大統領のお墨つきをもらった。わたしはカナダ側に電話してこのことを知らせた。それからさらに四八時間とさまざまな方向からの懇願のあと、ようやく金曜日の朝一〇時にカナダ側からの書面による申し出がアメリカ側に届いた。週末のあいだに二国間で細かい調整がおこなわれ、二〇一八年一〇月一日月曜日、大統領はNAFTAにかわる新協定、アメリカ－メキシコ－カナダ協定（USMCA）を発表した。

＊＊＊＊

中国との状況も同様に厳しいものだった。アメリカと中国との基本的な関税協定は数十年前に起草されたものだった。当時、中国は生まれつつある自由市場経済を保護する必要があり、アメリカはだれもが認める世界経済大国だった。しかし世界は変わり、トランプ大統領と顧問たちは、十分豊かになった中国にもう保護主義的な貿易政策は必要ないと考えた。アメリカの対中輸出が中国の対米輸入の三倍の関税や各種税金を課されているのは、もはや正しいこととは思えなくなっていた。さらに中国は、世界の最先端技術の国としての地位をアメリカから奪いとるという野心を明らかにしていた。公正な戦いをするためには、長年争点となってきた中国による知的財産の窃盗をいまこそ非難するべきときだとトランプ政権は考えた。そのうえ、アメリカの知的所有権法に対する中国の対応は容認できないという懸念が財界に広がっていた。

二〇一七年一月、ダボスで開催された世界経済フォーラムのクラウス・シュワブ議長主催の昼食会で習近平国家主席に会った。シュワブのほかに三四人が出席し、一七人は中国政府から、一七人は中国人ではない著名人だった。昼食の場で習主席から、選ばれたばかりのトランプ大統領のことや大統領の対中観、どうやってヒラリー・クリントンを破ったかについて尋ねられた。わたしは、トランプ大統領がとり組んでいるのは、多くの労働者や中流階級のアメリカ人があおりを食っているグローバル化による経済の混乱だと説明した。FRBの調査から、国民のほぼ半数が給料ギリギリの暮らしで、緊急で金が必要になっても四〇〇ドルの小切手を書くことすらできずにいることがわかった。アメリカ史上はじめて、何百万もの人々が自分は親より貧しくなるのではないかとおびえている。中西部でトランプ大統領に投票した有権者の多くはそうした人々だ。貿易赤字のために中国は容易に標的にされ、中国に対する強い批判はさらに高まると思われた。

習主席は、そうなればアメリカと大規模な経済のリセットをおこなう用意があると言った。わたしが貿易をふくむ幅広い問題についてトランプ大統領と話しているのを知ったうえで、いまの話を大統領に伝えてくれという。習主席はグループ全体の前で、トランプ政権の意向を受けてわたしが会に参加したことを歓迎し、わたしが中国人の信頼を得ているあかしだとも言ってくれた。わたしはシュワルツマン・スカラーズの使命が現実にためされているのを感じた。世界の覇権が東へ移行していくなかでアメリカがトゥキディデスの罠を回避するのを助ける機会だ。

わたしはトランプ大統領に電話して習主席との会話を伝えた。大統領は、フロリダのパームビーチのマール・ア・ラーゴに主席を招待してくれと言った。ジャレッド・クシュナー上級顧問と崔天凱《ツイティエンカイ》駐米大使が手はずを整えた。二〇一七年四月のマール・ア・ラーゴでの会談は、二国間の張りつめた対話のはじまりの場となった。

＊＊＊＊

二〇一七年七月、ワシントンの商務省でアメリカと中国のCEOを対象にした会合が開かれ、わたしはアリババのジャック・マー（馬雲）と共同議長を務めた。そのあと、中国代表団の団長である汪《ワン》洋《ヤン》副首相に会い、二国間協議の実務面について話し合った。ウィルバー・ロス商務長官の要請を受け、鉄鋼の生産量を一五から二〇パーセント削減することを検討してもらえないかと汪副首相に尋ねた。驚いたことに汪副首相は承諾した。ウィルバーは喜んだ。しかしトランプ大統領はこの取引をまったく望んでいなかった。中国の鉄鋼生産能力はすでに過剰になっている。こちらがたのむまでもなく余分な工場を閉鎖することだろう。大統領が支持をあたえるほど大きな譲歩ではない。

そのいっぽうで、ホワイトハウスは、関税の引きあげや中国の貿易慣行の調査をちらつかせるなど、ことばづかいを強めていた。貿易戦争に対する中国の懸念が高まりはじめた。大統領はわたしを信頼し、引きつづき関係者としてアメリカの立場について中国と率直に話すことを求めた。

二〇一八年だけで八回、トランプ政権の意向を受けて中国をおとずれ、大統領が貿易戦争を望んでいないことを中国の最高幹部に伝える努力をした。アメリカは中国の成長を押さえつける気などなく、むしろ貿易関係をより公正にし、二国間の現在の経済状況をより反映するように更新したいと考えていた。中国からもどるたび、わたしは話した内容をアメリカ政府の関係者に伝え、この努力がアメリカの求める合意の達成に役立つことを願った。

しかし、アメリカ側は中国に自国の経済を近代化し国際法で要求される基準に沿ったものにすることを求めているつもりだったのに対し、中国側はもっとアメリカらしくなることを求められているととらえた。そして中国はアメリカのようになるつもりはなかった。中国人は非常に現実主義的で、変化に前向きだ。中国は自分たちが貿易協定に違反すればアメリカがどれだけいらだつかよくわかっていた。それでも、自国にとってうまくいっているもの、自国をこれほど急速にこれほど長期にわたり成長させてきたものをすべてあきらめろと命令されたくはないと考えていた。中国側が知りたがったのは、アメリカがなにを、どんな順番で中国に譲歩させたがっているかだ。貿易協定においてどこからどこまでが公正とされるのかを理解しようとしていた。

二〇一八年四月、わたしは数人の非中国系CEOのひとりとして、海南省のボアオ・アジア・フォーラムに出席した。そのフォーラムで、習近平国家主席は中国経済に大きな変化をもたらす用意があると発表した。自動車や金融産業への市場アクセスを拡大し、より多くの外国投資を呼びこみ、知的財産の保護を強化し、中国を輸出主導型経済からより内需主導型経済へと急速に移行させたいということだった。アメリカが言わせたいと思っていたことを習主席がそのまま口にしたことに驚いた。フォーラムのあと、習主席の要請を受け、劉鶴《リウハァ》副首相兼経済顧問と話した。劉鶴は中国がほかになにを交渉のテーブルに載せるべきか知りたがった。アメリカとあらたに前向きな対話をすることにも積極的だった。

帰国後、貿易協定に向けてアメリカ側の要求を満たすために中国がすべきことと、アメリカからの提案のうち中国側が受け入れる可能性がありそうなものについて、自分の考えを政府に伝えた。決して公式なものではなく、双方の問題を理解し、関心を寄せる個人の意見だ。しかし同月下旬には、中国第二位の通信機器メーカーZTEの輸出免許をアメリカがとり消し、あらたな問題となった。商務省はすでにZTEをイランや北朝鮮と取引したとして処罰しており、アメリカの情報当局はZTEの携帯電話にアメリカ国民を監視するためのハードウェアが搭載されていることを懸念していると述べていた。携帯電話用のアメリカ製部品を輸出する権利がなければZTEは存続できない。一カ月のうちにZTEは操業を停止した。中国国民を大量に雇用する雇用者を救おうと必死の中国から懇願を受け、アメリカがふたたびZTEの輸出許可を出すのに一カ月かかった。

六月には劉鶴副首相が通商交渉のために訪米したが、結局決裂した。それから二カ月間、疲れはて混乱した中国からはなんの音沙汰もなかった。夏が終わるころには、アメリカ国内の中国に対する見方はますます敵対的になっていた。中国は友人だと思っていたアメリカのビジネスリーダーたちがなぜ敵意を示しているのか理解できずにいた。わたしはシュワルツマン・スカラーズ三期生の入学式に出席するため九月上旬に北京に向かうことがわかっていたので、この渡航を利用して何度か中国政府と会合をもち、中国側が考えていることをもっと理解しようと考えた。

八月、中国へ旅立つ前に、数人の中国高官がニューヨークへたずねてきた。テクノロジーから貿易、サイバーセキュリティー、特定の軍事問題まで、あらゆるものについてアメリカ側がなにを求めているのか意見を聞かせてくれということだった。わたしはアメリカの立場を説明し、アメリカと中国の溝はますます深まるだろうと予測した。高官たちは会話を録音して中国に帰っていった。

九月六日の朝、北京の紫光閣で王岐山《ワンチーシャン》国家副主席と会った。中国の政治の中枢で要人が居住する「中南海」にある迎賓館だ。王副主席はカジュアルな服装でふたりきりの面談だったが、一〇人がうしろでメモをとっていた。王副主席はわたしがニューヨークで中国の代表と話したときの報告を読んだそうだ。

「みんな心底おびえきっていたよ」王副主席は数週間前にわたしの事務所をおとずれた中国高官について そう言った。副主席はアメリカの中国に対する認識がなぜこれほど劇的に変化したのかを知りたがっていた。それから二時間、わたしは考えを伝え、わたしたちは広範囲にわたる話題を議論した。

午後遅く、劉鶴副首相に会った。両国が直面する課題について詳細に話し合い、正式な貿易交渉を再開する方法を見つけることに焦点をあてた。劉副首相は、いくつか具体的な問題をトランプ大統領に伝えてくれと言った。話し合いの結果、わたしは突破口があるのではないかと確信し、これを大統領に伝えると、大統領はワシントンで劉鶴と会見する手はずを整えてくれと言った。

手はずは整った。劉副首相は九月末に訪米することになった。ところが、予定されていた会見の三日前になって、トランプ大統領は二〇〇〇億ドル相当の中国製品にあらたな関税をかけると発表した。中国は手を引いた。さらなる大きな打撃だ。中国は面目を失い、もうなにをしたらいいのかも、だれを信用したらいいのかもわからないとわたしに告げた。

一〇月中旬、清華大学経済管理学院理事会の食事会で、ふたたび王副主席に会った。一対一の話し合いを予定していたわけではないが、王副主席はたまたま経済管理学院理事会と中国の国家指導者の食事会の主賓だった。なんとか二〇分ほど話すことができた。わたしは、一一月下旬にブエノスアイレスで開催されるG20会議でトランプ大統領と習主席が会談すれば、貿易交渉を軌道に乗せる機会になるのではないかと伝えた。ふたりのあいだには信頼関係があるし、二国間首脳会談のような堅苦しさを抜きにして会談するチャンスだ。わたしは王副主席に、トランプ政権内では中国に対する見方がわかれていることを伝えた。アメリカ側が要求のリストを用意して習主席との会談に臨むことはないと思っていい。習主席が中国側のリストをたずさえて五つか六つ中身のある提案をし、会談をコントロールするべきだ。説得力があり意義のある提案だと思えば大統領は応じるだろう。じつに単純なことだ。

それは中国のやりかたではないと王副主席は言ったが、アイデアは気に入ってくれた。双方が自分たちの目的を達成する機会を得る。これぞ取引を成立させる方法だ。

中国を相手にするときは、中国がこちらの提案について考え、なじむための時間が必要だ。中国側はわたしの提案をもとに行動するのに五週間の時間があった。習主席はブエノスアイレスに短い提案のリストをたずさえてきた。アメリカのオピオイド危機の根底にある薬品のひとつフェンタニルの輸出をとりしまると約束することで、トランプ大統領に大きな国内的勝利をもたらす巧みな提案だった。ブエノスアイレスでの会談により米中の緊張は緩和され、直接対話の再開につながった。

会談のあと交渉はすみやかに再開され、劉鶴副首相、ロバート・ライトハイザー米通商代表部（USTR）代表、スティーブン・ムニューシン米財務長官が相次いで訪問、電話、ビデオ会議をおこなった。成功裏の妥結に向かっているとの双方の期待が高まった。しかし、二〇一九年五月、中国はいくつかの重要な点について予備的見解を変更し、交渉は中断された。アメリカと中国は互いに対してしだいに国家主義的な姿勢をとりはじめ、長く深刻な貿易戦争に突入する危険性とともにふたたび緊張が高まった。

幸いなことに、トランプ大統領と習主席は二〇一九年六月下旬に大阪で開催されたG20でふたたび会談した。両者は対話を再開し、将来的には貿易協定が締結されることが期待される。

こうした貿易交渉は、これまで経験したなかでも特別複雑な交渉だった。どう決着するかは、ときがたたなければわからない。

第二一章　好循環をまわす

ピートとブラックストーンを設立したとき、わたしたちは機関投資家の投資戦略にオルタナティブ資産運用会社が不可欠になると確信していた。いっぽうで、投資活動を補完するアドバイザリー事業を構築し、市況の変動に耐えうるようにした。文化と組織は長期を見すえて設計した。ブラックストーンを息の長い金融機関にしようと思った。業績がよくなればなるほど、投資家は多くの資金をまかせてくれるようになった。運用する資金が増えるほど、革新を起こせるようになった。より大きな取引をおこない、新事業を増やし、それを運営する適切な人材をひきつけてきた。

成長はめざましい結果をもたらした。第一に、ほかのだれにもできない取引を扱えるようになった。ある程度の規模で実行できるのはわたしたちだけだからだ。二〇一五年、GEは自社の金融事業GEキャピタルからの撤退を決めた。長年にわたって主要な収益源だったが、金融危機下で苦境に陥っていた。GEは金融から手を引き、中核の事業にもどろうと考えた。しかし、長いあいだ成功に欠かせないものだった事業を本気で売却するつもりであることを市場に対して示す必要があった。その方法として、GEはまず世界中に散らばる不動産（アメリカに二二六件、フランス、イギリス、スペインなど一四カ国に二二九件）と住宅ローン事業の大半を売却することにした。この取引をすばやくきれいに片づけ、GEキャピタルのそのほかの部分に入札者を見つけるという大仕事に移りたがっていた。そこでGEはわたしたちに一本電話を入れた。

GEのように複雑な不動産ポートフォリオをこれほど短期間で分析するのは大変だったが、最終的にはGEの上層部が望んでいたものを提供できた。二三〇億ドル相当の単一取引で帳簿をきれいにすることだ。見返りとして、他社と競合してすべての物件をばらばらに購入する場合より割安で優れたポートフォリオを手にできた。こうした取引が舞いこむのは、強さを保ったまま金融危機から抜けだしたことの予期せぬ利点のひとつだ。

株式市場では、規模が大きいことが業績に悪影響をおよぼす場合もある。たとえば一〇〇万ドルのS&P500株を購入する場合、価格に影響をあたえずに購入できる。しかし一〇億ドル相当の株を購入する場合、購入を完了するまでに市場が価格を押しあげてしまう。わたしたちの世界では逆のことが起きる。わたしたちの資金が増え、ライバルたちが苦戦するにつれ、規模が優位性の大きな源泉になった。買い手や売り手はわたしたちと、それもわたしたちとだけ仕事をしたがった。ほかのプライベートエクイティ会社との競争的な入札に参加することから遠ざかり、ライバル入札者ではなく、取引の双方にとっての価値により集中できるようになった。

トムソン・ロイターは、二〇〇七年にカナダのメディア複合企業トムソンがロイターのニュースサービスを買収して設立された。同社の金融・リスク部門は、銀行や企業の金融商品取引を支援するため、ニュース、データ、分析ツール、サービスを提供していた。しかし、ライバルのブルームバーグとの競争に苦戦していた。わたしたちが最初に金融・リスク事業の買収の可能性を検討したのは二〇一三年だ。当時は、魅力的だが最適とまではいえなかった。トムソン・ロイターは二〇一六年にふたたびブラックストーンのレーダーに現れた。プライベートエクイティ部門のパートナーであるマーティン・ブランドは、駆けだしのころ外国為替デリバティブを取引していた。マーティンはトムソン・ロイターのツールを利用したことがあり、買収の可能性に大いに興味をもった。マーティンのチームは市場がこの企業を誤解していると考えた。トムソン・ロイターは貧乏人のブルームバーグなどと呼ばれていた。しかし実際は、国債や外国為替を取引し、企業や銀行、投資家に金融データを提供する市場のリーダーであり、ありふれた風景に潜む巨人だった。とはいえ、改善の余地はたくさんあった。費用が高すぎ、官僚主義が横行し、営業やマーケティングの見なおしが必要だった。また、外為取引やデリバティブ取引のための電子プラットフォームであるトレードウェブなど、単体ベースではさらに価値がありそうな特定の事業を切りはなすことも可能だった。

金融・リスク部門の責任者が、非上場企業にしたほうがうまくいくというわたしたちと同じ考えをもっていることはわかっていた。しかし二〇〇七年のロイターの買収はトムソンにとって大きなことだった。期待したほどうまくいってはいなかったが、トムソン・ロイターも取締役会も売却に必死ではなかった。適正な価格と納得のいく条件を示す必要があった。

双方がデューデリジェンスを完了し、二〇〇億ドルの取引の概要をまとめるのに六カ月かかった。わたしたちは独占的に取引をすすめ、公開入札は避けた。

評判と規模のおかげでトムソン・ロイターの取締役会から高い信頼を得られた。金融・リスク事業の現在価値の八五パーセントを、五五パーセントの株式と引き換えに提供することにした。トムソン・ロイターは、金融・リスク事業の大半を現金化しながら、事業の半分近くを維持して将来の成長の利益を享受できる。わたしたちは共同出資者であるカナダ年金基金投資委員会とシンガポールの政府系ファンドGICとともにあらたな大株主となり、経営の管理はブラックストーンが引き受ける。この取り決めは完全な売却ではなく戦略的パートナーシップであり、そのため株主投票の必要はない。

トムソン・ロイターの取締役会はこれを気に入った。しかしわたしたちに宿題を出した。ロイターの事業にとってニュース取材とジャーナリズムの中核をなすロイター・ニュースの合意をとりつけることだ。第二次世界大戦下の一九四一年、ロイター通信は、自社のジャーナリズムが独立性を維持し、プロパガンダに影響されないようにするために、「信頼の原則」を起草した。五原則の第一は「ロイター通信はいかなるときも、いかなる利害、集団、派閥の手にもわたらない」と言明している。一九八四年にロイター通信が上場企業となったとき、信頼の原則を守り徹底するために、裁判官、外交官、政治家、ジャーナリスト、実業家で構成される特別理事会が設立された。合併したトムソン・ロイターはこの理事会を維持していた。しかし、この原則はロイター・ニュースにとっては変わらず重要だったが、わたしたちが買収しようとしていた金融・リスク部門にはあまり関係がなかった。

わたしたちは、金融・リスク部門が今後三〇年間、ロイター・ニュースに年間三億ドル以上を支払い、自社の端末でサービスを提供しつづけられるようにするという取り決めを考えだした。ロイター・ニュースは、現代のメディア業界では珍しい、数十年にわたる財務の安定を約束されたことになる。見返りに、リフィニティブと改名した金融・リスク部門は経営上の独立性をもつことになる。

わたしたちは二〇一八年はじめにようやくこの取引を発表した。二〇一九年四月には、トレードウェブを独立した企業としてナスダックで上場した。企業価値は取引初日の終わりには八〇億ドルに跳ねあがっていた。トレードウェブの大きな価値を示すものであり、わたしたちの投資の正しさを証明するものでもあった。リフィニティブの残された部分はこれからも手をかけ改善する必要がある。

＊＊＊＊

二〇一八年にはブラックストーンにもうひとつ大きな進展があった。トニー・ジェームズからの代替わりだ。トニーは二〇〇二年にブラックストーンに入社したとき、七〇歳近くになったら引退するとわたしに宣言していた。二〇一六年、六五歳になったトニーは、相変わらずブラックストーンのあらゆる側面にかかわり、あらたな構想を開発し、常に会社の若い人たちを教育していた。その貢献ははかりしれない。しかしトニーは宣言どおり後継者について話しはじめた。わたしは会長兼ＣＥＯでありつづける。トニーはこれまでどおり副会長をつづける。しかし、ブラックストーンの日常業務を統括する新しい社長兼最高執行責任者が必要になる。

資産運用会社は人間と人格に依存しているため、後継問題がしばしば鬼門になる。ある世代があまりにも長くつづき、つぎの世代が待たされ、企業は勢いを失う。勢いをとりもどすのは、持続するよりずっとむずかしい。だから組織を疲弊させたくなければ、首脳陣は自分たちの意欲や知性、競争力がピークに達する前に後継者選びにとりかかる必要がある。

二〇一三年から、トニーは企業全体にかかわる経営の話し合いにジョン・グレイを参加させるようになった。ジョンはシカゴ育ちで、父親は小さな自動車部品メーカーを、母親はケータリング会社を経営していた。公立学校へ行き、バスケットボールに熱心にとり組んだ。あまりに熱心で、高校時代のあるシーズンには、チームが一勝二三敗という成績でもなおベンチを温めていたほどだ。これは献身と謙虚とユーモアのセンスを学ぶ場となった。ジョンは一九九二年にペンシルベニア大学で英語の学士号、ウォートン・スクールで金融の学士号を取得して入社した。四年生のときにブラックストーンからオファーを受け、将来の妻ミンディともロマン派の詩のクラスで出会った。ブラックストーンともミンディともそれ以来のつきあいだ。

中西部の中産階級出身であることからくるジョンの性格と価値観は、ジョンが働きはじめたころから明らかだった。ジョンはまだ若手アナリストだったころ、ある取引で弁護士やブローカーに支払う手数料をめぐってシニアパートナーたちが激しく議論しているところに口をはさみ、「どうして彼らを痛めつけようとするんですか？　いつもいっしょに仕事をしているんだし、これからもずっといっしょに仕事をすることになるんですよね？　もっと大事にしたらいいのに」と言ったことがある。ウォール街が過去にずっとこのやりかたでやってきたからといって、それをつづけなければならないわけではない。ジョンは人間関係や会社の評判について長期的に考えていた。

不動産にかかわる人たちや、実際に見分した物件を買っている点は、ジョンの肌に合ったようだ。ジョン・シュライバーというすばらしい師もいた。二〇〇五年にその師から引き継いだ不動産事業は、当時五〇億ドルを運用していた。それから数年のうちに、ジョンは業界全体を変革する一連の取引で運用規模を拡大した。二〇〇七年のＥＯＰ、つづいてヒルトン、インビテーション・ホームズだ。二〇一五年、ジョンのチームはニューヨークのスタイヴェサント・タウンという八五エーカー（三四万平方メートル）のアパート群を、債券保有者、テナント、ニューヨーク市との複雑な交渉ののちに買収した。市にとっても州にとっても重要な取引だった。一万戸のうち半分を低価格住宅として長期的に残すという条件を自主的に盛りこむ形で、低価格住宅を維持する市のとり組みを支援した。

ジョンは主張に自信があればはっきりとことばにし、目標を設定し、前に進む。たとえば、オンラインショッピングが物流倉庫需要のブームに火をつけると判断し、数年かけてブラックストーンを世界第二位の物流施設オーナーにした。二〇一八年までに、ジョンの不動産チームは投資家に八三〇億ドルを還元し、一三六〇億ドルの投資家資本と二五〇〇億ドル以上に相当する建物や不動産業を運用した。いまではブラックストーンの最大の事業となっている。ブラックストーンでのジョンの昇進の背景には、実質的に損失を出していないこともふくめ、運用者としての並はずれた実績がある。しかし、わたしたちが会社を率いる人間にジョンを選んだ理由はそれだけではない。

ジョンは長いあいだブラックストーンの経営委員会に出席していたので、わたしはジョンが会社のこみいった問題をじっくり考えるところを何度も見てきた。ジョンはいつも感情のバランスがとれていて、新しい事実に興味を示し、自分の判断に自信をもっている。景気後退期に、ヒルトンにもっと出資するという提案をわたしのところにもってきた。不況の長さと深刻さを考えると、八億ドルを追加で投入するのが賢明だと考えたからだ。ジョンはあくまで主張を曲げなかった。長期的な観点に立ち、この取引と会社を守ろうとしていた。わたしは数字を見て、すでに十分投資していると感じた。旅行市場はすぐに回復するだろうし、債務を返済するのに十分な現金もあった。投資を増やせば収益率を低下させることになり、それが必要とは思えなかった。意見は一致しなかったが、ジョンの提案どおりにした。わたしはジョンがさまざまな利害の調整をはかろうとする点を評価した。まさに権力の座にある人には備えていてもらいたい資質だ。

危機を乗りこえていくジョンの仕事ぶりを見ていると、問題が深刻であるほど落ちついているように思えた。ジョンはほかの人たちが怖がっているときに、大方の意見に逆らっても投資した。話しにくいことでも必要なら避けずに話す。プレッシャーにさらされても、常にボールをパスしてくれと求める。毎日、自宅マンションから職場まで一マイル歩き、市場の落ちこみがもっとも激しいときでもチームを元気づけやる気を起こさせる。誠実で素朴な魅力のあるジョンは、非常に厳しく競争の激しい業界のいたるところで人に好かれた。

ジョンをトニーの後任にすることを決めたあと、わたしたちはジョンを会社のもっともデリケートな分野にもかかわらせるようになった。不動産以外の事業にかかわる戦略的な問題や報酬をはじめとする人事問題などだ。ジョンはトニーのとなりにすわり、会社の全員がどれだけ給料をもらっているか、それはなぜかを見て学んだ。トニーの指導のもと、会社を経営し、人材と知的資本を将来の機会に生かすために必要なことを身につけた。

二〇一八年二月にブラックストーン首脳部の交代を発表したときには、ジョンは一年以上にわたってトニーといっしょにハンドルをにぎっていた。トニーは残っていた経営上の問題を片づける役目をみずから引き受け、ジョンがまっさらの状態からはじめられるようにした。わたしたちはジョンがあとを継ぐのがごく自然なことだという考えを社内に植えつけてきた。あれこれ手をつくし個人の感情に注意を払ってきたので、波風が立つことはなかった。この代替わりはあたりまえで必然のことに感じられた。この業界では珍しいことだ。

どんな組織も新しいリーダーが任命されると、つぎの世代があらたな役職につく。そして、この世代のなかから後継者や文化の担い手に成長したのは、ジョンだけではなかった。数年前にプライベートエクイティ事業の新しい責任者が必要になったとき、わたしたちはだれが適任かパートナーに尋ねた。ほとんどが自分を推薦したが、ほぼ全員が二番目にあげていたのがジョー・バラッタだ。

ジョーは一九九七年に入社したが、わたしにもっとも鮮烈な印象をあたえたのは二〇〇四年のことだ。わたしがロンドンをおとずれていたとき、ジョーは面会を求めてきた。パートナーになりたがっているのがわかった。ジョーのオフィスへ行ってみると、とても狭くて訪問者は少し椅子を引けば壁にぶつかるほどだった。まだ三四歳で昇進を考えるには若すぎるように思ったが、とにかく話をさせてみることにした。ジョーは手がけた案件について説明し、自分がやってきた仕事を同僚の仕事と比較した。「この会社が大好きなんです」ジョーは言った。「ご存じのとおり、わたしはゼロからビジネスを立ちあげるのに尽力してきました」

わたしは礼儀としてジョーに会いにいっただけで、昇進させるつもりはなかった。ジョーの先輩たちのあいだで議論を呼ぶことがわかっていたからだ。しかし、客観的に明快に、それでいて情熱的に話すジョーを見ているうちに、わたしは考えを変えはじめた。ジョーの売りこみは説得力があった。

ジョーの話を聞きながら、リーマン時代の自分自身の苦闘が心によみがえった。早々にパートナーに昇進させてもらうべきときに一年も待たされた経験だ。否定されたと感じたこと、そしてキャリアのその時点でパートナーの肩書きがいかに重要に見えたかを思い出した。ブラックストーンを設立したとき、自分たちは同じ轍を踏まないと心に決めていた。わたしたちは才能を開花させる会社だ。

ジョーはわたしを説きふせた。以来、わが社のすべてのPEファンドの要はジョーの取引だ。ジョーはカリフォルニアで育ち、父親が小さなジムのチェーンを創業し経営するのを見てきたため、わたしたちが買収する会社の経営者に本能的に共感する。しかし同時に、出資者であるプロの投資家の信頼を勝ちとり、百戦錬磨の競合に一目おかせるものももっている。生まれながらの指導者でありよき助言者であり、シニアパートナーからアナリストまでだれもが助けを求める相手だ。

狭いオフィスでの会話から一五年後の二〇一九年、ジョーはブラックストーン・キャピタル・パートナーズ八号ファンドに二六〇億ドルを集めた。わたしたちの業界では過去最高の金額だ。これは、ピートとわたしが一九八七年に調達しようと苦労した最初のPEファンドの三〇倍以上の規模となる。投資家に対しては、わたしはただの一度もプレゼンをする必要がなかった。ジョーとわが社のすばらしいチームがすべてをなしとげた。わたしにとって誇らしい瞬間だった。

＊＊＊＊

ジョンの昇進にともない、わたしたちはふたりの人間をグローバル不動産の責任者に任命した。投資を監督するケン・カプランと、わが社最大の事業の資金調達と運営を指揮するキャサリーン・マッカーシーだ。ケンは一九九七年に入社し、ジョンとともにもっとも規模の大きい不動産取引の多くを手がけてきた。キャサリーンは二〇一〇年にゴールドマン・サックスから入社し、責任者として、同僚として、そしてどんなに手ごわい難題にも果敢に挑んでいく人物として実力を証明してきた。

ブラックストーンでだれかを管理職に昇進させるときは、必ずわたしから本人に直接ねぎらいのことばをかけ、新しい責任について話す。キャサリーンとの対話は、これまで多くの社員とおこなってきた対話の典型例だ。キャサリーンはまず、ブラックストーンの起業家精神をどのように維持しているかわたしに尋ねた。秘訣は、すばらしい人たちを見つけ、その人たちにその分野で超一流になる機会をあたえることだ、とわたしは答えた。そして自分たちがおこなうすべてを一からつくりなおして改善することで切れ味をにぶらせないようにする。キャサリーンとは代替わりをめぐる感情についても話した。だれかが昇進するときにはさまざまな感情を考慮しなければならない。昇進した人たちは自分の成功に誇りを感じるとともに、新しい責任に対して不安を感じる場合がある。自分が昇進するし思っていたのにできなかったという人も出てくる。新しい上司をもつことにワクワクする人もいれば、よりどころをなくして変化を恐れる人もいるだろう。こうした感情の影響は妙なときに変わった形で現れる。それに気づき、理解して対処することはリーダーが成功するのに欠かせない。これは経験からしか学べないマネジメントのレッスンのひとつだ。

また、管理職に昇進した人たちには、入社初日のアナリストに毎年わたしが伝えていることを改めて強調している。ここで働いているのはきみひとりではない。だから自分でなにもかも背負いこんではいけない。ブラックストーンでは、どんなむずかしい決断も過去に必ずだれかが経験している。きみには新しいことのように思えても、組織にとっては新しいことではない。ただ助けを求めればいい。わたしたちはチームとして意思決定をおこない、チームとして結果の責任を負う。これは、もっとも大きい事業をまかされている人にも、もっとも若手の社員にもあてはまる。

最後に、昇進したのは仕事ぶりがすばらしかったからだとキャサリーン本人に思い出させた。きみが成功をおさめ、人として、プロとして成長する人材であることをわたしたちみんなが知っている。わたしはきみに全幅の信頼をおいている、と話した。こちらがどれだけ高く評価しているか相手にわからせ、自信をもたせるのは大切だ。その自信こそがすばらしい成果をあげる基盤になる。

よい経営者になるには、よいことでも悪いことでもすべてに対して感情を隠さず率直でなければならない。ブラックストーンの次世代のパートナーを検討するとき、わたしは対象者全員と面接し、その人がなにを達成したか、わたしたちがそれについてどう考えているかを話し合い、互いに質問を交わす。決定がくだされたら、パートナーになった人となれなかった人を呼ぶ。ひとりひとりにわたしが感じていること――その人の能力や可能性、ブラックストーンでいっしょにつくりあげていけそうなものについてどう感じているか――を伝える。このオープンさが会社の結束を生みだす。これ以外の方法で組織をつくることなどわたしには考えられない。

二〇一八年には、ほかのふたつの事業、GSOキャピタル・パートナーズとブラックストーン・オルタナティブ・アセット・マネジメント（BAAM）の首脳部も交代した。GSOの代表にはドワイト・スコット、BAAMの代表にはジョン・マコーミックを任命し、それぞれの事業の飛躍的な成長に対応してもらう。いまわが社は、堂々たる実績をもち、この先数十年にわたりすばらしい仕事をしてくれる若い経営幹部が主要な事業を担当している。

****

長期的には、会社をプロフェッショナル化することを心がけ、わたしたちの並はずれた成長が規制に抵触したり、会社の評判を損なったりすることのないように気を配っている。幸運にも、長年つきあいのある法律事務所のシンプソン・サッチャー&バートレットからジョン・フィンリーを法務担当役員に迎えることができた。彼はわたしたちの日々の意思決定に深くかかわり、もっとも重要な法的スキルのひとつである優れた判断力を備えている。マイケル・チェは若いころブラックストーンに入社し、アジアを担当するPE部門のパートナーのトップを経て最高財務責任者に就任した。マイケルが仕事を熟知しているおかげで、強力な財務計画と管理が可能になっている。また、ニールセン・ホールディングスの前CEOで、GEの副会長だったデイビッド・カルフーンを迎え入れ、ポートフォリオ運用グループを率い、企業価値の創造を牽引してもらっている。

上場企業は、社内活動と同じように対外活動にも力を入れる必要がある。トニーは株主向け広報活動のためにDLJのパートナーだったジョーン・ソロターを採用した。ジョーンは個人投資家向けのプライベート・ウェルス・ソリューション事業の指揮をとっている。最後に、クリスティーン・アンダーソンは、広報、ブランド戦略、マーケティング、社内コミュニケーション機能を統括している。クリスティーンは会社の広報担当者であり、報道機関や一般の人たちにわたしたちの仕事や動機、社会への貢献を理解してもらうようつとめている。

経営委員会のメンバーはブラックストーンに平均一八年在籍し、パートナーの平均在任期間は一〇年だ。これほど長期の在任は金融業界では珍しい。こうした長きにわたるリーダーたちは、わたしたちのビジネスを構築してきただけでなく、わたしたちの文化をつくりあげてきた。将来はもっとも信頼できる後見人になることだろう。

第二二章　最高になるミッション

イェール大学に行っていなければ、わたしの人生は決していまのようなものにはなっていなかったにちがいない。わたしは長年にわたりそのときどきのイェールの学長と連絡をとり、自分の人生に多大な影響をあたえたこの場所にお返しをする方法を模索していた。二〇一四年によい機会が見つかった。イェール大学のリック・レビン学長とはじめてコモンズの改修について話したのは一九九七年だ。コモンズはキャンパスの中心に立つ堂々たる建物で、一年生のときには毎日そこで食事をしていた。空気がひんやりと湿っていたことと、何百人もの若者が食事をする音、皿やフォークがガチャガチャ鳴る音が巨大な空間に響いていたことをはっきりと覚えている。

二〇一四年、レビンの後継者ピーター・サロベイは、キャンパスでの生活にもっと求心的な拠点が早急に必要だと語った。学生生活が細分化され、フラタニティ（男子学生社交クラブ）では過度の飲酒とそれにともなう誤った判断による事件が増えていた。三つの学生自治会がピーターに手紙を送り、「学部生、大学院生、プロフェッショナルスクールの学生の架け橋」となり「イェールでの活発で意義のある開放的な社会的交流を促進するキャンパス規模の拠点」をつくってほしいと求めた。

わたしは常々、コモンズはたんなる食堂以上のものになりうると感じていた。コモンズはイェールの中心にある。勉強、社交、リハーサル、会合などあらゆることができるような会議室やスペースを備えほぼ二四時間いつでも使える場所にできたらどうだろう？　さらには、施設を近代化し、娯楽施設を備えた舞台芸術の要素を加えて、フラタニティなどキャンパス外での交流にかわるものを学生に提供できるとしたら？　学部生だったころにそんな場所があれば大歓迎だっただろう。

コモンズを改修するということは、イェールのキャンパスを生まれ変わらせ、学生を団結させるいっぽうで、文化・舞台芸術に親しむというまったく新しいモデルをつくりだせるチャンスだと考えた。二〇二〇年にオープンするイェール大学シュワルツマン・センターは、イェール大学の学生生活と文化活動の基準をがらりと変えるものになる。最先端の公演用ホールが五つあり、学生にとってはこれまでにないさまざまな文化活動に触れ、経験を豊かにする機会となる。そこから新しい対話や新しい考えかた、創造的な可能性が生まれることだろう。

イェール大学でのとり組みから、もっとも歴史ある機関でも、時代の変化に応じて教育がどのようなものになっていくか、どのようなものになっていくべきかを見なおすあらたな視点から得るものがあると確信するようになった。

シュワルツマン・スカラーズの設立にかかわっていた二〇一六年、ダボスでＭＩＴの第一七代学長ラファエル・レイフに会う幸運に恵まれた。

「わたしはＭＩＴについてはあまり知らない」わたしはラファエルに言った。創設期にピートとＭＩＴへ行き、大学基金チームにすっぽかされてから三〇年、ふたたびそこをおとずれる理由はずっとなかった。

「それでいいんだ。なるべく目立たないようにしているからね」とラファエルは言った。

「なるほど。わたしは目立つほうが好きだな」

このようにちがいはあったものの、わたしたちはとてもよい友だちになった。ラファエルはベネズエラで生まれ、スタンフォード大学で電気工学の博士号を取得し、キャリアのほとんどをＭＩＴですごした。幅広い知性をもつ生まれながらのリーダーだ。その後多くの会話を交わすうち、技術、経済、政治、そしてとくに人間という観点からわたしたちがどこへ向かっているのかを見通すラファエルの能力に感服した。また、人工知能（ＡＩ）をはじめとする新しいコンピューティング技術の進歩が人間の発展やアメリカの競争力にあたえる幅広い影響について切迫感をもって語ることにも衝撃を受けた。

中国の台頭や、アメリカの優れた研究大学が経済の繁栄と国家安全保障に欠かせない革新を推進するうえで果たしてきた役割についても話し合った。一八六一年に設立されて以来、ＭＩＴの教授陣、研究者、卒業生は、九三件のノーベル賞と二五件のチューリング賞（コンピュータ分野への貢献に対してあたえられる）を受賞した。長きにわたり、防空システムやミサイル誘導システムからヒトゲノムの解読まで、さまざまな科学革新の世界的リーダーとなっている。ＭＩＴ周辺の数ブロック区域は、公立および民間の研究所、スタートアップ、企業の研究センターが集まり、世界でもっとも革新的な地区として知られている。

しかしラファエルによると、ＭＩＴの学生の四〇パーセントがコンピュータ科学の講義を履修しているのに対し、この分野を専門とするＭＩＴの教授陣はわずか七パーセントだった。アメリカの大学の状況はどこも同じか、もっと悪いくらいという。コンピュータ科学への投資を増やす必要があることはだれもが理解していながら、なんとかしようという人はほとんどいなかった。アメリカは科学、技術、工学、数学の分野に豊富な逸材をかかえていたが、その能力を最大限に発揮する十分な資源がなかった。

わたしはラファエルに、アメリカの競争力を高めるには、まず需要と供給をつり合わせるという基本的なところから解決するべきだともちかけた。ラファエルが最初に提案したMITでのコンピュータ科学へのとり組みを拡大する計画は現実的だったが、インパクトの点で不十分だった。わたしはもっと大きく考えてくれとたのんだ。一カ月ほどしてラファエルはふたたびやってきた。結果、MITは一九五一年以来はじめて新しいカレッジを設立し、AIとコンピューティングの研究に特化したカレッジとして、大学内のすべてのスクール（研究科）と接続することになった。あらたに五〇人の教職員を採用し、そのうち半数をコンピュータ科学の専任とし、残りの半数をMITのほかのスクールと共同で任命する形でコンピュータ科学者の数を倍増させる。新しいカレッジは、工学、都市学、政治学、哲学などなんの学徒であるかにかかわらず、すべての教授、研究者、学生がAIの言語を学び、実践し、話すことができるようにする。ラファエルのことばを借りれば、彼らは科学系かどうかにかかわらず、AIと自身の学問の両方の言語に堪能な「将来のバイリンガル」となるだろう。

このカレッジの目標はイノベーションだけではない。AIとコンピューティング技術の責任ある開発と応用について学生を教育したいと考えた。新カレッジでは、あらたなカリキュラムや研究の機会を提供するとともに、ビジネス、政府、学術界、ジャーナリズムのリーダーを全国から招き、AIや機械学習の進歩によって予想される成果を検討し、AIの倫理をめぐる政策を立案するフォーラムを開催する。そうすることで、未来の革新的な技術が大義のために責任をもって実行されることを保証するしくみをつくった。

こうした変化により、MITは世界初のAI対応の大学になるはずだ。また、ほかの機関に対しても、独自の戦略を開発してこの分野への投資を増やす刺激となる。この技術の調査・研究に投資する大学が増えるほど、アメリカは技術革新の最前線に立ちつづけ、未来の労働力を訓練し、国民の利益と幸福を確保しやすくなる。

ラファエルが提案した一一億ドルという予算は途方もない金額だったが、わたしたちの野望にふさわしいものだった。わたしはかなりの金額を約束した。シュワルツマン・スカラーズに出した金額の三倍以上にあたり、今日にいたるまでわたしの最大の慈善活動だ。ＭＩＴにもこれと同額を拠出するよう求めた。二〇一八年一〇月一五日、わたしたちはＭＩＴスティーブン・Ａ・シュワルツマン・カレッジ・オブ・コンピューティングの創設を発表した。

ＭＩＴの計画がアメリカをはじめとする世界中に広がるまでに、それほど時間はかからなかった。わたしのもとへ個人的に届けられた反響はすさまじく、この構想がまさに求められていたものであり、まさに的確なタイミングだったことを裏づけていた。各方面から支援の申し出が寄せられた。多くの人が、ＡＩとアメリカの競争力についてはずっと頭のなかにあったが、そのためになにができ、なにをするべきなのかがわからなかったと言った。大学の学長たちは、直接会って、自分たちの大学でのＡＩ分野の充実度や、関連する倫理的な考慮事項について意見を交換したがった。共和党と民主党の両方の政治家から、国家主導のＡＩプロジェクトを立ちあげたら資金は集まるだろうかと相談する電話までかかってくるようになった。

グーグルの前ＣＥＯ兼会長のエリック・シュミットは、わたしの寄付がこの時代のもっとも重要な贈りもののひとつとなり、コンピュータ科学分野への何十億ドルのさらなる投資を加速させるだろうと予言した。たしかに、ＭＩＴの新カレッジの創設以来、類似した大学のとり組みがいくつか発表されている。こうした集団的な努力により、ＡＩの話題に関する注目度、推進力、対話は高まりを見せている。これがはじまりにすぎないことを心から願っている。

韓国のＩＴ機器製造会社デトク・エレクトロニクスの設立者で会長のキム・ジュンシクは、ＡＩ研究を進めるため、母校のソウル大学に五〇〇〇万ドル支援することを決めた。息子のキム・ヨンジェからこんな手紙をもらった。「ＡＩのような世界を変える新しい技術や、それが人類や社会にあたえる影響について、あなたの構想に賛同する人間が地球の反対側にさえいることに驚かれるかもしれません」

ＭＩＴの新カレッジについてのラファエルとの議論を締めくくるいっぽうで、オックスフォード大学への贈りものにもとり組んでいた。一度の寄付としては同大学にとってルネサンス以来最大のものとなる贈りものだ。オックスフォードに通ったことはないが、一〇代のころおとずれたことがある。その歴史や、鮮やかな緑の芝生と何世紀もつづくカレッジの黄金の砂岩との対比に衝撃を受けたことをいまでも覚えている。オックスフォードは一〇〇〇年近く西洋文明の中心にあった。そのため、同大学の副総長であるルイーズ・リチャードソンが、現在キャンパスに散在しているすべての人文学科をひとつの共通の空間に統合するという新しいプロジェクトについて打診してきたとき、とても興味をそそられた。イェールやＭＩＴでやってきたのと同じようなことができるのではないかと考えた。学際的な研究、学問、洞察をうながす環境をつくりだし、人文科学のカリキュラムを将来を見すえたものにする機会だ。

ルイーズと何度も会話を重ねたすえ、この新しいシュワルツマン人文科学研究センターの規模と目標を拡大することになった。研究センターは、この二〇〇年間オックスフォード大学でもっとも重要だった場所――歴史的なラドクリフ天文台地区――の中心に建設される新しい建物に本拠をおき、学術、展示、新しい舞台芸術センターの最新の設備を備えたものになる。見学者向けのあらたな設備や放送センターなども充実させ、地域や国際社会にオックスフォードを開放し、学習や文化プログラムをより幅広く届ける役目も果たす。

オックスフォードは長いあいだ、人文科学分野で世界第一位にランクされてきた。しかし、科学や技術の発展が加速し、人間の知性を再現するように設計された機械という発想が生まれたため、人間であることがなにを意味するのか、技術にどんな価値を反映させるのかについて道徳的、哲学的、倫理的な多くの問題があらたに問われている。そのため、このとり組みの一環として、ＡＩにおける倫理を専門に研究する機関を設けることになった。西洋文化にとって比類のない資源であるオックスフォードは、人文科学分野の研究、進化、応用を先導し、社会にとって非常に重要な将来の課題に関する議論を導くのにふさわしい存在だ。

二〇一九年六月にこの贈りものを発表したとき、イギリスの政情は非常に不安定で、ブレグジットの結果は見えず、保守党党首選挙を控えていた。見通しの立たない報道サイクルのなか、この発表がどのように報じられるかを予測するのはむずかしかった。発表の前日、わたしは何時間もかけて情報解禁前のインタビューをつぎからつぎへとこなし、贈りものの動機を説明し、政府やメディア、あらゆる種類の企業や組織がしっかりした判断にもとづいてＡＩを導入する枠組みを構築するために、オックスフォードが人文学の専門知識を生かして助力することが重要だと強調した。くたくたになったが、記者たちはみんなとても友好的で、イギリスではこの規模の慈善事業が珍しいという点にすぐに注目してくれた。

発表前日の午後一一時ころ、チームからメールが届いた。『フィナンシャル・タイムズ』が翌日の記事をツイートしたという。リンクをクリックすると、オックスフォードのキャンパスを背景にしたわたしの顔写真と、「一億五〇〇〇万ポンドの贈りものはオックスフォードの最高記録」という見出しが出てきた。発表は新聞の一面トップを飾った。

翌日は嵐のようなあわただしさだった。イギリスの主要メディアがこぞって、この贈りものをトップニュースや特集記事としてとりあげた。ＢＢＣ、ブルームバーグ、ＣＮＢＣ、ＣＮＮ、フォックスなど主要なニュースネットワークのテレビインタビューを受けた。その日のうちに、わたしひとりの寄付が、二〇一七年から二〇一八年にかけてイギリスで文化芸術に寄付された三億一〇〇〇万ポンドの約半分を占めることを知った。あちこちでニュースになったのも無理はない。贈りものの大きさはイギリスの注目を集め、教育や文化に対する政府の財政支援が減少するなかで慈善活動が果たす役割についての議論のきっかけとなった。ＭＩＴのときと同じように、世界中の友人や知人からこの贈りものの重要性を評価するコメントが届いた。イギリスの未来への信頼を示すこの贈りものの長期的な影響についての意見が多かったが、多くの投資が技術と科学に向けられている時代に人文学が再認識されることを称賛するものもあった。

わたしは勇気づけられ、オックスフォードの偉大な知性が、ＭＩＴ、清華大学、イェール大学、そして世界中の大学の人々と知識を共有し、学際的な洞察を提供するために協力したらどうなるか、想像したくなった。急速に変化する世界では、組織を超えたこのような世界規模の協力こそ、わたしたちみんなの安全で豊かな未来を確保する唯一の方法である可能性は高い。

わたしは昔から、教育はよりよい生活へのパスポートだと信じてきた。よい教育には、どんな人にもよい影響をあたえる力がある。わたしたちはみんな、手わたされた知識をそのまま保存するだけでなく、それを発展させ、将来の世代のためにその妥当性や影響を改善する義務がある。高等教育、カトリック系学校、フィラデルフィアの母校、陸上競技のアスリートなど、わたしがこれまでおこなってきた貢献を通じて、高みを目指し、なんであれ卓越を追求する姿勢が次世代そのまた次世代へと引き継がれていくことを願っている。

エピローグ

ボストンのホテルを出てＭＩＴのキャンパスへ向かう途中、車の窓から外を見た。午前五時半。真っ暗だったが、冬の曇り空を背景に雪が降っているのが見えた。思わずほほえみ、少なくとも雨でないだけましか、と思った。ラファエル・レイフ学長といっしょに、午前六時からＣＮＢＣの「スクウォーク・ボックス」のライブインタビューを受けることになっていた。スティーブン・Ａ・シュワルツマン・カレッジ・オブ・コンピューティングをスタートさせる三日間にわたるイベントの最終日、これが朝いちばんの仕事だ。一日中ＣＮＢＣの密着取材を受け、世界中にライブストリーミングされる。二〇一八年一〇月にＭＩＴへの寄付が発表されてから四カ月になるが、ＭＩＴがおこなっていることに対する世界的な関心は高まるばかりのようだ。

インタビューのあと、クレスジ講堂へ向かった。この日の祭典がはじまろうとしていた。妻、子どもたち、その配偶者たちも、いっしょに新しいカレッジを祝うために来てくれていた。三〇人以上の高名な技術者や著名人が短い講演やパネルに登壇し、カレッジの設立につながる幅広いアイデアや目指すべき最先端領域を探ることになっている。

マサチューセッツ州知事のチャーリー・ベイカーが、社会のために責任ある革新が重要であることを強調して祭典の幕があがった。ワールド・ワイド・ウェブ（ＷＷＷ）の発明者であるティム・バーナーズ＝リーは、初期のインターネットの「ユートピアの約束」とその後の失望について語り、元アメリカ国務長官のヘンリー・キッシンジャーは、ＡＩを無制限に開発することの危険性について警告した。つぎからつぎに講演者が登壇し、多様で広範囲にわたる深刻な変化が起こると語りかけた。ほとんどの聴衆と同じように、わたしも登壇者の知性とかぎりない好奇心に舌を巻いた。また、新しいカレッジがＭＩＴや世界のためにしようとしていることに対して、ほとんどの科学者が感謝の意を示したことにも驚いた。その日一日、講堂は来たるべき未来に対する熱意と期待でもちきりだった。驚くべき光景だった。

ＭＩＴでのすばらしい一日の締めくくりに、ラファエルとわたしは、ＣＮＢＣの「スクウォーク・ボックス」と「オン・ザ・マネー」の共同アンカーであるベッキー・クイックとともにステージにあがり、ベッキーの司会で、未来のためのコンピューティングという共通の展望について議論した。わたしたちは、聴衆から何度か笑いを引きだしながら、新しいカレッジがどのように生まれ、なにを目指しているかを説明し、大いに楽しんだ。ステージでのわたしたちの信頼関係は、いろいろな意味でカレッジの使命をみごとに反映していた。非技術者と科学者が協力し、世界を前進させるための大胆な解決策を提供するという使命だ。

ステージを拍手にあけわたしながら、ラファエルは「ＭＩＴに来て三〇年近くになるが、はじめてだよ」と言った。

「なにが？」わたしは言った。

「スタンディングオベーション」

一九八七年にはじめてＭＩＴをおとずれたときとまったくちがう結末だったことはまちがいない。

＊＊＊＊

ＭＩＴを最初におとずれる一年前、ブラックストーンをはじめた三八歳のころから、まったく年をとった気がしない。若いころと同じく睡眠時間は五時間のままだし、新しい経験に挑戦し、新しい課題にとり組むための無限のエネルギーと衰えない意欲もありがたいことに変わっていない。ペースを落としたり引退したりすることは考えていない。両親を亡くしたことで、新しいものを創造し、より多くをなしとげたいという気持ちがむしろ強くなった。しかし、ふたりのすばらしい子どもと義理の娘、そしていっしょにすごすのが楽しい七人のかわいい孫がいてとても幸運だ。

フィラデルフィアのオックスフォード・サークルから長い道のりをやってきた。こんな旅になるとはわたし自身でさえ予想していなかった。成功と失敗は、リーダーシップ、人間関係、目的と影響力のある人生について多くのことをわたしに教えてくれた。

現在、ブラックストーンは第三世代のリーダーたちの手にわたり繁栄している。企業文化はかつてないほど堅固だ。わたしたちが雇用した一〇点満点の人材がべつの一〇点を雇用し、わたしたちのエリート集団は世界でも名の知れた称賛される金融会社を生みだした。一九八五年に四〇万ドルだった当初の資本金を、二〇一九年には五〇〇〇億ドル以上の運用資産にすることができた。創業からの一年あたりの成長率は約五〇パーセントだ。現在のビジネスの規模は驚異的だ。約二〇〇社の企業を所有し、それらの会社は合わせて五〇万人以上の従業員を雇用している。総収益は一〇〇〇億ドル以上、不動産は二五〇〇億ドル以上、レバレッジド・クレジット、ヘッジファンドなどの事業分野で市場をリードしている。強力なグローバル・ブランド、注意義務の順守、三〇年以上にわたる説得力のある一貫した運用成績のおかげで、わたしたちの資産クラスに投資するほとんどすべての主要機関投資家から信用と信頼を得ている。

しかしわたしの目に映るのは、会社の規模、成長、さらには外部からの称賛を超え、これまで懸命に根づかせようととり組んできた中心的価値観が反映された会社の姿だ。堅固な企業文化を確立し、それを引き継いでいくことは、おそらく起業家や創業者にとって最大の課題のひとつだが、うまくいけばもっとも喜ばしいことでもある。わたしはこれまでみんなで築きあげてきた会社に大きな誇りをもっている。そして、生涯学習、卓越、絶え間ない革新という文化が息づいているのを目にするにつけ、最良のときはこれからやってくると日々気づかされる。

政治活動や慈善活動も同じようにわたしを魅了し、夢中にさせる。積極的にかかわって新しいパラダイムを創造しようとつとめてきたおかげで、国内でも国外でもダイナミックで刺激的な発展のまっただなかに何度も立たされた。ごく最近も自国に仕える異例の機会を得た。メキシコやカナダとあらたな貿易協定の交渉をし、中国との主要な貿易協定をまとめようと二年半以上にわたって奔走した。いずれの場合も、関係者との信頼関係を利用し、数えきれないほどの電話や会議を通じてアメリカの立場に対する理解を前進させた。その結果、アメリカ、メキシコ、カナダのあいだで協定が締結されたが、米中交渉の結果は予断を許さない厳しいものとなっている。

わたしにとってそれぞれべつの世界だったものが、ひとつひとつが大きくなるにつれてどんどん重なりあうようになっている気がする。人の話に耳をかたむけ、関係を築き、自分になにができるか問いつづける人生をすごしてきたおかげで、こちらから探しにいかなくても、最大の課題や最良のアイデアが勝手に舞いこんでくるようになった。政治や慈善活動の分野では、これからの世代に影響をあたえるだろう多くのすばらしいプロジェクトや機関を企画し実現するための手助けをする機会に恵まれ光栄に思っている。

＊＊＊＊

毎年夏になると、シュワルツマン・スカラーズの卒業生にはなむけのことばを贈るために北京へ行く。話す内容を準備するとき、自分が学生で聴衆のひとりとしてその場にいるとしたらなにを知りたいか考えるようにしている。

「どんなふうにキャリアをはじめるにしても、人生は必ずしも一直線には進まないと覚悟しておくことが大切です。世界は予測できない場所だということを知っておいてください。ときには、みなさんのような才能のある人たちでも、愕然とさせられることがあるでしょう。生きていれば多くの困難や苦難に直面することは避けられません。逆風にぶつかったら、覚悟を決めて自分自身を前進させなければなりません。逆境そのものではなく、逆境に直面したときに立ちなおる力こそ、あなたがどういう人間かを決めるのです」

失敗はどんな成功よりも多くのことを教えてくれることを卒業生に知ってほしい。

「楽しめることに時間とエネルギーを注いでください。熱意がなければ卓越することはできず、名声のためだけになにかをしても成功につながることはまずありません。夢を追いもとめる情熱があり、忍耐があり、他者を助けることに力を注いでいるなら、充実した意義のある人生を送ることができ、いつも大成のチャンスがめぐってきます。そして、あなたの莫大な贈りものの恩恵は、あなた自身、愛する人々、社会全体にもたらされます」

シュワルツマン・スカラーズの卒業式でのスピーチは、毎年の楽しみのひとつになった。聴衆に向かい、未来の非凡なリーダーたちの真剣な顔、鮮やかな紫色のスカラーズネクタイとスカーフ、そして期待に満ちた瞳を見るのが大好きだ。卒業生の果てしない野望と、希望と誇りに満ちた両親の満面の笑みが会場内にあふれかえる。ことばでは言いあらわせないほどの喜びと満足感で胸がいっぱいになる。

ひとりずつステージへやってくる卒業生に卒業証書を手わたし、握手を交わしながら、素朴な問いを自問せずにはいられない。つぎはなにをする？　見当もつかない。

仕事や人生に役立つ25のルール

1. 大きなことをするのは、小さなことをするのと同じくらい簡単だ。努力に見合う報酬を得られ、追いかけるに値する空想を追求しよう。

2. 一流の経営者は生まれつくのではなくつくられる。彼らは決して学ぶことをやめない。大きな成功をおさめている人や組織に出くわしたら、くわしく研究しよう。向上の助けになる現実世界からの無料の授業のようなものだ。

3. 尊敬する人に手紙を書くなり電話をかけるなりして、助言や面会を求めよう。どんな人が会う気になってくれるかわからない。重要なことを学んだり、生涯にわたって切り札となるつながりができたりすることもある。人生の早い時期の出会いは、ほかにはない結びつきを生む。

4. 人間にとって自分の問題ほど興味深いものはない。ほかの人がなににとり組んでいるかを考え、助けになるアイデアを提案できるように心がけよう。どんなに目上の人もどんなに重要な人も、考えぬかれた内容であればたいていは新しいアイデアにも耳を貸すものだ。

5. どんなビジネスも、相互に関連する個別の部分からなる閉じた統合システムだ。優れた経営者は、各部分が単独でどう機能するか、ほかのすべての部分とどうかかわって機能するかを理解している。

6. 情報はビジネスにおいてもっとも重要な資産だ。知識が増えれば増えるほど、より多くの視点をもてるようになり、競合より先にパターンや異常を発見する可能性が高くなる。新しいインプットに対して常に心を開いておこう。これは人にも経験にも知識にも言える。

7. 若いうちは、学べることが多くてしっかり研修させてもらえる仕事につこう。最初の仕事が基礎になる。立派そうに見えるという理由で就職するのはよくない。

8. 自己紹介をするときは、印象が重要なことを覚えておこう。全体として筋が通っていなければならない。きみが何者かを示すあらゆる手がかりを相手は探している。時間厳守。等身大で臨む。準備する。

9. どんなに聡明な人でも、ひとりであらゆる問題を解決することはできない。しかし、頭のいい人が大勢で率直に話し合えば問題を解決できる。

10. 困難な立場にある人は自分の問題にばかり目を向けがちだが、その答えはたいてい他人の問題を解決することにある。

11. 自分自身のニーズよりも大きいものを大切にしよう。会社でも、国でも、兵役でもかまわない。自分の信念や価値観に突きうごかされて挑戦することは、成功しても失敗しても価値がある。

12. 自分の善悪の感覚から逸脱してはいけない。清廉潔白をつらぬく。小切手を書いたり自分の懐が痛んだりしない状況で正しいことをするのは簡単だ。なにかをあきらめなければならない状況で正しいことをするほうがむずかしい。常に有言実行を心がけ、自分の利益のために人を惑わしてはいけない。

13. 大胆に。成功する起業家、経営者、個人は、いまがそのときだと思えばすぐに行動する自信と勇気をもっている。ほかの人が慎重なときにリスクを受け入れ、ほかの人が動けずにいるときに行動を起こすが、それを賢くおこなう。この特徴はリーダーの印だ。

14. 自己満足してはいけない。なにごとにも永遠はない。個人であろうと企業であろうと、自分自身をつくりなおし、改善する方法をたえず模索しなければ、競争相手に負けてしまう。とくに組織は意外なほど脆弱だ。

15. 最初の売りこみで商談が成立することはめったにない。自分がなにかを信じているからといって、ほかの人も信じてくれるとはかぎらない。くり返し説得力のあることばで売りこむ必要がある。ほとんどの人は変化を好まないため、なぜ変化を受け入れるべきかを納得させる必要がある。自分が欲しいものを求めることを恐れてはいけない。

16. 大きな変革の機会を見たら、だれもそれを追いかけていないからといって心配する必要はない。ほかの人には見えないものを自分だけが見ているのかもしれない。問題が困難であればあるほど競争はかぎられ、解決できる人への報酬は大きくなる。

17. 成功はまれな機会を生かせるかどうかがすべてだ。心を開き、よく注意して、いつでもチャンスをつかめるようにしておこう。ふさわしい人材と資源を集め、専念する。そのような努力をする準備ができていないのであれば、そのチャンスは思ったほど魅力的でないか、自分がそれを追求するのにふさわしい人間ではないかのどちらかだ。

18. 時間はどんな取引も傷つけ、ときにはだいなしにすることさえある。待てば待つほど、待ちうける不意打ちも増える。とくに厳しい交渉では、合意に達するまで全員をテーブルに縛りつけておこう。

19. 決して損失を出すな！　あらゆるチャンスについてリスクを客観的に評価しよう。

20. 意思決定は準備ができたときにしよう。追いつめられた状態で意思決定をしてはいけない。まわりの人は自分たちの目的や内部の政治など第三者的な必要性から決断を迫ってくるだろう。しかしほとんどの場合、「もう少し考える時間が必要だ。また連絡する」と言えばいい。この戦術は、もっとも困難で不快な状況でさえやわらげるのに非常に有効だ。

21. 心配することは、能動的に心を解放する働きだ。適切な方向に向けられていれば、どんな状況でもマイナス面を明確にし、それを避ける行動につなげることができる。

22. 失敗は、組織にとって最高の教師だ。失敗について率直かつ客観的に話そう。なにが悪かったのか分析しよう。意思決定や組織行動について新しいルールを学ぶことができる。しっかり評価すれば、失敗は組織のたどる方向を変え、将来的にさらなる成功につながる可能性を秘めている。

23. 可能な場合はいつも一〇点満点の人材を採用しよう。一〇点の人材は、問題を見つけだし、解決策を立案し、事業を新しい方向へ向かわせることに積極的だ。彼らはほかの一〇点満点の人材もひきつけて雇う。一〇点の人材がいれば必ずなにかをつくりあげることができる。

24. いい人だと思う相手のためなら、ほかの人たちが立ち去ってしまっても、そばにいてやろう。だれでも厳しい状況に陥ることはある。相手が必要としているときなにげなく親切にふるまうことは、人生の流れを変え、予期しない友情や絆を生みだすことがある。

25. だれにでも夢がある。ほかの人が目標を達成するのを助けるためにできることをしよう。

謝辞

ハンク・ポールソンに書くことをすすめられてからこの本が完成するまで、一〇年以上の月日がかかっている。

マット・マローンに感謝する。二〇〇九年から二〇一六年にかけてわたしと定期的に旅をし、わたしの経歴、リーマンでのキャリア、ブラックストーンの設立と成長について質問してメモをとり、それをもとに書きおこしをつくってくれた。

二〇一七年、わたしは何人もの本のエージェントと面談し、ICMパートナーズのジェニファー（ジェン）・ジョエルを選んだ。彼女を選んだのは正解だった。ジェンは出版社を選択するうえで助言をあたえてくれた。ふたりで選んだのがサイモン＆シュスターだ。わたしの編集者に任命されたベン・ローネンは、すばらしい仕事をしてくれた。判断力が高く、編集能力も高い。また、ブラックストーンの広報責任者であるクリスティーン・アンダーソンは、すべての面談の段取りをつけ、本書のコンセプトを洗練するのを手伝ってくれた。さらに、すべての草稿を読み、本書のマーケティング計画を主導し、何年もこのプロジェクトの進展にかかわってくれた。

この本を世に出すにあたり数人のライターに面談した。最終的にはわたしの母校であるハーバード・ビジネス・スクールについてすばらしい本を書いたフィリップ・デルヴス・ブロートンを選んだ。フィリップは世界中どこでもわたしのあとを追いかけ、わたしの自宅やオフィスで長い時間をともにすごした。そして、マットがつくった書きおこし、直接インタビュー、公開資料をもとに、読みやすく整然とした最初の草稿にまとめあげた。わたしたちは二年以上かけていっしょに本をしあげた。わたしが草稿を一行一行編集し、自分の声で本にできたのはフィリップの貢献のおかげだ。彼には感謝してもしきれない恩がある。

わたしのスタッフ統括責任者シルパ・ネイヤーは、きわめて重要な役割を果たした。フィリップやわたしと協力していくつかの部分の草案をつくり、さまざまな草稿に対する読者のコメントをすべてまとめてくれた。シルパはライターとしてもプロジェクトマネージャーとしてもすばらしい仕事をし、本を完成に導いた。

原稿を読み、詳細なコメントをして修正が必要な個所に気づかせてくれた友人や同僚に感謝したい。ジョン・グレイ、トニー・ジェイムス、ジョン・フィンリー、ペイジ・ロス、エイミー・スタースバーグ、ウェイン・バーマン、ネイト・ローゼン、ジョン・バーンバック、バイラム・カラス医師、もっとも古い友人のジェフリー・ローゼン、子どもたちズィビー・オーウェンズとテディ・シュワルツマン、妻のクリスティーン、そしてチームのジェン、ベン、クリスティーン、シルパ。彼らのおかげで、多くの重要な点で最終原稿に磨きをかけることができた。

また、ブラックストーン慈善基金の専務理事であり、スティーブン・A・シュワルツマン教育財団とスティーブン・A・シュワルツマン財団の専務理事でもあるエイミー・スタースバーグに感謝する。エイミーとは毎日いっしょに働いている。彼女の判断とプロジェクト管理なしには、この本に書かれている慈善活動を実行することはできなかった。わたしの慈善活動のアイデアに命を吹きこんでくれた非凡な人物だ。

ブラックストーンの政府関係責任者であるウェイン・バーマンの特別な貢献に感謝する。彼とは週末もふくめて毎日話をしている。国の内外を問わず、連邦、州、都市レベルでブラックストーンがとり組まなければならない問題が数えきれないほどあるからだ。ウェインはよき友人であり、信頼できる貴重なアドバイザーだ。

ブラックストーンの主要事業部門の責任者たちにも感謝の意を表したい。プライベートエクイティ部門の責任者ジョー・バラッタ、ブラックストーンの最大の事業部門である不動産部門の共同責任者ケン・カプランとキャサリーン・マッカーシー、タクティカル・オポチュニティーズ部門の責任者デイビッド・ブリッツァー、ブラックストーン・インフラストラクチャー・パートナーズの責任者ション・クリムザック、ブラックストーン・オルタナティブ・アセット・マネジメント（BAAM）の責任者ジョン・マコーミック、クレジット事業GSOの責任者ドワイト・スコット、セカンダリー投資事業ストラテジック・パートナーズの責任者ヴァーン・ペリー、ブラックストーン・ライフ・サイエンスの責任者ニック・ガラカトス、ブラックストーン・グロース・エクイティの責任者ジョン・コーンゴールド、CFOマイケル・チェ、法務担当役員ジョン・フィンリー、プライベート・ウェルス・ソリューション部門の責任者ジョーン・ソロター、人事部門の責任者ペイジ・ロス、株主向け広報の責任者ウェストン・タッカー、IT部門の責任者ビル・マーフィーの面々だ。

また、八〇年代からブラックストーンで働き、初期に多大な貢献をしてくれたケン・ホイットニーにも触れておきたい。ケンは、不動産事業をはじめたジョン・シュライバーと、クレジット事業をはじめたハワード・ゲリスの採用を手伝ってくれた。ケンは九〇年代にPEファンドと不動産ファンドの資金調達を助け、投資家関係の責任者を務めた。

共同創業者の故ピート・ピーターソン、妻のジョーン・クーニーと子どもたちに特別に感謝する。ピートが初期のころ積極的にかかわってくれていなければ、ブラックストーンは存在しなかった。わたしのファミリーオフィスを運営し、生活に秩序をもたらす手助けをしてくれるジョン・マリアーノとポール・ホワイトにも感謝したい。

また、ブラックストーン・グレーター・チャイナの歴代会長を務めたふたり、かつてのパートナーであるアントニー・リョンと現在のパートナーである張利平《チャンリーピン》にも感謝する。アントニーがいなければ、二〇〇七年に株式公開をしたとき、中国政府がブラックストーンへの出資に興味をもつことはなかっただろう。この取引は、会社の発展とわたしの人生の流れを変えてくれた。シュワルツマン・スカラーズの設立が可能になったのも、わたしが中国の最高指導部と関係を築くことができたのもそのおかげだ。張利平がいなければ、現代の中国でなにが起こっているかを理解するという点で、大きな損失となるだろう。ふたりでいっしょに中国政府の重要なメンバー、中国の投資家、中国の重要なビジネスリーダーを訪問するのにかなりの時間を費やしている。張利平は貴重な洞察を提供してくれる。すばらしい友だ。

シュワルツマン・スカラーズの今日の成功をなしとげてくれた多くの人たちに感謝したい。リストがあまりにも長く、すべての人の名前をひとりひとりあげることはできないが、現在北京市長を務めている清華大学前学長の陳吉寧にはとくに感謝している。陳前学長がわたしを熱心にたきつけなければ、清華大学に大きな贈りものをすることもなかっただろう。彼はこのプログラムが中国政府や清華大学に受け入れられるよう支えてくれた立役者だ。わたしの生涯の友となり、生態環境部部長としても中国に多大な貢献をしている。

陳吉寧の後継者である邱勇学長は、シュワルツマン・スカラーズの計画をともにすすめたパートナーだ。この前例のないプログラムは彼の支持と熱意なしには実現できなかった。この恩は一生忘れない。清華大学の陳旭書記も、シュワルツマン・スカラーズが大学で独自の地位を占める機会を生みだしてくれた最高指導部の重要なひとりだ。陳書記と邱学長は、中国政府内でこのプログラムに対する幅広い支持を得るのを助けてくれた。北京へは頻繁に出張するが、ふたりに会うのはいつも楽しい。

幸運なことに、現在のシュワルツマン・スカラーズの学長には、清華大学公共管理学院の院長だった薛瀾《シュエラン》を迎えることができた。薛学長はプログラムの継続的な改善に目を配り、シュワルツマン・スカラーズが規模、名声、卓越性の点で成長しつづけるうえで重要な問題にとり組んでいる。二〇一三年の発表から二〇一七年の一期生卒業まで、このプログラムに参加してくれた初代学長のデイビッド・リー（李稲葵）と副学長のデイビッド・パン（潘慶中）に感謝したい。デイビッド・パンは現在も副学長だ。また、清華大学の副学長兼教務局長である楊斌《ヤンビン》が、このプログラムの実施を支援し、評議員を務めてくれていることに感謝する。

エイミー・スタースバーグが率いるニューヨークのシュワルツマン・スカラーズのスタッフにも感謝したい。以前入学部長を務めていたロブ・ガリス、ジュリア・ヨルゲンセンと協力して後援会と同窓会の責任者を務めるデビー・ゴールドバーグ、学術プログラムの責任者を務めるジョアン・カウフマン、財務部長を務めるヘレン・サンタロン、最高総務責任者を務めるリンジー・ババロだ。北京では、学生生活担当のメラニー・クンダーマン、キャリア開発部長のジュリア・ズプコ、学務担当のジューン・チャンに感謝したい。ブラックストーンの不動産事業部門のビル・スタインとティム・ワンは、シュワルツマン・カレッジを設計したロバート・A・M・スターン・アーキテクツのミッシー・デルヴェッキオとジョナス・ゴールドバーグとともに建設を統括してくれた。ミッシーとジョナスは一年間断続的に北京ですごし、最終段階の建設を監督した。北京とニューヨークにこうした献身的な人たちがいなければ、シュワルツマン・スカラーズ・プログラムは決して実現しなかった。また、ハーバード大学のビル・カービー教授とウォーレン・マクファーラン教授にも感謝する。ふたりは、シュワルツマン・スカラーズの初期の理事を務め、カリキュラムを設計する学術諮問委員会の招集、学生や教職員の募集、学術的な観点からのプログラムの監督を支援してくれた。大変助けられた。また、ローズトラストの元議長であるジョン・フッド卿とローズトラストの所長であるエリザベス・キスにも感謝したい。ふたりはローズ奨学制度とシュワルツマン・スカラーズとのあいだに強いつながりを築いてくれた。またジョンは、ローズ奨学生を選別する面接官を派遣して、最初の何年かシュワルツマン・スカラーズの奨学生の誘致を手伝ってくれた。

中国政府には多くの友人や同僚がいる。数えきれないほど何度も北京をおとずれるわたしに面会してくれる厚意に感謝する。習近平国家主席、李克強《リーコーチアン》首相、王岐山副主席、劉鶴副首相、周小川《チョウシアオチョワン》前中国人民銀行行長、易綱《イーガン》現中国人民銀行行長、潘功勝《パンゴンシェン》中国人民銀行副行長、ＩＭＦの朱民《ジューミン》前副専務理事、朱光耀《ジューグアンヨー》元財政部副部長、汪洋政治局常務委員、シュワルツマン・スカラーズの前責任者で特別な友人の劉延東前副首相、プログラムの現在の責任者である孫春蘭《スンチュンラン》副首相、そしてもちろん、元財政部長で中国投資有限責任公司（ＣＩＣ）の初代董事長も務めた楼継偉、そしてジェシー・ワン（汪建熙）などだ。ワシントンでは、アメリカで中国を代表して活躍する崔天凱大使とも親交を深めている。

清華大学経済管理学院の理事を務めているおかげで、アリババの創設者であるジャック・マー、テンセントの創設者であるポニー・マー（馬化騰）、バイドゥの創設者であるロビン・リー（李彦宏）、アップルのＣＥＯティム・クック、フェイスブックの創設者マーク・ザッカーバーグなど、多くの魅力的な人たちに会った。朱鎔基元首相と当時ゴールドマン・サックスの会長だったハンク・ポールソンが最初に招集した理事のうち、ＩＴ企業の出身者だけをあげたのがこの五人だ。理事会は世界でもっとも著名でもっとも聡明な人々で構成されている。会合は経済管理学院の白重恩《パイチョンウン》院長と銭穎一《チエンインイー》元院長をまじえておこなわれる。

シュワルツマン・スカラーズ・プログラムに寄付してくれた一二五人全員にこの場で感謝することは不可能なので、ここではそれぞれ二五〇〇万ドルを寄付している最大の寄付者七団体だけをあげさせてもらう。ＢＰ（最初の寄付者）、チャイナ・フォーチュン・ランド・デベロップメント、チャイナ・オーシャンワイド・ホールディングス・グループ、ダリオ財団、海航集団（ＨＮＡグループ）、孫正義育英財団、スター財団だ。レイ・ダリオは二番目の寄付者で、親しい友人になった。孫正義はシュワルツマン・スカラーズに寄付しただけでなく、これをひな形にして日本のために独自の新しい慈善プログラムをつくった。ニューヨークにも会いにきてくれる親しい友人で、世界中でばったり会うことも多い。最後に、ＡＩＧの元会長でもあるスター財団のハンク・グリーンバーグは、対中関係でもっとも際立つアメリカ人のひとりだ。一九九八年にブラックストーンの最初の外部投資家になってくれた人でもある。

幸運にも、最近の五人の大統領と在任中に知り合うこともできた。ドナルド・トランプ大統領、バラク・オバマ大統領、ジョージ・Ｗ・ブッシュ大統領、ビル・クリントン大統領、ジョージ・Ｈ・Ｗ・ブッシュ大統領だ。ブッシュ第四一代大統領には、一九六七年、イェール大学のダベンポート・カレッジでペアレンツデーが開かれたときお目にかかった。息子のジョージ・Ｗ・ブッシュはわたしより一年上の学部生だった。ジョージ・Ｗと妻のローラは、任期中とくに歓迎してくれた。妻とわたしは、はじめはホワイトハウスで、その後は大統領図書館や牧場で何度もふたりに会った。バラク・オバマ大統領とは二〇〇八年の大統領選のときに知り合い、その後も、ブッシュ大統領から任命されたジョン・Ｆ・ケネディ・センターの会長を務めていた関係で交流を深めた。オバマ大統領の任期中、大統領顧問のバレリー・ジャレットとも知り合った。彼女はわたしの呼びかけにすばやく反応し、さまざまな重要な問題の解決に手を貸してくれた。ニューヨークで三〇年以上前から知っていたドナルド・トランプ大統領からは、戦略政策フォーラムの議長に任命された。スティーブン・ムニューシン財務長官とは何十年にもわたり非常に親しくさせてもらっている。また、やはり三〇年以上前から知り合いのウィルバー・ロス商務長官との友情を通じて、ロバート・ライトハイザー大使に会うこともできた。ジャレッド・クシュナーとイヴァンカ・トランプの公共への奉仕と、さまざまな問題での緊密な協力に感謝したい。イレーン・チャオ運輸長官、ミッチ・マコーネル上院院内総務とも数十年前から親交がある。わたしがまだ三一歳だったころ議員に選出されたばかりでリーマンのオフィスまでたずねてきた上院少数党院内総務チャック・シューマーとも長年のつきあいになる。ナンシー・ペロシ下院議長とは一五年前からの知り合いだ。偶然にも、ナンシーの娘はブラックストーンの投資先会社で働いているそうだ。ナンシーはいっしょにいて楽しい人で、完全にオープンに話せる相手でもある。ジョン・ベイナー元下院議長とも関係を築き、ポール・ライアン元下院議長や、元下院多数党院内総務で現下院少数党院内総務のケヴィン・マッカーシーとも頻繁に仕事をしてきた。また、わたしがオバマ大統領に協力していたとき、財政の崖の交渉でお世話になったエリック・カンター元下院多数党院内総務に感謝する。ロイ・ブラント上院議員が下院議員時代、アメリカの歴史について話し合うためにオフィスでのすばらしい昼食に招待してくれたことにも感謝する。最後に、ケネディ・センターでの仕事を支えてくれたエドワード（テッド）・ケネディ上院議員の友情に感謝したい。テッドはこの重要な責任を引き受けるよう要請するためにわざわざニューヨークまでわたしをたずねてくれ、妻のヴィッキーとふたりでワシントンの自宅でわたしをもてなしてくれた。ふたりはわたしのケネディ・センターでの成功をお膳立てしてくれた。

また、ジョン・ケリー元国務長官のシュワルツマン・スカラーズへの支援と長年にわたる友情に感謝する。一九六五年にイェール大学のサッカーチームの入団テストを受けたとき、四年生としてチームに参加していたジョンに会った。以来、わたしたちの道はたえず交差し、国に対する彼の貢献と彼自身の活力や気力に心から感服している。

ヒラリー・クリントン元国務長官にも感謝したい。ケネディ・センターの任期中もふくめ、非常に長いあいだ支援してくれている。同様に、コンドリーザ・ライス元国務長官もブッシュ政権以来の長年の友人だ。まばゆいほどの知性と魅力をあわせもち、スタンフォード大学で教務局長を務めているあいだ大きな変化をもたらした。彼女の前任者コリン・パウエル元国務長官に会ったのは、一九八四年、レーガン大統領の就任式のあとにロン・ローダーのワシントンの自宅でピザを食べていたときだ。じつに非凡な人物で、ペンタゴンでの統合参謀本部議長としての任務と第一次湾岸戦争への貢献は国を勇気づけた。ニューヨーク出身のコリンはすばらしいダンサーであり、クラシックカーが大好きで、真に人を鼓舞するリーダーでもある。

エンリケ・ペニャ・ニエト前大統領と、そのもとで財務公債相となりのちに外相となったルイス・ビデガライ・カソと知り合えたのは幸運だった。また、ありがたいことに、カナダのジャスティン・トルドー首相や上級スタッフのケイティ・テルフォード、ジェリー・バッツ、クリスティア・フリーランド外相らとも良好な関係を築くことができた。クリスティアは、何十年も前に『フィナンシャル・タイムズ』や『ロイター』でジャーナリストとして働いていたときからの知り合いだ。

ブラックストーンの社外取締役であるジム・ブレイヤー、ジョン・フッド卿、シェリー・ラザルス、ジェイ・ライト、ブライアン・マルルーニー閣下、ビル・パレットに対して、会社の将来についての助言、洞察、信頼に感謝したい。また、スティーブン・A・シュワルツマン教育財団の理事であるジェーン・エドワーズ、J・マイケル・エバンズ、ニティン・ノーリア、スティーブン・A・オーリンズ、ジョシュア・ラモ、ジェフリー・ローゼン、ケヴィン・ラッド、テディ・シュワルツマン、沈向洋（ハリー・シュム）、エイミー・スタースバーグ、ナイリー・ウッズにも感謝したい。

アビントン高校の故ボビー・ブライアントと妻のサンディとの生涯にわたる友情に謝意を表する。ボビーは二二〇ヤード走の州チャンピオンで、州選手権の四×四四〇ヤード・リレーチームのアンカーだった。また、アビントンのべつの陸上仲間、故ビリー・ウィルソンと妻のルビーとの友情にも感謝する。

すばらしい先生たちにも感謝したい。アビントン高校時代の歴史の先生で、学ぶことを喜びにしてくれたノーマン・シュミットもそのひとりだ。わたしが四年生のとき、フィラデルフィアの大都市圏でトップ4だった生徒のうちふたりはシュミット先生のアメリカ史の生徒だった。また、大学一年生のときの英語クラスでリサーチアシスタントだったアリステア・ウッドは、大学での最初の学期のあいだに起こりうるみじめな失敗からわたしを救ってくれた。彼は特別に個人指導して、わたしにまず書くことを教え、つぎに考えることを教えてくれた。アリステア・ウッドの指導がなければ、わたしの人生はいまのようなものになってはいなかっただろう。最後に、ハーバード・ビジネス・スクールで企業戦略を教えていた故C・ローランド・クリステンセン教授は校内では数少ない大学教授のひとりだった。彼は学ぶことをワクワクするものに変え、時間がたつのを忘れさせた。

故エドワード・イーガン枢機卿と後任のティモシー・ドーラン枢機卿の友情と、教育へのすばらしい献身に感謝する。カトリック系学校がカトリックと非カトリックの生徒をこれ以上ない最高のレベルにまで教育することに驚くほどの成功をおさめたのはその献身のたまものだ。また、カトリック系学校を支援するインナーシティ奨学金基金のスーザン・ジョージたちは、できるだけ多くの家庭が子どもをこのすばらしいカトリック系小中学校に通わせることができるように、めざましい資金集めの活動をおこなっている。

フランス大統領エマニュエル・マクロンの友情に感謝するとともに、レジオンドヌール勲章を授けてくれたジャック・シラク元大統領に感謝する。後任のニコラ・サルコジ元大統領にはグラントフィシエへの昇進を受けた。それだけでなく、サルコジ元大統領とは非常に親しくなり、妻とわたしは何度もエリゼ宮殿や南フランスの自宅に招待してもらい、昼食や夕食をごちそうになった。また、コマンドゥールへ昇進させてくれたフランソワ・オランド前大統領、セゴレーヌ・ロワイヤル大臣に感謝する。セゴレーヌがロワール渓谷のシャンボールにあるフランソワ一世の建てた豪華な城で催した昼食会はすばらしかった。駐米フランス大使を務め、親しい友になったジャン＝ダヴィッド・レヴィットとフランソワ・デラトルにも感謝の意を表する。また、フランスのブラックストーン会長で同国に関することすべてにおいて助言をくれるジェラール・エレーラにも感謝したい。

元イェール大学学長のリック・レビンにも、在任中の長年にわたる友情と協力に感謝したい。彼はイェールを卓越への道に導いた。また、二〇二〇年九月に開設されるシュワルツマン・センターのコンセプトを練り実現するうえで対応してくれたピーター・サロベイ学長にも感謝したい。

ＭＩＴのラファエル・レイフ学長に特別な感謝の意を表する。彼とはとくに親しくなり、人工知能とコンピューティング技術の分野でアメリカのリーダーシップを展開する重要性についての認識を共有している。ラファエルの好奇心とねばり強さがなければ、ＭＩＴのシュワルツマン・カレッジ・オブ・コンピューティングは生まれなかった。彼は最高レベルの科学に特化した新しいコミュニティにわたしの目を向けさせ、それがこの分野の世界的な専門家とのさらなる友情にもつながった。人生の主眼を変えてくれたことに心から感謝している。ＭＩＴのマーティ・シュミット教務局長は、非常に判断力に優れている。シュワルツマン・カレッジを現実のものにし、それをＭＩＴコミュニティに統合する手助けをしてくれている。

オックスフォード大学では、シュワルツマン人文科学研究センターの構想の陣頭指揮をとる副学長のルイーズ・リチャードソンに感謝する。彼女が率先してニューヨークにいるわたしをたずね、アイデアを紹介していなければ、わたしがかかわることもなかっただろう。ルイーズはこのプロジェクトのすばらしい導き手として、これほど複雑なことをなしとげるときにもちあがる無数の問題を解決に導いている。また、オックスフォード大学前副学長のジョン・フッド卿、ブラバトニック公共政策大学院のナイリー・ウッズ学長、そして医学欽定教授のジョン・ベル卿が、シュワルツマン・センターのプロジェクトについて助言してくれた。心から感謝する。

全米陸上競技連盟（ＵＳＡＴＦ）財団のロバート（ボブ）・グレイフェルドとトム・ジャコビックに感謝する。大人になったわたしがふたたび陸上界に関心をもつようボブがねばり強く働きかけてくれたおかげで、わたしはアメリカの多くのトップアスリートのスポンサーになった。選手にとって大きなメリットになっているのはもちろんだが、わたしの人生における関心事に連続性をもたらすことにもなっている。

ケネディ・センターの元所長マイケル・カイザーにも触れたい。非常に複雑な部分のあるこの最高の舞台芸術センターの運営に手腕を発揮し、舞台芸術の主要な要素をとり入れたわたしの慈善事業プロジェクトにも意見をくれた。

パートナーシップ・フォー・ニューヨーク・シティの非常に有能な専務理事であるキャスリン（キャシー）・ワイルドに感謝する。わたしは最初にモルガン・スタンレーの会長であるジェームズ・ゴーマンと、つぎにシティグループのＣＥＯであるマイク・コーバットとともにこの事業者団体の共同議長を務めた。

人生に喜びと豊かさをもたらしてくれる友人がいなければ、だれも楽しく充実した生活を送ることはできない。わたしは世界中の多くの友人に囲まれて幸運だ。生きる喜びと友情をわたしの人生にもたらしてくれたことに感謝したい人が何人かいる。全米生徒会会長協会で一六歳のときに知り合ったもっとも古い友人ジェフリー・ローゼン、ピエール・ダランベール王子、ドリット・ムサイエフ、ダグ・ブラフ、ジョン・バーンバック、フランソワ・ラフォン、ロルフ・サックス、アンドレとフランス・デマレー、そしてスーザンとティム・マロイなどだ。

たぐいまれなキャリアをもつふたりの師に感謝したい。一九七〇年代から八〇年代にかけてもっとも有名な金融家だったフェリックス・ロハティンと、ヘンリー・キッシンジャー元国務長官だ。ヘンリーはわたしが出会ったなかでもっとも非凡な人間のひとりだ。九〇代のいまも格調高く洞察力あふれる本を書いている。一九六〇年代からアドバイザーとして世界の舞台に立っている。彼は絶え間なく旅をし、重大な問題についてわたしやほかの人たちに自由に助言をあたえ、九〇代半ばにして知的才能を維持している数少ない人々のひとりだ。ヘンリーと時間をともにすることができて光栄だ。シュワルツマン・スカラーズの国際諮問委員会を引き受けてくれたことにも感謝している。

年齢にともない、主治医たちのすばらしいサービスに感謝している。ハービー・クライン医師、故マーク・ブラウワー医師、リチャード・コーエン医師は、みんな内科医で順番にお世話になってきた。緊急時も応じてくれ、腕がいい。優秀な心臓専門医デイビッド・ブルーメンソール医師にも感謝したい。精神科医のバイラム・カラス医師は、ほとんどどんな問題に対してもすばらしいアドバイスをくれる。また、わたしのトレーナーであるランド・ブリゼラクに感謝する。日々わたしの健康維持を助けてくれている。定期的に身体の調整をおこなってくれる理学療法士のエヴェライン・アーニにも感謝する。最後に、わたしが役員を務めるニューヨーク・プレスビテリアン病院のCEOスティーブン・コーウィン医師に感謝したい。スティーブンはアメリカでもっとも評価の高い病院のひとつを経営している。

わたしのオフィスにいるような優秀なサポートスタッフがいなければ、だれであってもこれだけの量の仕事はこなせない。サマンサ・ディクロッコとエイミー・ラブウィンは過去一〇年間にわたりスタッフを率いた。スタッフの数は四人に増え、数えきれないほどの口述、会議のスケジュール、海外出張を処理している。オフィスは一日二四時間稼働している。サマンサとエイミーは恐ろしく有能だが、同時に明るくて熱心だ。なにが来てもベストをつくす。また、この本の草稿の見なおしを手伝ってくれた元秘書のバネッサ・ゲイツ＝エルストンにも感謝したい。

運転手のリチャード・トロにも感謝する。リチャードはわたしのもとで二〇年以上働いてくれている。わたしたちは毎日朝はやく出発し、仕事や夜の社交的な催しをこなして遅く帰ってくる。リチャードは非常に有能で、献身的で、必ず職務を遂行する。なにか問題が起きても、手をつくしてわたしを時間どおり目的地に届けてくれる。

いまは亡き父と母が価値観と意欲と正しい遺伝子の組みあわせをあたえてくれていなければ、これまで人生でなしとげてきたようなことをなしとげることもなく、いま生きているような人生を送ることもできなかっただろう。両親からもらったものがもたらす深い影響と知恵は、大人になってはじめて理解できるようになる。その恩に十分感謝することは無理だが、両親が生きていたとき感謝を示そうとつとめたつもりだ。ふたりにまたわたしの人生について話し、愛していると伝えられたらどんなにいいだろう。もちろん生命のサイクルはそれを許さないが、いまも両親のことはよく考える。

双子の弟マークとウォーレンにも、生涯変わらぬ笑いと愛情と相互の敬慕に感謝したい。家族が途切れることなく関係をもちつづけるのは珍しいことらしい。弟たちとわたしは例外だ。弟たちとそのすばらしい家族の支援、活力、愛情に感謝している。ふたりと兄弟でラッキーだった。

わたしの人生の喜びであり誇りであるふたりの子どもズィビー・オーウェンズとテディ・シュワルツマンに愛を送りたい。子どもをもち、その子が大人になるのを見届けることほどすばらしい経験はない。ふたりとも孫をもつ喜びをもたらしてくれた。ズィビーの子どもたち、オーエン、フィービィー、セディ、グレアム。テディの子どもたち、ルーシー、ウィリアム、メアリー。孫たちとすごす時間はほんとうに楽しい。子どもたちがいまでは四〇代で、それぞれすばらしい配偶者カイルとエレンとともに親になっているとはとても信じられない。五歳のときにはじめて出会った義理の娘ミーガンにも愛を送りたい。動物に対する情熱と、職業として動物たちと向きあう姿に感服している。ミーガンは、ジャックラッセルテリアのベイリー、パイパー、ドミノの三匹を訓練するのを手伝ってくれた。三匹のおかげで満ちたりた楽しい生活が送れている。

最後に、妻のクリスティーンに感謝の意を伝えたい。二五年以上にわたる愛情あふれるすばらしい関係に感謝している。わたしは中年期の独身だった五年間にクリスティーンと出会った。彼女はわたしの人生を変え、思ってもみなかったほど楽しく幸せなものにしてくれた。クリスティーンはわたしの発想にはなかった種類の喜びをもたらした。毎日が冒険だ。彼女はどこまでも創造的で、情熱的で、魅力的で、刺激的で、知的で、美しい。少しも年をとったようには見えない。クリスティーンはわたしがこの本を書きあげるまでの産みの苦しみにつきあい、ことばづかいや内容についての果てしない質問にていねいに答えてくれた。世界中どこへでもたずねてきて、ふたりきりの時間を邪魔するライターたちをもてなす役も引き受けてくれた。わたしの子どもや孫の理想的な継母にもなってくれた。彼女のような妻がいてわたしはほんとうに幸せ者だ。

【マ行】

【タ行】

【サ行】

索引

［著者紹介］

スティーブ・シュワルツマン　Stephen A. Schwarzman

大手プライベートエクイティ投資会社ブラックストーン・グループの会長兼CEO。1985年にピーター・ピーターソンと創業した同社は、2020年6月30日時点で5,640億ドルを運用する。2007年にタイム誌の「世界で最も影響力のある100人」に選ばれ、2018年にはフォーブス誌の「世界で最も影響力のある人物」の42位にランク入りしている。イェール大学卒、ハーバード・ビジネス・スクールでMBA取得。

［訳者紹介］

熊谷淳子　Junko Kumagai

大阪教育大学卒業後、コロラド大学大学院で聴覚学の修士号を取得。訳書に『予想どおりに不合理』『明日の幸せを科学する』『ハーバードの人生が変わる東洋哲学』『なぜ今、仏教なのか』（以上早川書房）、『人はお金だけでは動かない』（NTT出版）、『きみの脳はなぜ「愚かな選択」をしてしまうのか』（講談社）など。

ブックデザイン　國枝達也
帯写真　bfa.com/アフロ
DTP　株式会社シンクス

ブラックストーン・ウェイ

PE《ピーイー》ファンドの王者が語る投資のすべて

2020年10月14日　初版第1刷発行
2024年10月25日　初版第5刷発行

著　者　スティーブ・シュワルツマン

訳　者　熊谷淳子《くまがいじゅんこ》

発行人　佐々木幹夫

発行者　株式会社 翔泳社
https://www.shoeisha.co.jp

印刷・製本　大日本印刷 株式会社

ISBN978-4-7981-6524-0

Printed in Japan